RÊVE

FATIMA MERNISSI

Rêves de femmes

Une enfance au harem

TRADUIT DE L'ANGLAIS PAR CLAUDINE RICHETIN,
REVU ET ADAPTÉ PAR L'AUTEUR

ALBIN MICHEL

Titre original :

DREAMS OF TRESPASS – TALES OF A HAREM GIRLHOOD

ISBN : 978-2-253-14513-4 – 1re publication LGF

1

LES FRONTIÈRES DE MON HAREM

Je suis née en 1940 dans un harem à Fès, ville marocaine du IXe siècle, située à cinq mille kilomètres à l'ouest de La Mecque, et à mille kilomètres au sud de Madrid, l'une des capitales des féroces chrétiens. Nos problèmes avec les chrétiens, disait mon père, commencent, comme avec les femmes, lorsque les *hudud*, les frontières sacrées, ne sont pas respectées. Je suis née en plein chaos, car chrétiens et femmes contestaient constamment les *hudud* et les violaient sans cesse.

Au seuil même de notre harem, les femmes attaquaient Hmed, le portier, qu'elles harcelaient sans arrêt, et les armées étrangères ne cessaient de déferler, traversant les frontières du Nord. En fait, des soldats étrangers étaient postés juste au coin de notre rue, située à la ligne de démarcation qui séparait la Médina, notre ville ancestrale, de celle que les envahisseurs venaient de se construire, et qu'ils appelaient « Ville Nouvelle ».

Quand Allah a créé la terre, disait mon père, il avait de bonnes raisons pour séparer les hommes des femmes, et déployer toute une mer entre chrétiens et musulmans. L'ordre et l'harmonie n'existent que lorsque chaque groupe respecte les *hudud*. Toute transgression entraîne forcément anarchie et malheur. Mais les femmes ne pensaient qu'à transgresser les limites. Elles étaient obsédées par le monde qui existait au-delà du portail. Elles fantasmaient à longueur de journée, se pavanaient dans des rues imaginaires. Et pendant ce temps-là, les chrétiens continuaient de traverser la mer, semant la mort et le chaos.

Les malheurs, comme les vents froids, viennent du nord. Et nous nous tournons vers l'est pour prier. La Mecque est loin, mais vos prières peuvent l'atteindre si vous savez vous concentrer. On m'initierait à la concentration au moment opportun. Les soldats espagnols campaient au nord de Fès, et même oncle Ali et mon père, qui étaient de puissants notables dans la ville et exerçaient une autorité incontestée à la maison, étaient obligés de demander une autorisation de Madrid pour assister au festival religieux de Moulay-Abdesslam, près de Tanger, à trois cents kilomètres de chez nous. Mais les soldats stationnés devant notre porte appartenaient à une autre tribu. Ils étaient français, chrétiens comme les Espagnols, mais parlant une autre langue. Ils habitaient un pays situé encore plus au nord. Paris est le nom de leur capitale. Cousin Samir disait que Paris est à deux mille kilomètres, deux fois plus loin que Madrid, et que ses habitants sont deux fois plus féroces. Les chrétiens, comme les musulmans, se battent entre eux tout le temps. Les Français et les Espagnols se sont pratiquement étripés sur notre sol. Puis, comme ils n'ont pas réussi à s'exterminer mutuellement, ils ont décidé de couper le Maroc en deux. Ils ont posté des soldats près d'Arbaoua et ont décrété que désormais, pour aller vers le nord, il faut un laissez-passer parce que vous entrez au Maroc espagnol. Si vous désirez vous diriger vers le sud, il faut un autre laissez-passer car, disent-ils, vous traversez une frontière pour entrer au Maroc français. Et si vous refusez de suivre leurs instructions, vous restez coincé à Arbaoua, un lieu arbitraire où ils ont construit une gigantesque porte qu'ils ont appelée frontière. Mais le Maroc, nous expliquait mon père, a existé depuis des millénaires sans partage ni coupures, même avant l'avènement de l'islam, il y a mille quatre cents ans ! Personne n'a jamais entendu parler de frontières coupant le pays en deux.

La frontière est une ligne imaginaire dans la tête des guerriers. Cousin Samir, qui accompagnait parfois mon oncle et mon père dans leurs voyages, disait que pour créer une frontière, il suffit d'avoir des soldats pour obliger les autres à y croire. Dans le paysage lui-même, rien ne change. La frontière n'existe que dans la tête de ceux qui ont le pouvoir. Je ne pouvais pas aller m'en rendre compte sur place moi-même parce que mon oncle et mon père affirmaient que les filles ne voyagent pas. Les voyages sont dangereux et les femmes incapables de se défendre. Tante Habiba, qui a été répudiée et renvoyée sans aucune raison par un mari qu'elle aimait tendrement, prétendait qu'Allah avait envoyé les armées du Nord pour punir les hommes d'avoir violé les *hudud* qui protègent les faibles. Faire du mal à une femme, c'est violer les *hudud*, les frontières sacrées d'Allah. C'est illégal de faire du mal aux faibles. Tante Habiba a pleuré pendant des années.

L'éducation, c'est apprendre à repérer les *hudud*, dit Lalla Tam, la directrice de l'école coranique où l'on m'a envoyée à l'âge de trois ans rejoindre mes dix cousins et cousines. Lalla Tam a un long fouet menaçant. Je suis toujours d'accord avec elle sur tout : la frontière, les chrétiens, l'éducation. Être musulman signifie respecter les *hudud*. Et pour un enfant, respecter les *hudud* veut dire obéir. Je souhaitais de toutes mes forces faire plaisir à Lalla Tam. Dès que j'ai pu échapper à son regard, j'ai demandé à cousine Malika, qui avait deux ans de plus que moi, si elle pouvait me montrer exactement où étaient situées ces *hudud*. Elle m'a répondu que tout ce dont elle était sûre, c'est que tout se passerait bien si j'obéissais à Lalla Tam. Les *hudud*, c'est ce que Lalla Tam interdit. Ces paroles de cousine Malika m'ont rassurée et je me suis mise à aimer l'école.

Depuis, rechercher les frontières est devenu l'occupation de ma vie. L'anxiété me saisit dès que je ne réussis pas à situer la ligne géométrique qui organise mon impuissance.

Mon enfance était heureuse parce que les frontières étaient claires. La première était le seuil qui séparait le salon de mes parents de la cour principale. Je n'étais pas autorisée à quitter notre seuil et à jouer dans la cour, le matin, avant le réveil de ma mère, ce qui voulait dire que je devais m'amuser de six à huit heures sans faire de bruit. Je pouvais m'asseoir sur le seuil de marbre blanc et froid, mais je devais résister à l'envie de rejoindre mes cousins, plus âgés, déjà en train de jouer. « Tu ne sais pas encore te défendre, me disait ma mère. Le jeu lui-même est une sorte de guerre. » J'avais peur de la guerre. Je posais donc mon petit coussin sur le seuil et je jouais à *l-msaria b-lglass* (littéralement : la promenade assise), un jeu que j'ai inventé à cette époque et que je trouve encore très utile à présent. Il suffit de trois conditions pour jouer. La première est d'être bloqué quelque part, la deuxième d'avoir une place pour s'asseoir, la troisième d'être capable d'assez d'humilité pour estimer que son temps n'a aucune valeur. Le jeu consiste à observer un terrain familier comme s'il vous était étranger.

Je m'asseyais sur le seuil et regardais notre maison comme si je ne l'avais jamais vue. D'abord, il y a la cour carrée, où règne la plus rigide des symétries. Même la fontaine de marbre, chantant sans fin au centre de la cour, paraît docile et apprivoisée. La fontaine est ceinte d'une mince frise de faïence bleu et blanc qui reproduit le dessin incrusté dans les carreaux de marbre du sol. La cour est entourée d'une colonnade en arceaux. Le sommet et la base des colonnes sont en marbre, et le milieu couvert de mosaïque bleu et blanc, faisant écho au motif de la fontaine et du carrelage. Tous les éléments s'inséraient par des effets miroirs dans une symétrie implacable. Rien ne débordait. Le hasard était impossible, ou plutôt impensable.

Deux par deux, d'immenses salons se font face de chaque côté de la cour. Chaque salon a un gigantesque portail, flanqué d'immenses fenêtres donnant sur la cour. Le matin, et en hiver, les portails sont fermés par d'énormes portes de cèdre sculptées de fleurs. En été, les portes sont ouvertes, drapées de lourds brocarts de velours et de dentelle, qui laissent passer l'air et étouffent le bruit et la lumière. Les fenêtres des salons ont des grilles en fer forgé argenté couronnées d'ogives de verre coloré. J'adorais ces vitraux et le jeu du soleil matinal qui ne cessait d'en changer les teintes bleues et rouges, et d'adoucir les jaunes. On retrouve la colonnade à arceaux au niveau du premier et du second étage. Enfin, si vous continuez à lever le regard, vous apercevez le ciel, strictement carré, comme le reste, solidement encadré d'une frise de bois ornée de dessins géométriques aux teintes passées d'ocre et d'or.

C'est une expérience bouleversante que de regarder le ciel quand on est dans la cour. D'abord il paraît terne, à cause de l'encadrement où les hommes l'ont piégé. Mais le mouvement des étoiles au petit matin, se fondant lentement dans l'intensité bleue, prend une telle force qu'il vous étourdit. Certains jours, surtout en hiver, quand les rayons pourpres et roses du soleil naissant chassent du ciel les dernières étoiles, on peut se laisser hypnotiser facilement. La tête rejetée en arrière, les yeux rivés au ciel carré, on a soudain envie de s'endormir. Mais juste à cet instant, les gens commencent à envahir la cour, arrivant de partout, des portes et des escaliers. J'ai failli oublier les escaliers ! Logés aux quatre coins de la cour, ils sont importants car même les adultes peuvent s'y adonner à une sorte de gigantesque partie de cache-cache, montant et descendant en courant les marches de faïence verte.

Juste en face, de l'autre côté de la cour, il y a le salon de l'oncle Ali, qu'il occupe avec sa femme et leurs sept enfants et qui ressemble comme deux gouttes d'eau au nôtre. Ma mère n'aurait pas permis de distinction visible entre le salon de l'oncle et le nôtre, même si, étant l'aîné, l'oncle avait droit à des appartements plus grands et plus luxueux. Oncle Ali était non seulement plus âgé et plus riche que mon père, mais il avait aussi une famille plus nombreuse. La nôtre ne comptait que cinq membres, mon frère, ma sœur, mes parents et moi, alors que celle de l'oncle en totalisait neuf, voire dix, quand la sœur de sa femme venait de Rabat leur rendre visite, et restait parfois six mois de suite, après que son mari eut pris une deuxième épouse.

Mais ma mère, qui déteste la vie collective du harem et rêve d'un éternel tête-à-tête avec mon père, n'accepte ce qu'elle appelle l'arrangement d'*azma* (de crise) qu'à la condition qu'aucune distinction n'apparaisse entre les femmes. Elle exige les mêmes privilèges que la femme de mon oncle, malgré les disparités de nombre et de rang. Oncle Ali respecte scrupuleusement cet arrangement parce que, dans un harem bien géré, plus vous avez de pouvoir, plus vous devez vous montrer généreux. Ses enfants et lui disposent en définitive de plus d'espace que nous, mais d'une façon discrète, dans les étages supérieurs, loin de la cour où tout est si public. Le pouvoir ne doit pas se manifester trop ostensiblement.

Notre grand-mère paternelle, Lalla Mani, occupe le salon situé à ma gauche. Nous n'y allons que deux fois par jour, une fois le matin pour lui baiser la main, et une seconde fois le soir pour recommencer. Comme tous les salons, le sien est meublé de sofas couverts de brocarts et de coussins qui courent le long des quatre murs. Un énorme miroir central réfléchit la porte et ses draperies et le tapis fleuri aux teintes claires qui recouvre entièrement le sol. Poser sur ce tapis un pied chaussé ou, pis, mouillé est un sacrilège, ce qui est pourtant inévitable en été, lorsque la cour est rafraîchie deux fois par jour à grand renfort d'eau de la fontaine. Les jeunes femmes de la famille, comme cousine Chama et ses sœurs, aiment laver le carrelage de la cour en jouant « à la piscine », c'est-à-dire en lançant négligemment des seaux d'eau sur le sol et en arrosant « accidentellement » la personne la plus proche. Ce qui encourage les plus jeunes — mon cousin Samir et moi, pour être précise —

à filer à la cuisine et à en revenir dûment armés d'un bon tuyau d'arrosage. Éclabousser les autres nous enivre de plaisir, tandis que tout le monde se met à pousser des cris et tente de nous arrêter. Nos hurlements dérangent inévitablement Lalla Mani qui, outragée, soulève ses rideaux pour nous avertir qu'elle va se plaindre le soir même auprès de l'oncle et de mon père. « Je leur dirai que personne dans cette maison ne respecte plus l'autorité ! » menace-t-elle.

Lalla Mani déteste les jeux d'eau et les pieds mouillés. En effet, si nous courons vers elle pour lui adresser la parole après être passés près de la fontaine, elle nous donne toujours l'ordre de rester où nous sommes. « Ne me parle pas quand tu as les pieds mouillés, dit-elle. Va d'abord te sécher. » Selon ses principes, tous ceux qui transgressent la loi des pieds propres et secs sont marqués d'infamie jusqu'à la fin de leurs jours, et si jamais on ose aller jusqu'à marcher sur son tapis, ou le salir, on entend parler de son sacrilège pendant des années. Lalla Mani aime à être respectée, c'est-à-dire rester assise, seule, élégamment parée de son diadème de pierreries, et regarder la cour sans rien dire. Elle aime être entourée d'un profond silence. Le silence est le luxe de quelques privilégiés qui peuvent se permettre de garder les enfants à distance.

Enfin, sur le côté droit de la cour se tient le plus grand et le plus élégant de tous les salons : celui des hommes, où ils prennent leurs repas, écoutent les informations, traitent les affaires et jouent aux cartes. Les hommes sont en principe les seuls à avoir accès à un énorme meuble contenant un poste de radio trônant dans le coin droit de leur salon. Il est fermé à clé quand la radio n'est pas utilisée. Des haut-parleurs installés à l'extérieur permettent à tout le monde d'écouter.

Mon père était sûr d'être avec mon oncle le seul à détenir les clés de ce meuble. Pourtant, assez bizarrement, les femmes parvenaient à écouter régulièrement « La voix du Caire » *(çout al-Qahira)* quand les hommes étaient absents. Chama et ma mère dansaient souvent sur les airs que la radio diffusait, accompagnant de la voix la princesse libanaise Asmahan dans *Ahwa* (Je suis amoureuse). Et je me rappelle très clairement la première fois que les femmes nous ont traités de *khain* (traîtres), Samir et moi, pour avoir répondu à mon père que nous avions écouté « La voix du Caire » un jour qu'il nous avait demandé ce que nous avions fait en son absence. Notre réponse trahissait l'existence d'une clé illégale. Plus exactement, elle signifiait que les femmes avaient dérobé la clé pour en faire un double. « Si elles ont un double de la clé de la radio, elles en auront bientôt un du portail », avait rugi mon père. Une énorme dispute avait suivi, et les femmes furent interrogées les unes après les autres dans le salon des hommes. Après deux jours d'enquête, il s'était avéré que la clé avait dû tomber du ciel. Personne ne savait d'où elle était venue. Mais par la suite, c'est sur nous, les enfants, que les femmes se sont vengées. Elles nous ont accusés de trahison, menaçant même de nous exclure de leurs jeux. C'était une perspective effrayante, et nous nous sommes défendus en expliquant que nous n'avions rien fait d'autre que dire la vérité. Ma mère a répliqué en disant qu'en effet certaines choses sont vraies, mais qu'il ne faut pas pour autant les dire. Puis elle a ajouté que ce que vous dites et ce que vous gardez secret n'a rien à voir avec la vérité et le mensonge. Nous l'avons priée de nous expliquer comment repérer la différence, mais elle ne nous a fourni aucune réponse satisfaisante. « Il faut juger par vous-mêmes les conséquences de vos paroles, nous a-t-elle dit. Si ce que vous dites peut faire du tort à quelqu'un, il vaut mieux vous taire. » Ma foi, ce conseil ne nous a guère aidés. On était encore plus confus qu'avant, surtout Samir. Pauvre Samir ! il avait horreur qu'on le traite de traître. Il s'est révolté et a hurlé qu'il était libre de dire ce qu'il voulait. Comme d'habitude, j'ai admiré son audace, mais je n'ai pas soufflé mot. Je me disais que si, en plus de devoir faire la différence entre vérité et mensonge (ce qui me valait déjà pas mal d'ennuis), il me fallait encore repérer cette nouvelle catégorie de soi-disant secrets, j'aurais de la peine à y voir clair. Autant accepter tout de suite l'idée que je me ferais souvent insulter et accuser de trahison.

L'un de mes plaisirs hebdomadaires était d'admirer Samir quand il piquait ses crises de révolte contre les adultes. J'avais l'impression que si je ne le quittais pas d'une semelle, rien de mal ne pourrait m'arriver. Samir et moi étions nés le même jour, un long après-midi de Ramadan, à moins d'une heure d'intervalle. Il est né le premier, au second étage, septième enfant de sa mère. Je suis arrivée une heure après, dans notre salon au rez-de-chaussée, première-née de mes parents. Malgré son épuisement, ma mère a insisté pour que mes tantes et mes cousines lancent les mêmes youyous*[1] et célèbrent le même rituel que pour Samir. Elle a toujours rejeté la supériorité masculine comme une absurdité, en contradiction totale avec l'islam. « Allah nous a faits tous égaux », disait-elle. La maison avait vibré une seconde fois cet après-midi-là des traditionnels chants de fête, si bien que les voisins crurent que deux garçons étaient nés. Mon père était très excité : j'étais toute ronde, avec une face de lune, et il a immédiatement décrété que je serais une grande beauté. Pour le faire enrager, Lalla Mani lui a dit que j'étais un peu pâle, que mes yeux étaient trop fendus, mes pommettes trop hautes, alors que Samir avait « un superbe teint doré et les plus grands yeux de velours qu'on ait jamais vus ». Ma mère m'a raconté plus tard qu'elle n'avait rien dit, mais que dès qu'elle avait pu tenir debout, elle s'était précipitée pour aller voir si Samir avait vraiment des yeux de velours. Et c'était vrai. Il les a encore, mais toute leur douceur veloutée disparaît quand il est d'humeur querelleuse, et je me suis souvent demandé si sa tendance à bondir pour marquer

---

* Les notes se trouvent en fin d'ouvrage.

sa colère contre les adultes n'est pas tout simplement due au fait qu'il est sec et tout en nerfs. En revanche, j'étais si grassouillette qu'il ne me venait pas à l'idée de sauter quand quelqu'un m'agaçait. Je me contentais de pleurer et de courir me cacher dans le caftan de ma mère. Celle-ci ne cessait de me dire que je ne devais pas compter sur Samir pour se rebeller à ma place. « Il faut apprendre à crier et protester, exactement comme on apprend à marcher et à parler. Si tu pleures quand on t'insulte, c'est comme si tu en redemandais. »

Elle était si inquiète à l'idée que je devienne lâche en grandissant qu'elle a consulté sa mère, grand-mère Yasmina, lorsqu'on lui a rendu visite pendant les vacances d'été. Grand-mère Yasmina était célèbre pour son habileté dans l'art de la dispute. Elle a conseillé à ma mère de cesser de me comparer à Samir, et de m'encourager à une attitude protectrice à l'égard des plus petits. « Il y a plusieurs façons de développer le sens des responsabilités chez un enfant. Être agressif et sauter à la gorge des autres est une solution, mais certainement pas la plus élégante. Si vous l'encouragez à se sentir responsable des petits de son entourage, vous lui donnez la possibilité de s'affirmer. Compter sur Samir pour sa protection n'est pas un handicap dans la mesure où elle apprend à protéger les autres. Si elle apprend à protéger autrui, elle saura se protéger elle-même. »

Mais c'est l'incident de la radio qui m'a fait réfléchir. C'est à cette occasion que ma mère m'a parlé de la nécessité de mâcher mes mots avant de parler. « Tourne sept fois la langue dans ta bouche, en serrant bien les lèvres, avant de prononcer une phrase. Car quand les mots sont dits, tu risques gros. » Je me suis alors rappelé comment, dans l'un des contes des *Mille et Une Nuits*, un seul mot déplacé peut entraîner une catastrophe sur la tête du malheureux qui l'a prononcé, s'il déplaît au calife. Il arrive même qu'on appelle immédiatement le *siaf*, le bourreau. Cependant, les mots peuvent également vous sauver si vous maîtrisez l'art de les enfiler habilement. Ce fut le cas de Schéhérazade, la narratrice des mille et un contes. Le calife était sur le point de lui faire trancher la tête, mais elle a réussi à l'arrêter à la dernière minute, par la simple magie des mots.

J'avais hâte de savoir comment elle s'y était prise.

2

SCHÉHÉRAZADE, LE CALIFE ET LES MOTS

Un jour, en fin d'après-midi, ma mère a pris le temps de m'expliquer pourquoi les contes s'appellent les *Mille et Une Nuits*. Pour chacune de ces nombreuses, si nombreuses nuits, Schéhérazade, la jeune épousée, fut en effet obligée d'inventer une nouvelle histoire captivante afin de faire oublier au calife, son mari, son projet funeste de la faire exécuter à l'aube. J'étais terrorisée. « Maman, veux-tu dire que si le roi n'aime pas son histoire, il va appeler le bourreau ? » Je ne cessais de proposer des alternatives pour la pauvre fille. Je voulais absolument que Schéhérazade ait d'autres issues. Pourquoi ne pouvait-elle dire ce qui lui plaît, sans se soucier du roi ? Et pourquoi ne pas renverser la situation au palais, et exiger que ce soit le roi qui lui raconte une histoire captivante tous les soirs ? Il se rendrait compte alors combien c'est effrayant d'avoir à plaire à quelqu'un qui a le pouvoir de vous faire couper la tête ! Ma mère m'a répondu que je devais d'abord écouter les détails. Je pourrais ensuite imaginer des solutions.

Le mariage de Schéhérazade et du roi, commença-t-elle, n'était pas normal du tout. Il a eu lieu dans de très mauvaises circonstances. Le roi Schahriar a trouvé sa première femme au lit avec l'un de ses esclaves et, profondément blessé et furieux, les a fait décapiter tous les deux. À sa grande surprise, il a découvert que ce double meurtre ne suffisait pas à assouvir sa fureur. Le désir de vengeance l'obsédait toujours. Il lui fallait tuer d'autres femmes, et il demanda à son grand vizir, qui se trouvait être le père de Schéhérazade, de lui procurer une jeune vierge chaque nuit. Le roi l'épousait, passait la nuit avec elle, puis la faisait exécuter à l'aube. Il en fut ainsi pendant trois ans, et le roi fit donc tuer plus d'un millier de jeunes innocentes, jusqu'au jour où « le peuple se souleva contre lui pour le maudire, priant Allah de le faire disparaître, lui et son insupportable loi. Les femmes s'indignaient, les mères pleuraient, les familles s'enfuyaient avec leurs filles. Il ne resta bientôt plus une seule jeune fille avec qui il pût avoir de relations charnelles[1] ». Les relations charnelles, a expliqué ma mère quand Samir s'est mis à sauter et à hurler en exigeant des éclaircissements, c'est quand le mari et la femme se mettent au lit ensemble et dorment jusqu'au matin.

Finalement, un beau jour, il ne resta plus dans la ville que deux vierges : Schéhérazade, la fille aînée du vizir, et sa petite sœur Duniazad. Quand le vizir rentra chez lui ce soir-là, pâle et préoccupé, Schéhérazade lui demanda ce qui se passait. Il lui parla de son problème, et elle réagit d'une façon totalement imprévue. Au lieu de supplier son père de la laisser s'échapper, elle se porta immédiatement volontaire pour passer la nuit avec le roi.

« J'aimerais que vous me donniez en mariage au roi Schahriar. Ou bien je réussirai dans ma mission et j'arrêterai le massacre et je sauverai les gens, ou bien j'échouerai et je serai tuée comme les autres. »

Le père de Schéhérazade, qui l'aimait tendrement, s'opposa à ce projet, et tenta de la convaincre de l'aider à trouver une autre solution. La donner en mariage à Schahriar était la condamner à une mort certaine. Mais Schéhérazade, contrairement à son père, était persuadée d'avoir des pouvoirs exceptionnels susceptibles d'arrêter le massacre. Elle guérirait l'âme troublée du roi en lui racontant les malheurs d'autrui. Elle l'emmènerait dans des pays lointains observer des coutumes étrangères, pour lui permettre d'accéder à l'étrangeté qu'il portait en lui-même. Elle l'aiderait à voir que sa haine obsessionnelle des femmes était une prison. Schéhérazade était sûre que si elle parvenait à forcer le roi à voir clair en lui, il pourrait changer et redeviendrait capable d'aimer[2]. À regret, son père finit par céder, et elle fut mariée à Schahriar cette nuit même.

Dès qu'elle pénétra dans la chambre du roi Schahriar, Schéhérazade se mit à lui raconter une histoire si merveilleuse, s'arrangeant pour interrompre son récit au moment le plus palpitant, qu'il ne put supporter de se séparer d'elle à l'aube. Il lui laissa donc la vie sauve jusqu'à la nuit suivante, pour qu'elle puisse finir son histoire. Mais la deuxième nuit, Schéhérazade commença une autre conte, aussi extraordinaire, loin d'être achevé quand l'aube arriva, et le roi fut obligé de lui faire grâce une nouvelle fois. La même chose se reproduisit la nuit suivante, puis celle d'après, pendant mille nuits, c'est-à-dire près de trois ans. À ce moment-là le roi était bien entendu incapable de se passer d'elle. Ils avaient déjà deux enfants et, après mille et une nuits, il abandonna définitivement sa désastreuse habitude de faire couper la tête des femmes.

Quand ma mère eut fini l'histoire de Schéhérazade, je me suis mise à pleurer : « Mais comment apprend-on à dire des histoires pour plaire à un roi ? » Ma mère a murmuré, comme se parlant à elle-même, que c'était là le destin des femmes. Elles passent leur vie à se perfectionner dans ce genre de choses. Cette obscure réponse ne m'étant d'aucun secours, elle a ajouté qu'il me suffisait de savoir pour le moment que mes chances de bonheur dépendaient de mon habileté à manier les mots. Forts de cette information, Samir et moi avons commencé à nous entraîner sur-le-champ. Nous avions déjà décidé, à la suite de l'incident de la radio, d'éviter toute maladresse verbale envers les adultes. Nous nous asseyions pendant des heures, mâchant les mots en silence, tournant sept fois notre langue dans notre bouche, sans cesser d'observer les grandes personnes pour voir si elles se doutaient de quelque chose. Mais les grandes personnes ne remarquaient jamais rien, surtout dans la cour, où la vie était en apparence très correcte et très stricte. C'était seulement dans les étages supérieurs que les choses s'arrangeaient.

Là, les cousines et les tantes divorcées occupaient avec leurs enfants un labyrinthe de petites pièces. Leur nombre variait selon les conflits conjugaux. Parfois, une cousine éloignée venait chercher refuge chez nous pendant quelques semaines après s'être disputée avec son mari. D'autres venaient avec leurs enfants quelques jours, juste pour montrer à leurs maris qu'elles disposaient d'un autre lieu de séjour, prouvant ainsi qu'elles étaient capables de se débrouiller seules et n'étaient pas totalement dépendantes. Cette stratégie était souvent efficace, et elles retournaient chez elles en meilleure position pour discuter. Mais d'autres encore s'installaient chez nous pour de bon, après un divorce ou un autre problème grave. C'était l'une des traditions que mon père avait le plus à cœur de défendre, quand quelqu'un critiquait la vie de harem. « Où iraient les femmes en difficulté ? » disait-il.

Les pièces du premier étage étaient très simples, avec un sol carrelé de blanc, des murs blanchis à la chaux et un mobilier rudimentaire. Des sofas très étroits, tendus de coton rustique multicolore, étaient disposés çà et là, sur des tapis de raphia aisément lavables. Les pieds mouillés, les chaussures, la tasse de thé accidentellement renversée n'entraînaient pas là les mêmes conséquences dramatiques qu'au rez-de-chaussée. La vie dans les étages était plus facile, surtout parce que tout y était accompagné de *hanan*, cette qualité affective typiquement marocaine que j'ai rarement rencontrée ailleurs.

Le *hanan* est difficile à définir avec précision, c'est essentiellement une sorte de tendresse spontanée, chaleureuse et dispensée sans condition. Les gens qui donnent le *hanan*, comme tante Habiba, ne vous menacent jamais de vous retirer leur affection si vous faites une bêtise. Le *hanan* n'était pas monnaie courante au rez-de-chaussée, en particulier chez les mères, si occupées à vous enseigner le respect des frontières qu'elles en oubliaient de vous offrir un peu de tendresse.

Si vous aimez les histoires, les étages supérieurs sont aussi le lieu idéal. Il faut grimper la centaine de marches de faïence qui débouchent au troisième et dernier étage de la maison, avec la terrasse attenante, où tout est blanc, spacieux et accueillant. C'est là que tante Habiba avait sa chambre, exiguë et presque vide. Son mari avait gardé tout leur mobilier, se disant que si jamais il décidait de lever le petit doigt pour lui demander de revenir, elle se précipiterait tête baissée. « Mais il ne pourra jamais m'ôter ce que j'ai de plus précieux, répétait-elle, mon rire et toutes les histoires merveilleuses que je sais raconter quand l'auditoire en vaut la peine. » J'ai demandé un jour à cousine Malika ce qu'elle voulait dire par « un auditoire qui en vaut la peine », elle m'a avoué qu'elle n'en savait rien non plus. J'ai dit que nous devrions peut-être le lui demander directement, mais Malika m'a répondu qu'il ne valait mieux pas, car tante Habiba pourrait éclater en sanglots. Tante Habiba pleure souvent sans raison, tout le monde le dit. Mais nous l'adorons, et nous pouvions à peine nous endormir le jeudi soir, tant nous brûlions d'impatience à la perspective de ses soirées de contes du vendredi.

Ces rassemblements se terminent en général dans la plus grande confusion, parce qu'ils prennent fin trop tard, selon nos mères, qui sont souvent obligées de grimper jusque là-haut pour venir nous chercher. Nous les accueillons alors avec des hurlements de protestation, et les plus gâtés de mes cousins, Samir par exemple, se roulent par terre en criant qu'ils n'ont pas du tout, mais pas du tout, envie de dormir. Si on réussit effectivement à rester jusqu'à la fin de l'histoire, c'est-à-dire jusqu'à ce que l'héroïne triomphe de ses ennemis et traverse pour rentrer chez elle « les sept rivières, sept montagnes et sept mers », on se trouve confronté à un nouveau péril, celui de redescendre les escaliers. D'abord, il n'y a plus de lumière. Les interrupteurs sont tous contrôlés par Hmed, le gardien, depuis le portail d'entrée. Il les éteint à neuf heures, pour indiquer à tous ceux qui sont sur la terrasse qu'il est l'heure de rentrer et de cesser toute allée et venue. Le deuxième problème est la présence des djinns, qui rôdent partout en silence en attendant de vous sauter dessus. Enfin, cousin Samir imite si bien les djinns que je le prends souvent pour l'un d'eux. J'ai été plus d'une fois obligée de faire semblant de m'évanouir pour qu'il arrête sa comédie.

Parfois, quand l'histoire dure des heures, les mères ne viennent pas nous chercher, et la maison tout entière sombre dans le silence. Nous supplions tante Habiba de nous laisser passer la nuit avec elle. Elle déplie alors son magnifique tapis de mariée, celui qu'elle garde soigneusement plié derrière son coffre de cèdre, et le recouvre d'un drap blanc qu'elle parfume d'eau de fleur d'oranger, spécialement pour l'occasion. Elle n'a jamais assez d'oreillers pour tout le monde, mais on s'en moque bien. Elle partage avec nous sa vaste et lourde couverture blanche, éteint la lumière et place une grande bougie sur le seuil, à nos pieds. « Si par hasard l'un d'entre vous a un besoin urgent d'aller aux toilettes, dit-elle, souvenez-vous que ce tapis est l'une des seules choses qui me rappellent mon ancienne vie de femme heureuse. » Ainsi, pendant ces soirées bénies, on s'endort en écoutant la voix de notre tante ouvrir des portes magiques donnant sur des prairies baignées de clair de lune. Et quand nous nous réveillons le matin, la ville entière s'étale à nos pieds. Tante Habiba a une petite chambre, mais une grande fenêtre dont la vue s'étend jusqu'aux montagnes du Nord.

Elle savait parler la nuit, tante Habiba. Rien qu'avec des mots, elle nous mettait tous dans un grand bateau voguant d'Aden aux Maldives, ou nous emmenait sur une île où les oiseaux parlaient comme des êtres humains. Chevauchant sur les mots, nous dépassions Sind et Hind (l'Inde), laissant loin derrière nous les pays musulmans, vivant les dangers de l'aventure, à la rencontre de chrétiens et de juifs qui nous offraient de partager leur nourriture bizarre, nous regardant faire nos prières tandis que nous les regardions faire les leurs. Parfois nous voyagions si loin qu'on ne trouvait plus aucun dieu. Même les païens qui adorent le soleil et le feu nous paraissaient attachants quand tante Habiba nous les décrivait.

Ses contes me donnaient envie de devenir adulte, pour pouvoir à mon tour développer des talents de conteuse. Je voulais, comme elle, apprendre l'art de parler dans la nuit.

3

LE HAREM FRANÇAIS

Le portail d'entrée de notre maison était un véritable *hadada*[1], une frontière aussi surveillée que celle d'Arbaoua. Nous avions besoin d'une permission pour entrer et sortir. Chaque déplacement devait être justifié et rien que pour se rendre au portail il y avait déjà tout un protocole à respecter. Si on venait de la cour, il fallait d'abord suivre un interminable corridor, puis on se trouvait devant Hmed, le gardien, nonchalamment assis sur son sofa comme sur un trône, un plateau à thé devant lui.

Comme le rite de passage impliquait toujours un processus de négociations assez élaborées, on était soit invitée à s'asseoir à ses côtés sur l'impressionnant sofa, soit en face de lui, plus à l'aise, dans l'étonnant « fauteuil d'Françа », un vieux siège dur et matelassé qu'il avait déniché à la *joutya*, le marché aux puces de la Médina. Hmed avait souvent sur les genoux le plus jeune de ses cinq enfants, car il s'occupait d'eux quand sa femme Luza était au travail. C'était une cuisinière de premier ordre et elle acceptait parfois des extra au-dehors, quand on lui faisait une offre intéressante. Le portail de notre maison était une arche gigantesque, avec de monumentales portes de bois sculpté. Il séparait le harem des femmes des étrangers de la rue. L'honneur de mon père et de mon oncle dépendait de cette séparation, nous disait-on. Les enfants pouvaient franchir le portail, mais pas les femmes adultes. « Je me lèverais à l'aube, disait ma mère de temps en temps, si seulement je pouvais aller me promener au petit matin quand les rues sont désertes. La lumière doit être bleue, ou rose vif peut-être, comme au coucher du soleil. Quelle est la couleur du matin dans les rues désertes et silencieuses ? » Personne ne répondait à ses questions. Dans un harem, on ne pose pas toujours des questions pour avoir une réponse, mais plutôt pour essayer de comprendre ce qui se passe. Errer librement dans les rues était le rêve de toutes les femmes. Le conte le plus populaire de tante Habiba, qu'elle réservait pour les grandes occasions, était celui de « la femme ailée », qui pouvait s'envoler de la cour quand elle le désirait. Chaque fois qu'elle racontait cette histoire, les femmes de la cour attachaient les pans de leur caftan dans leur ceinture et se mettaient à danser les bras écartés comme si elles allaient s'envoler. Ma cousine Chama, qui avait dix-sept ans, sema pendant des années le trouble dans mon esprit en réussissant à me faire croire que les femmes avaient des ailes invisibles, et que les miennes pousseraient aussi quand je serais plus grande.

Le portail nous protégeait également des étrangers postés à quelques mètres de là, sur une autre frontière dangereuse et aussi importante, qui séparait la Médina de la Ville Nouvelle. Parfois, avec mes cousins, nous nous glissions dehors quand Hmed était en train de discuter ou de faire la sieste, pour jeter un coup d'œil aux soldats français. Ils étaient vêtus d'uniformes bleus et portaient un fusil en bandoulière. Leurs petits yeux gris étaient toujours sur le qui-vive. Ils essayaient souvent de nous parler, car les adultes ne leur adressaient jamais la parole. Mais on nous avait sévèrement interdit de leur répondre. Nous savions que les Français étaient avides et avaient fait tout ce chemin pour conquérir notre pays, alors qu'Allah leur en avait attribué un très beau, avec des villes prospères, des forêts profondes, de riches prairies vertes et des vaches beaucoup plus grosses que les nôtres, et qui donnaient quatre fois plus de lait. Mais visiblement, les Français étaient insatiables.

Comme nous vivions à la limite de la vieille ville et de la nouvelle, nous voyions clairement les différences entre la Ville Nouvelle des Français et notre Médina. Leurs rues étaient larges et droites, brillamment éclairées la nuit. Mon père disait qu'ils gaspillaient l'énergie d'Allah, car qui a besoin de tant de lumière dans un quartier sans danger ? Ils avaient aussi des automobiles puissantes. Les rues de notre Médina étaient étroites, sombres et sinueuses, avec tant de chicanes et de tournants que les voitures ne pouvaient y pénétrer. Si les étrangers osaient s'y aventurer, ils n'en trouvaient plus la sortie. Voilà la véritable raison pour laquelle les Français ont été obligés de bâtir une nouvelle ville à leur usage : ils avaient peur de se perdre dans la nôtre.

La plupart des gens se déplaçaient à pied dans la Médina. Mon père et mon oncle avaient des mules, mais les plus pauvres, comme Hmed, n'avaient que des ânes, et les femmes et les enfants étaient obligés de marcher. Les Français avaient peur de s'aventurer à pied. Ils étaient toujours dans leur voiture. Jusqu'aux soldats qui restaient dans les leurs quand les choses se gâtaient. Cette peur était très étonnante pour nous, les enfants, car nous nous rendions compte que les grandes personnes pouvaient avoir aussi peur que nous. Pourtant, ces grandes personnes étaient dehors, libres d'aller à leur guise ! Comment les puissants, ceux qui avaient instauré la frontière, pouvaient-ils aussi avoir peur ? C'est que la Ville Nouvelle était en quelque sorte leur harem. Exactement comme les femmes, ils n'avaient pas le droit d'aller librement dans la Médina. Ainsi, il était possible d'être à la fois puissant et prisonnier d'une frontière. Néanmoins, malgré leur peur et leur solitude, les soldats français, qui avaient souvent l'air très jeunes, terrorisaient la Médina tout entière. Ils avaient le pouvoir de nous faire du mal.

Un jour de janvier 1944, m'a dit ma mère, le roi Mohammed V, soutenu par les nationalistes de tout le Maroc, est allé voir le chef de l'administration coloniale française, le résident général, pour déposer une demande officielle d'indépendance. Le résident général s'est fâché tout rouge. « Comment osez-vous, Marocains, demander votre indépendance ? » a-t-il hurlé[2]. Et pour nous punir, il a lâché ses soldats dans la Médina. Les voitures blindées se sont frayé un chemin dans les ruelles sinueuses. Les gens se tournaient vers La Mecque pour prier. Des milliers d'hommes se sont mis à réciter la prière d'angoisse, qui consiste en un seul mot répété pendant des heures, en cas de catastrophe. *Ya Latif, Ya Latif, Ya Latif !* (Oh ! Miséricordieux !) *Latif* est l'un des innombrables noms donnés à Allah, et tante Habiba disait souvent que c'était le plus beau car il montre Allah comme quelqu'un de tendre et de compatissant, qui a pitié de vous et peut vous aider. Mais les soldats français en armes, pris au piège des ruelles, environnés de *Ya Latif* psalmodiés à l'infini, ont pris peur et perdu leur sang-froid. Ils ont commencé à tirer sur la foule en prière et, en quelques minutes, les cadavres se sont entassés sur les marches de la mosquée, tandis que les incantations continuaient à l'intérieur.

Ma mère m'a dit qu'à cette époque Samir et moi avions à peine quatre ans et que personne ne nous avait vus regarder, de notre portail, les cadavres couverts de sang, tous revêtus de la djellaba blanche de prière, qu'on emportait. « Pendant des mois, Samir et toi avez eu des cauchemars, m'a-t-elle raconté. Vous ne pouviez même pas voir la couleur rouge sans courir vous cacher. Nous avons dû vous conduire au sanctuaire Moulay-Driss plusieurs vendredis de suite pour que les sharifs effectuent sur vous un rituel de protection, et il m'a fallu mettre une amulette coranique sous ton oreiller pendant un an avant que tu ne retrouves un sommeil normal. »

Après cette journée tragique, les Français ont toujours ostensiblement porté des fusils partout où ils allaient, alors que mon père a été obligé de demander la permission à je ne sais combien d'autorités différentes pour garder son fusil de chasse — et encore, il devait le cacher jusqu'à ce qu'il soit dans la forêt. Tous ces événements m'intriguaient et j'en parlais souvent avec Yasmina, ma grand-mère maternelle, qui habitait une superbe ferme avec des vaches, des moutons et d'immenses champs de fleurs, à une centaine de kilomètres à l'est de chez nous, entre Fès et l'océan. Nous lui rendions visite une fois par an, et je lui parlais alors de frontière, de peur et de différence, lui demandant les raisons de tout cela. Yasmina s'y connaissait très bien en peurs de toutes catégories. « Je suis une spécialiste en matière de peur, Fatima, me disait-elle en me caressant le front, pendant que je jouais avec ses perles et ses colliers de corail. Je te dirai des choses quand tu seras plus grande. Je t'enseignerai comment on arrive à dépasser la peur. »

Souvent, j'avais du mal à dormir pendant les premières nuits à la ferme de Yasmina. Les frontières n'étaient pas assez claires. On ne voyait de barrières nulle part, uniquement d'immenses champs plats et ouverts, pleins de fleurs, où les animaux paissaient en liberté. Yasmina m'a expliqué que la ferme faisait partie de la terre originelle d'Allah, qui n'avait pas de frontières, seulement de vastes champs sans bornes ni limites, et que je ne devais pas avoir peur. Mais comment marcher en plein champ sans se faire attaquer ? ne cessais-je de demander. C'est alors que Yasmina a inventé un jeu que j'ai adoré, pour m'aider à m'endormir. Il s'appelait *mshia-f-lekhla* (la promenade à travers champ). Elle me tenait serrée contre elle quand j'étais couchée, j'agrippais ses colliers à deux mains, je fermais les yeux et j'imaginais que je marchais dans un immense champ de fleurs. « Marche sur la pointe des pieds, disait Yasmina, pour entendre le chant des fleurs. Elles chuchotent *Salam, salam* (paix). » Je répétais le refrain des fleurs aussi vite que je le pouvais, tout danger disparaissait, et je m'endormais. *Salam, salam*, murmuraient les fleurs, Yasmina et moi. Et quand j'ouvrais les yeux, c'était le matin, j'étais couchée dans le grand lit de cuivre de Yasmina, les mains pleines de perles blanches et roses. De l'extérieur me parvenaient les musiques mêlées de la brise frôlant les feuilles et des chants des oiseaux qui se répondaient. Personne en vue, sauf le roi Farouk, le paon, et Thor, le gros canard blanc.

En fait, Thor était également le nom d'une des autres épouses de mon grand-père que Yasmina détestait le plus. Je ne pouvais appeler cette femme Thor qu'en pensée. Si je disais son nom à haute voix, j'étais obligée de dire Lalla Thor. *Lalla* est notre titre de respect pour toutes les femmes importantes, de même que *Sidi* est celui que nous employons pour les hommes. Quand j'étais enfant, je devais appeler tous les adultes importants *Lalla* et *Sidi*, et leur baiser la main au coucher du soleil, quand on allumait les lampes, au moment de dire *msakum* (bonsoir). Tous les soirs, Samir et moi baisions la main de tout le monde aussi vite que possible, pour pouvoir retourner à nos jeux, sans entendre la vilaine remarque : « Les traditions se perdent. » Nous étions devenus si experts en la matière que nous parvenions à expédier le rituel à une allure incroyable, mais parfois nous nous pressions tellement qu'il nous arrivait de nous bousculer et de trébucher sur les genoux de quelqu'un ou même de tomber sur le tapis. En ce cas, tout le monde se mettait à rire. Ma mère riait jusqu'à en avoir les larmes aux yeux. « Les pauvres chéris, disait-elle, ils sont déjà fatigués de baiser les mains, et ils ne font que commencer. » Mais à la ferme, Lalla Thor, exactement comme Lalla Mani à Fès, ne riait jamais. Elle était toujours sérieuse, convenable, correcte. Étant la première épouse de grand-père Tazi, elle avait une place très importante dans la famille. À ce titre, elle n'avait pas de charges domestiques et était très riche, deux privilèges que Yasmina ne pouvait supporter. « Je me moque bien que cette femme soit riche, disait-elle. Elle devrait travailler comme tout le monde. Sommes-nous musulmans, oui ou non ? Alors, nous sommes tous égaux. Allah l'a dit. Et son prophète l'a prêché après lui. » Yasmina me disait de ne jamais accepter l'inégalité, car elle n'était pas logique. Voilà pourquoi elle avait surnommé Thor son gros canard blanc.

4

LA RIVALE DE YASMINA

Quand Lalla Thor a appris que Yasmina avait donné son nom à un canard, elle était folle de rage. Elle a sommé grand-père Tazi d'avoir un urgent tête-à-tête avec elle dans son propre appartement, qui était en réalité un mini-palais, avec un *riad* (jardin intérieur), une fontaine et un superbe miroir de Venise qui couvrait un mur de plusieurs mètres. Grand-père est venu à regret, à grandes enjambées, un coran à la main pour bien montrer qu'on l'avait dérangé dans sa lecture. Il portait comme d'habitude son large pantalon de coton blanc, un *qamis* et une *farajiya* de voile de coton, également blancs, et des babouches en cuir jaune[1]. Dans la maison, il ne portait jamais de djellaba, sauf quand il recevait un visiteur.

Physiquement, grand-père avait l'allure caractéristique des Marocains du nord de la région du Rif, d'où sa famille était originaire. Il était grand et mince, avec un visage anguleux, la peau blanche, les yeux clairs et plutôt petits, un air distant et très hautain. Les gens du Rif sont fiers, peu communicatifs, plutôt taciturnes, et grand-père avait horreur de voir ses épouses se disputer ou provoquer des conflits. Il avait cessé de parler à Yasmina pendant une année entière, quittant la pièce quand elle y entrait, simplement parce qu'elle avait été à l'origine de deux disputes au cours du même mois. À la suite de quoi, elle n'eut plus droit qu'à un conflit tous les deux ou trois ans. Cette fois, avec l'affaire du canard, toute la ferme était en alerte.

Lalla Thor a commencé par offrir du thé à grand-père avant d'attaquer le sujet. Puis elle a menacé de le quitter si le nom du canard n'était pas immédiatement changé. C'était la veille d'une fête religieuse, et Lalla Thor était sur son trente et un, vêtue de sa tiare et de son caftan traditionnel brodé de perles et de grenats véritables, destinés à rappeler à tous son statut privilégié. L'histoire semblait apparemment amuser grand-père car il s'est mis à sourire quand la question du canard a été abordée. Il avait toujours pensé que Yasmina était un peu excentrique. Il lui avait même fallu un certain temps pour se faire à quelques-unes de ses habitudes, celle de grimper aux arbres par exemple et d'y rester perchée des heures durant. Parfois, elle parvenait à entraîner avec elle une des autres épouses, et elles se faisaient servir le thé là-haut, dans les branches. Mais ce qui a toujours sauvé Yasmina, c'est qu'elle faisait rire grand-père. L'entreprise n'était pas facile, car il avait un caractère particulièrement morose. À présent, dans le luxueux salon de Lalla Thor, grand-père suggéra à celle-ci de se venger en appelant son horrible petit chien Yasmina. « La rebelle sera ainsi forcée de changer le nom de son canard. » Mais Lalla Thor n'était pas d'humeur à plaisanter. « Vous êtes totalement subjugué par cette Yasmina ! hurlait-elle. Si vous lui cédez là-dessus, demain elle achètera un âne qu'elle appellera Sidi Tazi. Cette femme n'a aucun respect de la hiérarchie. C'est un trublion, comme tous ceux qui viennent des montagnes de l'Atlas, et elle a amené le chaos dans cette respectable maison. Ou elle change le nom de son canard, ou je pars. Je ne comprends pas l'influence qu'elle a sur vous. Si au moins elle était jolie ! Mais elle est trop maigre et trop grande. Comme une vilaine girafe ! »

Il est vrai que Yasmina ne répondait pas aux canons de beauté de l'époque, dont Lalla Thor était le modèle parfait. Lalla Thor avait la peau très blanche, un visage rond comme la pleine lune, et était bien enveloppée, surtout sur les hanches, les fesses et le buste. Yasmina, au contraire, avait la peau mate des montagnards, un visage long aux pommettes saillantes, et très peu de poitrine. Elle mesurait presque un mètre quatre-vingts, à peine moins que grand-père, et avait des jambes incroyablement longues — d'où son don pour grimper aux arbres ou toute autre acrobatie. Il est vrai que ses jambes avaient l'air de baguettes sous son caftan. Pour les cacher, elle s'était confectionné un saroual pourvu d'une multitude de plis. Elle avait également raccourci son caftan, ménageant des fentes sur les côtés pour donner une illusion de volume. Au début, Lalla Thor essaya d'inciter tout le monde à se moquer du nouveau style de Yasmina, mais très vite les autres épouses se sont mises à imiter la rebelle car les caftans courts et fendus leur procuraient une plus grande liberté de mouvements.

Quand grand-père est allé voir Yasmina à propos du canard, elle ne s'est pas montrée très compréhensive. Si Lalla Thor voulait partir, qu'elle s'en aille ! a-t-elle dit. Il ne se sentirait pas seul pour autant. « Vous aurez encore huit concubines pour s'occuper de vous ! Et je serai la plus dévouée. » Alors grand-père a essayé de convaincre Yasmina en lui offrant un bracelet d'argent de Tiznit, en échange duquel elle devait condamner son canard à la marmite à couscous. Yasmina a gardé le bracelet et dit qu'elle avait besoin de quelques jours pour réfléchir. Puis, le vendredi suivant, elle est revenue avec une contre-proposition. Elle ne pouvait pas décemment tuer le canard, puisqu'il s'appelait Lalla Thor ! Ce serait de mauvais augure ! Elle consentait cependant à ne jamais appeler le canard par son nom en public. Elle ne le ferait qu'en pensée. À partir de ce jour, on m'enjoignit de faire de même. J'ai eu beaucoup de peine à garder pour moi le nom du canard.

Il y avait aussi l'histoire du roi Farouk, le paon de la ferme. Qui avait pu donner à un paon le nom du célèbre chef d'État égyptien ? Que faisait un pharaon dans une ferme ? Eh bien, figurez-vous que Yasmina et les autres épouses n'aimaient pas le roi d'Égypte, car il menaçait constamment de répudier sa charmante épouse, la princesse Farida (dont il devait finalement divorcer en janvier 1948). Qu'est-ce qui avait amené le couple dans cette impasse ? Quel crime impardonnable avait-elle commis ? Elle avait simplement donné naissance à trois filles, aucune ne pouvant accéder au trône.

Selon la loi musulmane, une femme ne peut gouverner un pays. Cela s'est pourtant produit il y a quelques siècles, m'a raconté ma grand-mère. Avec l'aide de l'armée turque, Shajarat al-Durr avait accédé au trône d'Égypte après la mort de son mari, le sultan al-Salih[2]. C'était une concubine, une esclave d'origine turque, et elle régna pendant quatre mois, ne gouvernant ni mieux ni plus mal que les hommes qui la précédèrent et lui succédèrent. Bien entendu, toutes les femmes musulmanes ne sont pas aussi rusées et cruelles que Shajarat al-Durr. Quand son second mari, le plus puissant général de l'armée turque de l'époque, décida de prendre une deuxième épouse, elle attendit qu'il entre dans le hammam pour s'y détendre, puis « oublia » d'ouvrir la porte. Le général mourut ébouillanté. Mais la pauvre princesse Farida, elle, n'avait pas l'étoffe d'une parfaite criminelle et ne savait pas se mouvoir dans les cercles du pouvoir, ni défendre ses droits au palais. Elle était d'origine très modeste, sans aucun appui, et c'est pourquoi les épouses de grand-père, qui venaient de milieux analogues, l'aimaient et souffraient de la voir humiliée. Rien de plus humiliant pour une femme, disait Yasmina, que d'être rejetée. « Et hop ! À la rue, comme un chat. Est-ce là une façon décente de traiter une femme ? » De plus, ajoutait Yasmina, si puissant que se croie le roi Farouk, il ne semble pas être très au courant de la manière dont on fait les enfants. « Sinon il saurait que ce n'est pas la faute de sa femme si elle ne peut avoir de fils. Il faut être deux pour faire un enfant. » Et elle avait raison à ce sujet, je le savais. Pour faire des bébés, le marié et la mariée devaient revêtir de beaux vêtements, se mettre des fleurs dans les cheveux, et se coucher ensemble dans un très grand lit. Alors, automatiquement, plusieurs mois après, un petit bébé gigotait entre eux.

La ferme était tenue au courant des caprices conjugaux du roi Farouk grâce à Radio-Le Caire. La condamnation de Yasmina était claire et sans appel. « Est-ce là un bon dirigeant musulman, qui répudie une femme uniquement parce qu'elle ne lui donne pas de fils ? Seul Allah, dit le Coran, est responsable du sexe des bébés. Si Le Caire était une capitale musulmane gouvernée en toute justice, c'est le roi Farouk qui serait chassé du trône ! Cette pauvre princesse Farida, si jolie ! Sacrifiée par ignorance et pure vanité ! Les Égyptiens devraient répudier leur roi. » Voilà pourquoi le paon de la ferme portait le nom du roi Farouk. Cependant, s'il était facile à Yasmina de condamner les rois, il lui était plus difficile de venir à bout de la première épouse de grand-père, même si elle s'en était bien tirée après l'histoire du canard.

Non seulement Lalla Thor était puissante, mais c'était aussi la seule épouse de grand-père Tazi à être originaire de la ville et de naissance aristocratique. Comme elle se trouvait être l'une de ses cousines, son nom de famille était également Tazi. Elle avait apporté en dot une tiare d'émeraudes, de saphirs et de perles noires, que l'on gardait dans un grand coffre dans le coin droit des appartements des hommes. Yasmina, qui venait d'un milieu rural modeste, comme les autres épouses, refusait de se laisser impressionner. « Je ne peux considérer que quelqu'un m'est supérieur uniquement parce qu'il possède une tiare, disait-elle. De plus, si riche qu'elle soit, elle n'en est pas moins coincée dans un harem, exactement comme moi. » J'ai demandé à Yasmina ce que signifiait « coincée dans un harem », et elle m'a donné plusieurs réponses différentes qui ne m'ont pas éclairée le moins du monde.

Parfois, elle disait qu'être coincée dans un harem

signifiait simplement qu'une femme avait perdu sa liberté de mouvements. Ou alors que le harem était synonyme de malheur, car une femme doit partager son mari avec plusieurs femmes. Yasmina devait en effet partager grand-père avec huit autres épouses, ce qui voulait dire qu'elle devait dormir seule huit nuits avant de pouvoir lui faire des câlins pendant une seule. « Et faire des câlins à son mari est quelque chose de merveilleux, disait-elle. Je suis bien contente que les femmes de votre génération ne soient plus obligées de partager leur mari ! » Les nationalistes, qui combattaient les Français, avaient promis l'avènement d'un nouveau Maroc, basé sur l'égalité pour tous. Toutes les femmes devaient avoir les mêmes droits à l'éducation que les hommes, ainsi que celui d'être la seule femme de leur mari[3]. En fait, beaucoup des leaders nationalistes de Fès n'avaient déjà qu'une seule femme, et méprisaient ceux qui en avaient plusieurs. Mon père et mon oncle, qui adhéraient aux idées nationalistes, n'avaient qu'une seule épouse.

Les nationalistes étaient aussi contre l'esclavage. L'esclavage avait prévalu au Maroc au début du siècle, disait Yasmina, même après que les Français l'eurent déclaré illégal. Plusieurs des épouses de la ferme avaient été achetées au marché aux esclaves. Certaines des autres épouses de grand-père qui étaient esclaves venaient de pays étrangers comme le Soudan, mais d'autres avaient été enlevées à leurs parents au Maroc même, pendant la période de chaos qui avait suivi l'arrivée des Français en 1912. Quand le *Makhzen*, c'est-à-dire l'État, n'exprime pas la volonté du peuple, continuait Yasmina, ce sont toujours les femmes qui en font les frais, car l'insécurité et la violence s'installent. C'est exactement ce qui s'était passé à cette époque. Le *Makhzen* et ses bureaucrates, incapables de faire face aux armées françaises, avaient signé le traité qui donnait à la France le droit de gouverner le Maroc comme un protectorat. Mais le peuple refusa de céder. La résistance prit naissance dans les montagnes et les déserts, et la guerre civile commença furtivement. « Il y avait des héros, racontait Yasmina, mais il y avait aussi des criminels armés en tout genre qui s'infiltraient partout. Les premiers luttaient contre les Français, alors que les autres détroussaient les gens. Dans le Sud, à la limite du Sahara, il y avait des héros comme al-Hiba, puis son frère après lui, qui ont résisté jusqu'en 1934. Dans ma région, l'Atlas, le fier Moha et Hamou Zayani ont tenu l'armée française en respect jusqu'en 1920. Dans le Nord, le prince des combattants, Abd el-Krim, a battu les Français, et les Espagnols, à plate couture à plusieurs reprises, jusqu'à ce qu'ils s'allient pour le vaincre en 1926. Mais, pendant ce tumulte, on enlevait des petites filles dans les familles pauvres de la montagne pour les revendre à de riches citadins. C'était une pratique courante. Ton grand-père est un homme bien, mais il achetait des esclaves. C'était normal en ce temps-là. Il a changé maintenant et, comme la plupart des notables des grandes villes, il soutient les idées des nationalistes, y compris le respect de l'individu, la monogamie, l'abolition de l'esclavage, et tout ce qui s'ensuit. Cependant, aussi bizarre que cela puisse paraître, nous nous sentons entre épouses plus proches que jamais. Celles qui étaient esclaves ont pourtant cherché à retrouver des traces de leurs familles d'origine, mais à aucun moment elles n'ont songé à quitter ton grand-père. Nous nous sentons comme des sœurs. Notre vraie famille est celle que nous avons tissée autour de ton grand-père Tazi. Je pourrais presque éprouver de l'indulgence pour Lalla Thor, si seulement elle cessait de nous mépriser sous prétexte que nous n'avons pas de tiare. »

En donnant à son canard le nom de Lalla Thor, Yasmina participait à sa façon à la création d'un nouveau Maroc idéal dans lequel allait entrer sa petite-fille. « Le Maroc a changé très vite, fillette, me disait-elle souvent. Et il va continuer à évoluer. » Cette prédiction me rendait heureuse. J'allais grandir dans un merveilleux royaume où les femmes auraient des droits, y compris celui de câliner leur mari toutes les nuits. Mais tout en regrettant d'avoir à attendre son mari pendant huit nuits, Yasmina ajoutait qu'elle ne devait pas trop se plaindre, car les femmes de Harun al-Rashid, le calife abbasside de Bagdad, devaient chacune l'attendre pendant neuf cent quatre-vingt-dix-neuf nuits, car il avait mille *jaryas*, ou femmes esclaves[4]. « Patienter huit nuits n'est rien par rapport à une attente de neuf cent quatre-vingt-dix-neuf, disait-elle. Presque trois ans ! Ce qui prouve que les choses s'arrangent. Bientôt il y aura un homme pour chaque femme[5]. Allons donner à manger aux oiseaux. Nous aurons tout le temps de parler des harems plus tard. » Et nous courions alors à son jardin donner à manger aux oiseaux.

5

CHAMA ET LE CALIFE

« Qu'est-ce qu'un harem, exactement ? » Voilà le genre de question qui crée de la confusion chez les grandes personnes et les amène à se contredire sans cesse. Pourtant, elles insistent toujours pour que nous, les enfants, utilisions des mots précis. Chaque mot, disent-elles, a un sens spécifique pour lequel il doit être exclusivement utilisé. Mais moi, si on me laissait le choix, j'utiliserais deux mots différents pour parler du harem de Yasmina et du nôtre, tant ils sont dissemblables. Le harem de Yasmina est une grande ferme ouverte sans murs d'enceinte. Le nôtre, à Fès, ressemble à une forteresse. Yasmina et ses co-épouses montent à cheval, nagent dans la rivière, pêchent, et grillent le poisson qu'elles attrapent sur des feux de bois en plein air. Ma mère ne peut franchir le portail sans demander de multiples permissions, et même alors, elle est seulement autorisée à visiter le sanctuaire de Moulay-Driss, le saint patron de la ville, à aller voir son frère qui habite dans la même rue ou, exceptionnellement, à assister à une fête religieuse. Elle doit alors se faire accompagner par d'autres femmes plus âgées, et par l'un de mes jeunes cousins. C'est pourquoi il me semble absurde d'utiliser le même mot pour décrire la situation de Yasmina et celle de ma mère. Mais chaque fois que je cherche à préciser le sens du mot « harem », d'âpres discussions surgissent qui se terminent par des bagarres.

J'ai parlé de ce problème avec Samir, et nous en avons conclu que si les mots en général sont dangereux, celui-ci est une poudrière. Si quelqu'un veut semer la zizanie dans la cour, il n'a qu'à préparer un peu de thé, inviter quelques personnes à s'asseoir, lancer le mot « harem », et attendre une demi-heure. On voit alors des dames très comme il faut, élégamment vêtues de caftans de soie et de babouches brodées de perles, se transformer en furies hurlantes. Nous avons donc décidé, Samir et moi, qu'il est de notre devoir, à nous, enfants, de protéger les adultes. On n'utilisera le mot « harem » qu'avec la plus grande parcimonie, et on s'arrangera pour obtenir l'information indirectement et dans la discrétion la plus parfaite.

Une partie des grandes personnes dit que le harem est une bonne chose, alors que l'autre prétend le contraire. Grand-mère Lalla Mani et la mère de Chama, Lalla Radia, appartiennent au camp pro-harem ; ma mère, Chama et la tante Habiba au camp opposé. Lalla Mani commence souvent la discussion en disant que si les femmes n'étaient pas séparées des hommes, la société ne pourrait avancer et aucun travail ne serait fait. « Si les femmes étaient libres de courir les rues, dit-elle, les hommes s'arrêteraient de travailler car ils ne penseraient qu'à s'amuser. Et, malheureusement, ce n'est pas en s'amusant qu'une société produit la nourriture et les biens de consommation nécessaires. Si l'on veut éviter la famine, les femmes doivent rester à leur place, c'est-à-dire à la maison. »

Plus tard, Samir et moi avons eu une grande consultation à propos du sens de « s'amuser ». Nous en avons conclu que, lorsqu'il s'applique aux grandes personnes, il est lié au sexe. Nous voulions cependant en être tout à fait certains et avons soumis l'affaire à l'appréciation de cousine Malika. Elle nous a dit que nous avions raison. Alors nous lui avons demandé, en nous redressant de toute notre taille : « Et le sexe, d'après toi, qu'est-ce que c'est ? » Nous connaissions déjà la réponse, naturellement, mais nous voulions vérifier. Malika, s'imaginant que nous ignorions tout, a rejeté ses nattes en arrière, non sans solennité, s'est installée sur un sofa, a pris un coussin sur ses genoux, comme une grande personne en train de réfléchir, et a dit lentement : « La première nuit où le mariage est célébré, le marié et la mariée restent seuls dans leur chambre. Le marié fait asseoir la mariée sur le lit, ils se tiennent les mains, et il essaie de la forcer à le regarder dans les yeux. Mais la mariée résiste, elle garde les yeux baissés. C'est très important. La mariée est très timide et effarouchée. Le marié lit un poème. La mariée écoute, les yeux toujours rivés au tapis, et finalement elle sourit. Alors, il l'embrasse sur le front. Elle garde toujours les yeux baissés. Il lui offre une tasse de thé. Elle commence à boire, très lentement. Il lui reprend la tasse, s'assoit près d'elle, et l'embrasse sur... l'embrasse sur... » Malika, qui joue avec notre curiosité, décide de s'arrêter à cet instant fatidique, sachant très bien que Samir et moi mourons d'envie de savoir à quel endroit exactement le marié embrasse la mariée. Les baisers sur le front, la joue et la main n'ont rien d'inhabituel, mais sur la bouche, c'est une autre histoire ! Cependant, pour donner une leçon d'humilité à Malika, au lieu de manifester notre curiosité, nous commençons à chuchoter entre nous, faisant mine d'ignorer totalement son existence. Manifester la plus complète indifférence à l'égard de son interlocuteur est, comme nous l'a récemment appris tante Habiba, une bonne façon pour les faibles de prendre le pouvoir. « Parler quand les autres écoutent est effectivement l'expression même de l'autorité et de l'influence. Mais l'auditeur le plus soumis en apparence, le plus silencieux, a un rôle stratégique important, celui de public. Que devient un orateur, si puissant soit-il, si soudain il perd son public ? » Naturellement, Malika a immédiatement senti le danger et repris son exposé sur les événements de la nuit de noces. « Le marié embrasse la mariée sur la bouche. Ils se couchent ensuite dans un grand lit, où personne ne peut les voir. » Nous n'avons pas continué nos questions. Nous connaissions la suite. L'homme et la femme se déshabillent, ferment les yeux et, quelques mois plus tard, le bébé apparaît. La vie du harem rendant impossible tout contact entre les hommes et les femmes, tout le monde peut ainsi vaquer à ses occupations.

Alors que Lalla Mani vante les mérites du harem, tante Habiba s'énerve. C'est visible à la façon dont elle ne cesse de réajuster sa coiffe, qui pourtant ne glisse pas. Cependant, comme elle est divorcée, elle ne peut ouvertement contredire Lalla Mani, et est ainsi réduite à marmonner ses objections à voix basse, laissant à ma mère et à Chama le soin d'exprimer leur désaccord. Seules celles qui détiennent un certain pouvoir sont autorisées à contredire ouvertement les autres et à manifester leur divergence de vues. Une femme divorcée n'a pas de maison à proprement parler, et doit payer le prix de son hébergement en se faisant oublier le mieux possible. Elle est *mhyuza*, littéralement « ajoutée », elle ne devrait pas être là ; elle n'a pas eu l'astuce et l'intelligence de se créer une place dans la société. Par exemple, tante Habiba ne porte jamais de vêtements de couleurs vives, même si elle exprime parfois le souhait de remettre sa *farajiya* de soie rouge. La plupart du temps, elle porte des couleurs beiges ou délavées, et le seul maquillage qu'elle utilise est le khôl dont elle se cerne les yeux. « Les faibles doivent apprendre à éviter l'humiliation, dit-elle. Il ne faut jamais donner aux autres l'occasion de vous humilier. La pauvreté ne doit pas empêcher l'élégance. »

Ma mère s'assoit sur le sofa en ramenant ses jambes sous elle quand elle se met en position d'affronter Lalla Mani, et elle glisse calmement un coussin sur ses cuisses pour maintenir ses mains. Il faut éviter de gesticuler lorsqu'on se prépare à l'attaque. Tout effritement et gaspillage d'énergie est à éviter. Ensuite, ma mère se croise les bras en calant bien ses coudes sur le coussin, détend son dos et regarde

Lalla Mani droit dans les yeux. « Les Français, ma chère belle-mère, ne gardent pas leurs femmes prisonnières derrière des murs. Ils les laissent courir à leur guise dans les souks, tout le monde s'amuse, et pourtant le travail est fait. En réalité, il est même si bien fait qu'ils peuvent se permettre d'équiper une puissante armée et venir nous tirer dessus dans la Médina. » Puis, avant que Lalla Mani ne se ressaisisse, Chama expose sa théorie sur l'origine du premier harem. Et c'est alors que les choses se gâtent, car Lalla Mani et la mère de Chama se mettent à hurler en chœur qu'il y a une conspiration contre nos ancêtres et que nos traditions sacrées sont tournées en ridicule.

La théorie de Chama était fort intéressante, en fait, et nous l'adorions, Samir et moi, car notre cousine mettait en scène ce qu'elle disait. Il était une fois une époque où les hommes se faisaient constamment la guerre. Tant de sang coulait inutilement qu'un jour ils décidèrent de désigner un sultan pour organiser la situation, exercer la *sulta*, c'est-à-dire l'autorité, et dire aux autres ce qu'ils devaient faire. Tout le monde serait obligé d'obéir. Mais comment décider qui parmi nous sera le sultan ? se demandèrent les hommes en se réunissant. Ils réfléchirent tant et si bien que l'un d'eux eut une idée : « Le sultan doit avoir quelque chose que les autres n'ont pas. » Ils réfléchirent encore, et l'un d'eux eut une autre idée : « Nous devrions organiser une chasse aux femmes, proposa-t-il. Et celui qui en attrapera le plus grand nombre sera nommé sultan.

— Voilà une excellente idée, approuvèrent les autres, mais quelle preuve aurons-nous ? Quand nous nous mettrons à courir dans la forêt, nous nous disperserons. Il nous faut un moyen de paralyser les femmes que nous attraperons, pour pouvoir les compter, et décider du vainqueur. » Et c'est ainsi que vint l'idée de construire des maisons. Des maisons avec des portes et des serrures pour y enfermer les femmes.

Samir fit remarquer qu'il aurait été plus simple

d'attacher les femmes à des arbres, puisqu'elles avaient de longues nattes, mais Chama répondit qu'en ce temps-là les femmes étaient aussi fortes que les hommes, car elles couraient toute la journée dans la forêt, exactement comme eux, et si on en avait attaché deux ou trois au même arbre, elles auraient été capables de le déraciner. De surcroît, cela aurait pris trop de temps et d'énergie d'attacher des femmes aussi fortes, sans compter qu'elles auraient pu vous griffer ou vous donner des coups de pied à un endroit que la bienséance interdit de nommer. Il semblait beaucoup plus commode de bâtir de hauts murs aveugles troués de rares portes cadenassées et de ruser avec les femmes jusqu'à ce qu'elles s'en approchent pour pouvoir ensuite les y enfermer. C'est donc ce que firent les premiers hommes qui eurent l'idée du harem.

La course fut organisée à l'échelle mondiale, et ce furent les Byzantins qui gagnèrent la première manche. Les Byzantins étaient le peuple le plus méchant de tout l'Empire romain et, malheureusement, ils vivaient à proximité des Arabes, et ne perdaient pas une occasion d'humilier leurs voisins. L'empereur des Byzantins conquit le monde, attrapa un grand nombre de femmes et les parqua dans un harem pour prouver qu'il était le chef. L'Orient et l'Occident se prosternèrent devant lui. Ils avaient peur. Mais après plusieurs siècles, les Arabes apprirent à conquérir des territoires et à chasser les femmes. Ils firent de rapides progrès et se mirent même en tête de conquérir l'Empire byzantin. Finalement, ce fut le calife Harun al-Rashid qui eut le privilège de fouler le premier ce territoire. Il menaça de son armée l'empereur romain en l'an musulman 181 (798) et celui-ci fut tellement effrayé qu'il accepta, tremblant comme une feuille, de reconnaître qu'il était prêt à payer des sommes folles, pourvu que l'armée musulmane consente à s'éloigner un petit peu. Harun al-Rashid devint riche et poursuivit sa conquête du monde[1]. Après avoir rassemblé mille *jaryas*, ou jeunes esclaves, dans son harem, il construisit un grand palais à Bagdad pour les y enfermer. Personne ne pouvait ainsi douter qu'il était le sultan. Les Arabes devinrent les sultans du monde, et rassemblèrent de plus en plus de femmes. Le calife al-Mutawakkil en eut quatre mille, et al-Muqtadir onze mille esclaves, hommes et femmes confondus. Le monde entier était plein de respect. Les Arabes donnaient des ordres, et les Romains s'inclinaient. Mais les chrétiens sont des malins, il ne faut jamais leur faire confiance, surtout lorsqu'ils jouent à l'obéissance : alors que les Arabes étaient très occupés à enfermer leurs femmes derrière des portes, les Romains et autres chrétiens se réunirent pour décider de changer les règles du jeu dans les pays méditerranéens. Il ne s'agissait plus, déclarèrent-ils, de collectionner les femmes. Le plus puissant serait dorénavant celui qui avait les machines et les armes les plus performantes, y compris les armes à feu et les navires. Ils décidèrent de ne pas souffler mot de ce changement aux Arabes, de garder le secret pour leur faire une surprise. Les Arabes dormaient donc sur leurs deux oreilles, croyant tout connaître des règles du jeu du pouvoir.

À ce moment précis, Chama s'arrête de parler, se lève d'un bond pour augmenter l'effet dramatique à notre intention et, sans tenir compte des hurlements de protestation de Lalla Mani et Lalla Radia, commence à mettre en scène ses mots. Pendant ce temps, tante Habiba se tord bizarrement la bouche pour que personne ne voie son sourire. Rire voudrait dire, de sa part, qu'elle est d'accord avec Chama et se moque de la capacité d'analyse de nos ancêtres. Chama relève alors son *qamis* de dentelle blanche pour libérer ses jambes et saute sur un sofa inoccupé. Elle s'allonge en faisant semblant de dormir, enfouit sa tête dans l'un des énormes coussins, cache son visage sous sa rousse chevelure rebelle et dit à très haute voix : « Les Arabes sont en train de dormir. » Puis elle ferme les yeux et se met à ronfler, pour se relever d'un bond une seconde plus tard, et nous dévisage, Samir et moi, comme si elle ne nous avait jamais vus. « Les Arabes se sont enfin réveillés, il y a quelques semaines, dit-elle. Les os de Harun al-Rashid sont devenus poussière, et la poussière a été emportée par les pluies. Les pluies les ont entraînés dans la rivière Tigris. Et celle-ci court vers la mer où tout devient minuscule. Les os de Harun al-Rashid se sont perdus dans la furie des vagues. Un roi français gouverne à présent notre partie du monde. Il porte le titre de président de la République française. Il a un immense palais à Paris, qu'on appelle l'Élysée et, ô surprise ! il n'a qu'une épouse. Pas de harem en vue. Et cette unique épouse passe son temps à courir les rues, en jupe courte et grand décolleté. Tout le monde peut lui voir les fesses et les seins, mais personne ne met en doute le fait que le président de la République française soit l'homme le plus puissant du pays. Le pouvoir des hommes ne se compte plus au nombre de femmes qu'ils peuvent tenir captives. Mais tout cela est une nouveauté dans la Médina de Fès, car les pendules se sont arrêtées au temps de Harun al-Rashid ! » Chama s'élance alors à nouveau sur le sofa, ferme les yeux et enfouit son visage dans le coussin de soie fleurie. Silence.

Samir et moi adorions l'histoire de Chama. C'était une si bonne actrice ! Je l'observais toujours avec attention pour apprendre à mimer les histoires. Il faut trouver les mots justes et faire en même temps les gestes. Mais tout le monde n'était pas aussi emballé par l'histoire de Chama. Sa mère particulièrement, Lalla Radia, était d'abord atterrée, puis furieuse, surtout en entendant le nom du calife Harun al-Rashid. Lalla Radia était une femme cultivée. Elle lisait des livres d'histoire, talent qu'elle avait hérité de son père, qui était une autorité religieuse de Rabat. Elle n'aimait pas que l'on se moque des califes en général, et de Harun al-Rashid en particulier. « Oh, Allah ! s'écriait-elle. Pardonne à ma fille, la voilà encore qui attaque les califes ! Et qui jette le trouble dans l'esprit des enfants ! Deux péchés également impardonnables. Pauvres petits, ils vont avoir une opinion si déformée de leurs ancêtres, si Chama continue ainsi. » Lalla Radia nous demandait alors, à Samir et à moi, de nous asseoir près d'elle pour pouvoir nous raconter la version correcte de l'histoire et nous faire aimer le calife Harun. « C'était le prince de tous les califes, celui qui a conquis Byzance et fait flotter le drapeau musulman sur bien des capitales chrétiennes. » Elle ajoutait avec insistance que sa fille avait grand tort à propos des harems. Les harems étaient une invention merveilleuse. Tous les hommes respectables procuraient ainsi le vivre et le couvert à toutes les femmes de leur famille, pour qu'elles n'aient pas à aller affronter le danger et l'insécurité de la rue. Ils leur offraient de magnifiques lieux pavés de marbre, avec des fontaines, de la bonne nourriture, de jolis vêtements, des bijoux. Une femme avait-elle besoin d'autre chose pour être heureuse ? Seules des femmes pauvres comme Luza, la femme du portier Hmed, sont obligées de sortir pour gagner de quoi se nourrir. Les femmes privilégiées se voient épargner ce traumatisme.

Samir et moi nous sentions souvent dépassés par toutes ces opinions contradictoires, et nous cherchions alors à organiser nos informations. Les grandes personnes étaient si peu méthodiques ! Le harem avait un rapport avec les hommes et les femmes, c'était un fait certain. Il avait un rapport avec la maison, les murs et les rues, c'était également sûr. Tout cela était simple et assez facile à représenter : mettez quatre murs au milieu des rues, vous obtenez une maison. Mettez les femmes dans la maison, et laissez sortir les hommes, vous avez un harem. Mais que se passerait-il, me hasardai-je à demander à Samir, si on mettait les hommes dans la maison et qu'on laissât sortir les femmes ? Samir m'a dit que je compliquais les choses, juste au moment où nous commencions à y voir clair. J'ai donc accepté de remettre les femmes à l'intérieur et les hommes en liberté, et nous avons poursuivi notre enquête. Le problème, c'est que les murs et le reste correspondaient bien à la définition du harem de Fès, mais pas du tout au harem de la ferme.

6

LE CHEVAL DE TAMOU

Le harem de la ferme est logé dans une gigantesque bâtisse d'un seul étage, en forme de T, environnée de jardins et d'étangs. L'aile droite de la maison appartient aux femmes, la gauche aux hommes, et une mince clôture de bambou de deux mètres de haut marque les *hudud* entre les deux. Les deux ailes sont en fait deux bâtiments identiques, construits dos à dos, avec des façades symétriques et des galeries à colonnades très spacieuses qui permettent de garder constamment la fraîcheur dans les salons et les petites pièces de la maison. Les galeries sont idéales pour les parties de cache-cache, et les enfants de la ferme sont beaucoup plus audacieux que ceux de Fès. Ce sont de petits barbares. Ils grimpent pieds nus aux colonnes, bondissent comme des acrobates. Ils n'ont pas non plus peur des grenouilles, des minuscules lézards, ni des petits animaux ailés qui vous sautent continuellement dessus dans les galeries. Le sol est pavé de dalles noires et blanches, et les colonnes incrustées d'une mosaïque aux couleurs insolites, une harmonie de jaune pâle et d'ocre qu'affectionnait mon grand-père et que je n'ai jamais vue ailleurs. Les jardins sont entourés d'élégantes grilles de fer forgé, avec des portails cintrés qui semblent toujours fermés, mais qu'il suffit de pousser pour sortir dans les champs. Le jardin des hommes contient quelques arbres et une quantité de buissons fleuris bien taillés, mais le jardin des femmes c'est une autre histoire : un fouillis d'arbres bizarres, de plantes extraordinaires et d'animaux de toutes sortes, car chaque épouse s'y est approprié un petit lopin, officiellement considéré comme son jardin personnel, où elle fait pousser des légumes, élève des poules, des canards, des pintades ou des paons. Il est tout bonnement impossible de se promener dans le jardin des femmes sans empiéter sur le territoire de quelqu'un, et les animaux vous suivent partout, même sous les arcades de la galerie pavée, dans un vacarme infernal qui contraste avec le silence quasi monacal du jardin des hommes.

Au bâtiment principal de la ferme s'ajoutent d'autres pavillons attenants. Yasmina occupe celui de droite. Elle a insisté pour s'y installer, expliquant à grand-père qu'il lui faut être aussi loin que possible de Lalla Thor. Lalla Thor a son minipalais dans le bâtiment principal, avec des murs couverts de miroirs, des plafonds de bois sculpté et coloré, des glaces, des chandeliers. Le pavillon de Yasmina, en revanche, consiste en une vaste pièce très simple et dépourvue de luxe. Les lustres et les miroirs de Venise ne l'intéressent pas, elle préfère rester à l'écart et disposer d'assez d'espace pour ses cultures expérimentales d'arbres et de fleurs, ses élevages de canards et de paons de toutes espèces. Le pavillon de Yasmina a un étage, construit pour Tamou, réfugiée à la ferme pour échapper à la guerre du Rif, qui faisait rage dans les montagnes du Nord. Yasmina a soigné Tamou quand elle est tombée malade, et depuis elles sont devenues amies.

Tamou est arrivée en 1926, après la défaite d'Abd el-Krim face à la coalition des armées française et espagnole. Elle est apparue un matin à l'aube, à l'horizon de la plaine du Gharb, sur un cheval de selle espagnol, vêtue d'une cape blanche d'homme et d'une coiffure de femme pour que les soldats ne lui tirent pas dessus. Toutes les épouses adoraient raconter son arrivée à la ferme. C'était aussi bien que les contes des *Mille et Une Nuits,* voire mieux, car Tamou était là, en chair et en os, pour écouter en souriant le récit de ses exploits. Elle portait le matin de son arrivée de lourds bracelets berbères en argent, de ceux qui sont hérissés de pointes et que vous pouvez éventuellement utiliser comme arme de défense. Elle portait également un *khandjar,* un poignard, à la hanche droite, et un véritable fusil espagnol attaché à sa selle, dissimulé sous sa cape. Elle avait un visage triangulaire avec un tatouage vert sur son menton pointu, des yeux noirs perçants qui vous regardaient sans sourciller, et une grande natte cuivrée retombant librement sur l'épaule gauche. Elle s'était arrêtée à quelques mètres de la ferme et avait demandé à être reçue par le maître de maison. Personne ne le savait ce matin-là, mais la vie à la ferme ne devait plus jamais être la même. Car Tamou était une héroïne de la guerre du Rif. Le Maroc était plein d'admiration pour les *Riafa* (gens du Rif), les seuls à continuer à se battre contre les étrangers longtemps après que le reste du pays se fut soumis. Et voilà que cette femme arrivait, vêtue en guerrier, après avoir franchi toute seule la frontière d'Arbaoua pour passer en zone française et demander de l'aide. Comme il s'agissait d'une héroïne de guerre, certaines règles n'étaient pas de mise à son égard. Elle se comportait du reste comme si elle ignorait tout de la tradition.

Grand-père tomba probablement amoureux de Tamou dès la première minute où il la vit, mais il ne s'en rendit pas compte avant plusieurs mois, tant étaient complexes les circonstances de leur rencontre. Tamou était venue à la ferme avec une mission précise. Les gens de sa famille étaient dispersés en embuscades dans la zone espagnole, et elle devait leur porter assistance. Grand-père lui procura son aide, commençant par signer à la hâte un contrat de mariage pour justifier sa présence à la ferme, au cas où la police française la rechercherait. Puis Tamou lui demanda de l'aider à faire parvenir de la nourriture et des médicaments aux siens. Beaucoup étaient blessés et, après la défaite d'Abd el-Krim, chaque village devait désormais survivre par ses propres moyens. Tamou ne cessait d'insulter les gens de Fès, qu'elle appelait *djaj l'bied* (les poulets blancs). « Si les villes s'étaient lancées dans la bataille, Abd el-Krim n'aurait pas perdu. » Grand-père se gardait bien de la contredire, et il était ravi qu'elle le distingue des gens de Fès, d'où il était originaire, lui laissant ainsi la possibilité de jouer au héros. Grand-père lui procura donc le nécessaire et elle partit un soir avec deux camions roulant lentement sur le bas-côté de la route, tous feux éteints. Deux paysans déguisés en marchands la précédaient en éclaireurs, montés sur des ânes, et indiquaient aux camions, à l'aide de torches, si la voie était libre.

Quand Tamou revint à la ferme quelques jours plus tard, l'un des camions était chargé de cadavres, dissimulés sous une charge de légumes. C'étaient les corps de son père, de son mari et de ses deux enfants, un garçon et une fille. Elle est restée debout en silence près du camion que l'on déchargeait. Puis les autres épouses lui ont apporté un tabouret, et elle a continué à regarder, assise, sans rien dire, tout le temps où les hommes ont creusé le sol pour y déposer les corps avant de les recouvrir de terre. Elle n'a pas versé une larme. Puis les hommes ont planté des fleurs pour camoufler les tombes. Quand tout a été fini, Tamou n'a pas pu se mettre debout. Grand-père a appelé Yasmina, qui lui a pris le bras pour la soutenir jusqu'à son pavillon, où elle l'a mise au lit. Pendant plusieurs mois, Tamou n'a pas prononcé un mot, et tout le monde croyait qu'elle avait perdu l'usage de la parole. Cependant, Tamou criait régulièrement dans son sommeil, affrontant d'invisibles adversaires. Dès qu'elle fermait les yeux, la guerre recommençait, et elle se levait d'un bond, ou se jetait à genoux en suppliant ses tortionnaires de l'épargner, dans une langue que Yasmina ne comprenait pas.

Quand Yasmina lui dit qu'elle parlait une langue incompréhensible dans ses cauchemars, Tamou lui répondit que c'était de l'espagnol. Tamou avait besoin de quelqu'un pour l'aider à venir à bout de son chagrin sans poser de questions trop indiscrètes, ni révéler quoi que ce soit aux soldats français et espagnols qui faisaient apparemment des recherches de l'autre côté de la rivière. Yasmina prit soin d'elle pendant des mois, jusqu'à ce qu'elle guérisse. Puis, un beau matin, on vit Tamou caresser un chat et se mettre une fleur dans les cheveux. Ce soir-là, Yasmina organisa une fête en son honneur. Les épouses se réunirent dans le pavillon et chantèrent à son intention, de manière à lui montrer qu'elle était des leurs. Tamou sourit à plusieurs reprises, puis elle demanda si elle pouvait avoir un cheval pour sortir le lendemain.

Tamou, par sa seule présence, changea beaucoup de choses à la ferme. Elle était fréquemment saisie du besoin irrépressible de se lancer dans quelque folle chevauchée ou quelque entreprise acrobatique. C'était sa manière de combattre le chagrin et de trouver une raison de vivre. Au lieu d'éprouver de la jalousie à son encontre, Yasmina et les autres épouses se mirent au contraire à l'admirer, en raison surtout de tous les talents, étonnants chez une femme, dont elle faisait preuve. Quand Tamou fut guérie et se remit à parler, elles découvrirent qu'elle savait tirer au fusil, parler couramment l'espagnol, sauter extrêmement haut, faire de multiples sauts périlleux sans avoir la tête qui tourne et même jurer en plusieurs langues. Comme elle était née dans un pays montagneux constamment traversé par les armées étrangères, elle avait fini par confondre la vie et le combat, la récréation et la course. En voyant Tamou à la ferme, avec ses tatouages, son poignard qu'elle portait les jours de fête, ses bracelets de combat et son goût des perpétuelles chevauchées, les autres femmes comprirent qu'il y avait plusieurs manières d'être belle. Une femme peut être irrésistible parce qu'elle sait se battre, refuse l'impuissance, jure fort et se lance dans des cavalcades étourdissantes. Tamou ignorait totalement les traditions, et tout le monde n'avait d'yeux que pour elle.

Tamou devint une légende dès le jour où elle apparut. Elle fit prendre aux autres conscience de leur force intérieure et de leur capacité à résister au destin, quel qu'il soit. Pendant la maladie de Tamou, grand-père était venu chaque jour au pavillon de Yasmina pour prendre des nouvelles de sa santé. Quand elle commença à aller mieux et demanda un cheval, il fut très inquiet, craignant de la voir s'enfuir. Il la trouvait très belle, car indomptable et vibrante, avec sa natte cuivrée, ses yeux noirs étincelants et son menton tatoué de vert. Mais il n'était pas du tout sûr de ses sentiments à son égard. Elle n'était pas vraiment sa femme. Leur mariage n'était qu'un arrangement légal, et Tamou une combattante qui pouvait d'un jour à l'autre disparaître sur son cheval à l'horizon, vers le nord d'où elle était venue. Il demanda à Yasmina d'aller faire un tour avec lui dans les champs, et lui parla de ses craintes. Yasmina prit peur à son tour, car elle admirait beaucoup Tamou et ne supportait pas l'idée de la voir partir. Elle suggéra donc à grand-père de demander à Tamou de passer la nuit avec lui. « Si elle accepte, dit Yasmina, c'est qu'elle ne songe pas à partir. Si elle refuse, c'est qu'elle y pense. » Grand-père revint au pavillon et eut un entretien seul à seul avec Tamou, tandis que Yasmina attendait dehors. Quand il partit, il souriait. Yasmina comprit que Tamou avait accepté de devenir l'une de ses épouses. Plusieurs mois après, grand-père fit construire un nouveau pavillon pour Tamou, au-dessus de celui de Yasmina. À partir de ce jour, leur petite maison devint le quartier général de la solidarité féminine.

L'une des premières choses que firent Yasmina et Tamou, quand le pavillon fut construit, fut de planter un bananier pour que Yaya, l'épouse noire, se sente plus chez elle. Yaya était la plus discrète de toutes les épouses. Elle était grande et mince et paraissait terriblement fragile dans son caftan jaune. Elle avait un visage à l'ossature fine et changeait de turban selon ses humeurs, bien que sa couleur préférée fût le jaune. « Comme le soleil, le jaune donne de la lumière », disait-elle. Elle s'enrhumait facilement, parlait l'arabe avec un accent et ne se mêlait guère aux autres épouses. Elle avait plutôt tendance à rester enfermée chez elle. Peu après son arrivée, les autres décidèrent de prendre sa part des tâches ménagères, tant elle avait l'air fragile. En échange, elle promit de leur raconter une histoire chaque semaine, décrivant la vie dans son village natal du Sud, au Soudan, le pays des Noirs où ne pousse aucun oranger ni citronnier, mais où prospèrent les bananiers et les cocotiers. Yaya ne se rappelait pas le nom de son village, mais cela ne l'empêcha pas de devenir, comme chez nous tante Habiba, la conteuse officielle du harem. Grand-père l'aidait à reconstituer son stock de souvenirs en lisant à haute voix des livres d'histoire sur le Soudan, les royaumes de Songhaï et du Ghana, les portes dorées de Tombouctou, et toutes les merveilles des forêts du Sud qui cachent le soleil. Yaya disait que les Blancs étaient communs — on en trouvait aux quatre coins de l'univers — mais que les Noirs étaient une race spéciale parce qu'ils n'existaient qu'au Soudan et dans les pays voisins, au sud du Sahara.

Pendant la soirée de contes, toutes les épouses se réunissaient dans la chambre de Yaya, on apportait des plateaux de thé et elle parlait de son merveilleux pays natal. Au bout de quelques années, les autres épouses connaissaient si bien les détails de son « enfance » qu'elles pouvaient compléter ses phrases quand elle hésitait ou se mettait à douter de sa mémoire. Et un jour, après l'avoir entendue décrire son village, Tamou déclara : « Si la seule chose dont tu as besoin pour te sentir chez toi c'est un bananier, nous allons t'en planter un immédiatement. » Bien sûr, personne ne voulut croire tout d'abord qu'on pouvait planter un bananier dans la plaine du Gharb, où soufflaient les vents du nord venant d'Espagne et où roulaient les nuages en provenance de l'Atlantique. Mais le plus difficile fut de se procurer l'arbre[1]. Tamou et Yasmina durent répéter je ne sais combien de fois à tous les marchands nomades qui passaient sur leur âne à quoi ressemblait un bananier, jusqu'à ce que finalement l'un d'eux en apporte un provenant de la région de Marrakech. Yaya était si contente de le voir qu'elle en prit soin comme d'un enfant, se précipitant pour le protéger à l'aide d'un grand drap blanc chaque fois que soufflait le vent du nord. Des années plus tard, quand le bananier porta ses premiers fruits, les épouses organisèrent une fête et Yaya revêtit, en une superbe superposition, caftan et *farajiya* de chiffons transparents, mit des fleurs dans son turban et descendit vers la rivière en dansant, ivre de joie.

Il n'y avait véritablement aucune limite à ce que pouvaient faire les femmes de la ferme. Elles avaient la possibilité de faire pousser des plantes insolites, de faire des courses à cheval, de se déplacer à leur guise, du moins apparemment. Par comparaison, notre harem de Fès était une vraie prison. Yasmina disait même que la pire des choses pour une femme était d'être coupée de la nature. « La nature est la meilleure amie de la femme. Si vous avez des problèmes, il suffit de nager dans une rivière, de s'étendre dans un champ de fleurs ou de regarder les étoiles. Voilà comment une femme guérit de ses peurs. »

7

LE HAREM INVISIBLE

Notre harem à Fès est entouré de hauts murs et, hormis le petit pan de ciel qu'on voit de la cour, la nature n'y existe pas. Bien sûr, si on grimpe les escaliers comme une flèche pour voir le ciel de la terrasse, on voit qu'il est plus grand que la maison, plus grand que les gens les plus puissants, plus grand que tout, mais, de la cour, la nature semble inimportante, presque absente. Elle existe, mais travaillée par la main des artisans, remplacée par des dessins géométriques où même les fleurs, reproduites sur le dallage, les boiseries et le stuc, ont des angles aigus. Les fleurs dans le harem sont réduites à de fragiles petites lignes écrasées par les triangles, les cercles et leurs savantes combinaisons. En fait les seules fleurs qui arrivent à survivre dans la maison sont celles des brocarts colorés qui recouvrent les sofas, et des rideaux de soie brodée qui drapent les portes et les fenêtres.

Il est impossible d'ouvrir les persiennes pour regarder à l'extérieur si l'envie vous prend de voir des fleurs autres que celles qui sont piégées dans ces tissus luxueux. Toutes les fenêtres donnent sur la cour. Aucune ne s'ouvre sur la rue. « Petite fille, disait Yasmina, il faut apprendre à se méfier des mots si tu ne veux pas vivre idiote. Une fenêtre qui ne donne pas sur l'extérieur, moi j'hésiterais à lui accorder ce titre.

Une porte qui s'ouvre sur une cour intérieure, ou un jardin entouré de murs et bouclé par des portails surveillés, n'est certes pas une porte. Il faut que tu sois consciente qu'il s'agit d'autre chose. »

Une fois par an, au printemps, nous allions faire une *nzaha*, un pique-nique, à la ferme de mon oncle à Oued Fès, à dix kilomètres de la ville. Les adultes les plus importants partaient en voiture, tandis que les enfants, les tantes divorcées et autres cousines s'entassaient dans un camion loué pour l'occasion. Tante Habiba et Chama emportaient toujours leurs tambourins, et faisaient un vacarme si infernal pendant le trajet que le conducteur du camion devenait fou. « Si vous n'arrêtez pas, mesdames, hurlait-il, je vais finir par faire une embardée et tout le monde se retrouvera dans le ravin. » Mais ses menaces n'avaient aucun effet, car sa voix était totalement couverte par les tambourins et les applaudissements. Le jour du pique-nique, tout le monde s'éveille à l'aube et s'active dans la cour comme le jour d'une fête religieuse, préparant qui les provisions, qui les boissons, mettant les tapis et les draperies en ballots. Ma mère et Chama s'occupent des balançoires. « Peut-on imaginer un pique-nique sans balançoires ? » disent-elles chaque fois que mon père suggère de les oublier, pour une fois, prétextant qu'il faut un temps infini pour les suspendre dans les arbres. Pour faire enrager ma mère, il ajoute : « Les balançoires sont très bien pour les enfants, mais quand il s'agit de grandes personnes, les pauvres arbres souffrent. » Pendant qu'il cherche à la convaincre ou à la vexer, ma mère continue à emballer les balançoires et les cordes nécessaires pour les suspendre, sans un seul regard pour lui. Chama chante : « Si les hommes ne peuvent suspendre les balançoires/Les femmes le feront/La-la-la-lère... » sur l'air aigu de notre hymne national *Maghribuna watanuna* (Notre Maroc, notre pays)[1]. Pendant ce temps, Samir et moi cherchons fébrilement nos espadrilles, car il est inutile d'attendre l'aide de nos mères, trop occupées. Lalla Mani compte les assiettes et les verres, « uniquement pour évaluer les dégâts, et voir combien seront cassés à la fin de la journée. » Elle pourrait très bien se passer de pique-nique, disait-elle souvent, surtout qu'en matière de tradition l'origine de ces festivités était douteuse. « Il n'en est pas fait mention dans le *Hadith*[2]. Il se pourrait même que cela compte pour un péché le jour du Jugement dernier. »

Nous arrivons à la ferme en milieu de matinée, équipés de douzaines de tapis, de légers matelas et de *khanouns*[3]. Quand les tapis sont dépliés, on y étend les sofas, on allume les feux de charbon de bois et on fait griller les brochettes. Le chant des bouilloires se mêle à celui des oiseaux. Puis, après le déjeuner, les femmes se dispersent dans les bois et les prés, à la recherche de fleurs, d'herbes, de plantes à utiliser dans leurs traitements de beauté. D'autres se poussent sur la balançoire à tour de rôle. Ce n'est qu'après le coucher du soleil que nous prenons le chemin du retour.

Les portes se referment derrière nous. Et, pendant plusieurs jours, ma mère est malheureuse. « Après une journée passée au milieu des arbres, dit-elle, il est insupportable de se réveiller avec des murs comme seul horizon. »

Il n'y a pas moyen de pénétrer dans notre maison autrement qu'en passant par le portail principal contrôlé par Hmed, le portier. Mais on peut sortir d'une autre manière, par les terrasses. Il est possible de sauter de notre terrasse sur celle d'un des voisins, et de passer dans la rue par sa porte. Officiellement, la clé de notre terrasse est la propriété exclusive de Lalla Mani, et Hmed en éteignant les lumières au coucher du soleil signifie que toute allée et venue est suspendue. Mais comme la terrasse est constamment utilisée pour toutes sortes de travaux domestiques dans la journée, pour aller chercher les olives qui y sont stockées dans de grandes jarres, ou pour laver et étendre le linge, la clé est souvent confiée à tante Habiba, qui habite la chambre qui y donne directement. Toutes les activités qui se passent sur la terrasse sont rarement surveillées, pour la simple raison qu'il est très difficile de parvenir à la rue par cette voie. Il faut pour cela faire preuve de trois qualités physiques essentielles : savoir grimper, sauter, et surtout savoir atterrir lestement. La plupart des femmes peuvent grimper assez bien et sauter, mais peu sont capables d'atterrir en souplesse. Si bien que, de temps à autre, quelqu'un apparaît avec une cheville bandée, et nul n'ignore ce qui s'est passé.

La première fois que je suis redescendue de la terrasse avec les genoux en sang, ma mère m'a expliqué que le principal problème d'une femme dans la vie est de savoir atterrir. « Chaque fois que tu es sur le point de t'embarquer dans une aventure, tu dois penser à l'atterrissage. Le décollage ne compte pas. Quand tu auras envie de voler, analyse d'abord comment et où tu dois atterrir. Tu as vu Tamou à la ferme : avant de se lancer dans une course à cheval, elle passe des journées entières à réfléchir au trajet, alors que les autres femmes font la vaisselle et s'oublient dans des recettes de cuisine. Le jour de la course, c'est toujours elle qui gagne. On ne l'a jamais vue cuisiner. Elle parle peu, et passe son temps à réfléchir en silence. La vie d'une femme est une suite de pièges. Je ne veux pas que ma fille pense à s'envoler sans intégrer dans son désir de changer le monde un bon plan d'atterrissage. »

Sauter le mur de la terrasse n'était donc pas considéré comme un acte héroïque. Mais il y avait, à côté des chevilles bandées, une autre raison plus sérieuse qui faisait que des femmes comme ma mère et Chama ne considéraient pas la terrasse comme une issue possible. Cet itinéraire d'évasion avait une dimension clandestine à laquelle répugnaient celles qui voulaient se battre pour le droit des femmes à se déplacer librement. La confrontation avec Hmed, au portail d'entrée, était en fait l'unique et seul acte héroïque. L'escapade par la terrasse ne participait pas du même esprit subversif, de la même soif de libération.

Ces stratagèmes, bien entendu, n'avaient aucune raison d'être à la ferme de Yasmina. Cet été-là, en lui rendant visite, je lui ai raconté ce qu'avait dit Chama à propos de l'origine des harems. Quand j'ai vu qu'elle m'écoutait, j'ai décidé de faire étalage de toutes mes connaissances historiques, et je me suis mise à parler des Romains et de leurs harems, de la façon dont les Arabes étaient devenus les sultans de la planète grâce aux mille femmes du calife Harun al-Rashid, et dont les malins chrétiens avaient roulé les Arabes et changé les règles du jeu en profitant de leur sommeil. Yasmina a bien ri en entendant l'histoire. Elle a dit qu'elle n'était pas assez cultivée pour juger de la vérité historique des faits, mais que cela avait l'air très amusant et très logique. Je lui ai demandé alors si ce qu'avait dit Chama était vrai ou faux, et Yasmina m'a répondu de ne pas attacher tant d'importance à ces notions de vrai et de faux. Elle m'a dit que certaines choses peuvent être les deux à la fois, et que d'autres ne sont ni l'un ni l'autre. « Les mots sont comme des oignons, me dit-elle. Plus tu ôtes de pelures, plus tu trouves de significations. Et quand tu commences à découvrir plusieurs sens, le vrai et le faux ne veulent plus rien dire. Toutes ces questions que vous vous posez à propos des harems, Samir et toi, sont très intéressantes. Mais il faut bien vous dire qu'il s'en posera toujours de nouvelles. » Puis elle a ajouté : « Je vais ôter une pelure supplémentaire, rien que pour toi. Mais souviens-toi, ce n'en est qu'une parmi tant d'autres.

Le mot harem, dit-elle, n'est qu'une variation du mot *haram,* qui signifie interdit, proscrit. C'est le contraire de *hala,* ce qui est permis. Le harem est l'endroit où un homme met sa famille à l'abri, sa femme ou ses femmes, ses enfants et ses proches. Cela peut être une maison ou une tente, peu importe. Le harem désigne aussi bien le lieu que les personnes qui l'habitent. Lorsqu'on parle du harem de Sidi Untel, on fait référence à la fois aux membres de sa famille et au bâtiment qu'ils occupent. » Il m'a semblé voir les choses plus clairement quand Yasmina m'a expliqué que La Mecque, la cité sacrée, est aussi appelée Haram. La Mecque est un lieu où les comportements sont strictement codifiés. Dès qu'on y entre, on est tenu d'obéir à une multitude de lois et de règlements. Les gens qui arrivent à La Mecque doivent être purs : ils sont obligés de pratiquer des rites de purification et il est interdit de mentir, de tricher et de faire des actes répréhensibles. La cité appartient à Allah et on doit obéir à sa *shari'a,* sa loi sacrée, quand on est sur son territoire. La même règle s'applique à la maison d'un homme. Sur son territoire, il est interdit de commettre un acte de violence. Quant au harem familial, il relève de la même logique, c'est un espace protégé, organisé, avec un code précis. Aucun homme ne peut y pénétrer sans la permission de son propriétaire et, dans ce cas, il doit se conformer à sa loi. Un harem est défini par l'idée de propriété privée et les lois qui la réglementent. En ce sens, dit Yasmina, les murs sont inutiles.

Si on connaît les interdits, on porte le harem en soi, c'est le harem invisible. On l'a dans la tête, « inscrit sous le front et dans la peau. » Cette idée d'un harem invisible, d'une loi tatouée à mon insu sous mon front, bien logée dans mon cerveau, me troublait terriblement. Je n'aimais pas cela du tout, et je lui ai demandé de m'en dire davantage. « La ferme, a repris Yasmina, est un harem, et pourtant elle n'est pas entourée de murs. Les murs ne sont nécessaires que dans les rues des villes. Mais si on décide, comme ton grand-père, d'habiter la campagne, on n'a plus besoin de clôture, puisqu'on est au milieu des champs et que personne ne passe. Les femmes peuvent se rendre librement dans les champs, car aucun étranger ne rôde aux alentours pour essayer de les apercevoir. Les femmes peuvent monter à cheval des heures durant sans rencontrer âme qui vive. Mais si elles rencontrent un paysan sur leur chemin, et qu'il voit qu'elles ne sont pas voilées, alors il se couvre la tête de la capuche de sa djellaba pour montrer qu'il ne les regarde pas. Donc, dans ce cas, ajouta Yasmina, le harem est inscrit dans la tête du paysan, sous son propre front. Il porte un harem invisible, caché dans sa petite tête. Il sait que les femmes de la ferme appartiennent à grand-père Tazi, et qu'il n'a pas le droit de les regarder. »

L'idée de se promener avec une frontière, un harem invisible dans la tête m'a perturbée, et je portais discrètement la main à mon front pour vérifier qu'il était lisse, pour voir si par hasard je n'en étais pas dispensée. Mais alors, les explications de Yasmina sont devenues de plus en plus alarmantes. Elle m'a dit que tous les lieux où l'on entre comportent des lois invisibles. « Et quand je parle de lieu, a-t-elle poursuivi, je veux dire n'importe quel endroit, une cour, une terrasse, ou une pièce, parfois même une rue. Partout où il y a des êtres humains, il existe une *qa'ida,* une coutume, une tradition, une loi invisible. Si tu suis la *qa'ida,* rien de mal ne peut t'arriver. » En arabe le mot *qa'ida* a plusieurs significations, qui ont toutes une base commune. Une règle mathématique ou un système légal sont une *qa'ida,* de même que les fondations d'un bâtiment. *Qa'ida* est aussi la coutume, ou le code des mœurs. La *qa'ida* est partout. Elle a ensuite ajouté quelque chose qui m'a carrément effrayée : « Malheureusement, la plupart du temps, la *qa'ida* est contre les femmes.

— Pourquoi ? ai-je demandé. Ce n'est pas juste ! » Et je me suis rapprochée d'elle pour ne pas perdre une miette de sa réponse. « Le monde, a dit Yasmina, se soucie peu d'être juste à l'égard des femmes. Les lois sont faites de telle manière qu'elles les dépossèdent toujours d'une façon ou d'une autre. Par exemple, les femmes et les hommes travaillent du matin au soir. Mais les hommes gagnent de l'argent, et non les femmes. C'est l'une des lois invisibles. Et quand une femme travaille très dur, sans gagner d'argent, elle est coincée dans un harem, même si elle n'en voit pas les murs. Les lois sont sans doute impitoyables parce qu'elles ne sont pas faites par les femmes, a enfin ajouté Yasmina.

— Mais pourquoi ne sont-elles pas faites par les femmes ? ai-je demandé.

— Dès que les femmes seront assez intelligentes pour commencer précisément à se poser cette question, a-t-elle répondu, au lieu de rester docilement à faire la cuisine et la vaisselle du matin au soir, elles vont trouver une manière de changer les règles qui va complètement bouleverser la planète.

— Combien de temps cela prendra-t-il ? » ai-je demandé. Et Yasmina a répondu :

« Très longtemps. »

Je lui ai alors demandé si elle pouvait me dire comment faire pour connaître la loi invisible, la *qa'ida,* quand j'entrais dans un lieu nouveau. Existait-il des signaux, quelque chose de tangible qui puisse me renseigner ? « Non, malheureusement, dit-elle, il n'y aucun indice particulier, hormis les conséquences violentes qui s'ensuivent. Car, dès que tu enfreins une règle invisible, tu te fais mal. »

Elle a remarqué que, malheureusement, beaucoup des activités préférées des gens, telles que se promener, découvrir le monde, chanter, danser et exprimer son opinion, font partie de la catégorie des interdictions absolues pour les femmes. Le bonheur d'une femme viole la *qa'ida*. En fait, la *qa'ida* se révèle souvent plus dure que les murs et les barrières. À ces mots, je me suis mise à souhaiter que toutes les règles se matérialisent immédiatement sous mes yeux en frontières visibles et en murs réels. Mais c'est alors qu'une idée plus inconfortable m'est venue. Si la ferme de Yasmina était un harem, en dépit du fait qu'on n'en voyait pas les murs, que signifiait alors le mot *hurriya,* liberté ? Je lui ai fait part de cette pensée, et elle a eu l'air un peu inquiète. Elle m'a dit qu'elle aimerait bien que je joue comme les autres enfants de mon âge, au lieu de me faire du souci à propos des murs, des lois et des contraintes, et de la signification du mot *hurriya.*

« Tu vas laisser le bonheur t'échapper, si tu penses trop aux murs et aux lois, ma chère petite. Le but ultime de la vie d'une femme doit être le bonheur. Alors, ne perds pas ton temps à chercher des murs pour t'y cogner la tête. » Pour me faire rire, Yasmina s'est levée, a couru vers le mur le plus proche et a fait semblant de s'y cogner la tête en criant : « Aïe ! Aïe !

Le mur me fait mal ! Le mur est mon ennemi ! » J'ai éclaté de rire, malgré mon angoisse, soulagée que le bonheur soit encore à portée de main, malgré tout. Elle m'a regardée en portant la main à sa tempe : « Tu comprends ce que je veux dire ? » Bien sûr que je comprenais, Yasmina, et le bonheur semblait effectivement possible, malgré les harems, visibles et invisibles. J'ai couru vers elle pour l'embrasser et lui murmurer à l'oreille, tandis qu'elle me serrait contre elle en me laissant jouer avec ses perles roses : « Je t'aime, Yasmina. C'est vrai. Crois-tu que je serai heureuse quand je serai grande ?

— Bien sûr que tu seras heureuse ! s'est-elle exclamée. Tu deviendras une dame moderne, instruite. Tu réaliseras le rêve des nationalistes. Tu apprendras les langues étrangères, tu auras un passeport, tu liras des milliers de livres et tu t'exprimeras comme une autorité religieuse. À tout le moins, tu t'en tireras mieux que ta mère. Rappelle-toi que moi, malgré mon manque d'éducation et le poids des traditions, j'ai réussi à extorquer des petits bonheurs à cette maudite vie. Voilà pourquoi je ne veux pas que tu songes sans arrêt aux frontières et aux barrières. Je veux que tu penses surtout au plaisir, au rire et au bonheur. Voilà un bon projet pour une jeune fille ambitieuse ! »

8

VAISSELLE AQUATIQUE

Il suffisait de quelques heures de voyage pour atteindre le harem de Yasmina, mais cela aurait aussi bien pu être l'une des îles lointaines de la mer de Chine où nous fait accoster tante Habiba dans ses contes. Les femmes de la ferme font des choses dont nous n'avons aucune idée en ville, comme pêcher des poissons frétillants, grimper aux arbres ou se baigner dans une rivière dont les eaux tumultueuses se jettent dans le fleuve Sebou avant de s'évader dans l'océan Atlantique. Après l'arrivée de Tamou, les femmes prirent l'habitude de participer à des compétitions d'équitation. Elles avaient déjà fait du cheval auparavant, mais plus discrètement, et elles n'étaient jamais allées bien loin. Tamou fit de l'équitation un rituel solennel, avec des règles fixes, des entraînements, des cérémonies officielles d'attribution et de remise de prix.

Le vainqueur de la course gagne un prix confectionné par la dernière à franchir la ligne d'arrivée : une énorme pastilla, qui est le plus délicieux de tous les mets d'Allah. À la fois pâtisserie et plat de résistance. Résistance à quoi, me direz-vous ? Au plaisir des saveurs ? À la douceur des imprévus ? Aux deux ensemble, confondus dans un mets divin à la fois sucré et salé, combinaison hasardeuse de viande de pigeon, de noix diverses, de sucre et de cannelle. Oh !

la pastilla croustille sous la dent et il faut la manger avec délicatesse, sinon vous vous saupoudrez le visage d'épices et d'arômes. Il faut des jours et des jours pour préparer une pastilla, car elle est faite d'un feuilletage aérien farci d'amandes grillées et hachées, ainsi que de mille autres surprises qui varient selon les caprices des créatrices. Yasmina dit souvent que si les femmes étaient futées, elles en feraient commerce pour gagner de l'argent, au lieu d'en faire une banale prestation domestique[1].

À l'exception de Lalla Thor, à la peau très blanche et terne des citadines, la plupart des autres épouses avaient les traits caractéristiques des paysannes de la montagne marocaine. Comme Lalla Thor n'accomplit jamais aucune tâche domestique, elle porte ses trois robes superposées qui lui tombent jusqu'aux chevilles, tandis que les autres épouses en attachent les pans dans leur ceinture et remontent leurs manches avec des bandes élastiques colorées imitant les traditionnels *takhmal*[2]. Cette façon de s'habiller leur permet de se déplacer aisément pour vaquer à leurs tâches et aux soins des animaux de la ferme. L'une de leurs constantes préoccupations était de rendre plus amusantes les corvées ménagères, et un jour Mabrouska, qui adorait nager, suggéra de faire la vaisselle à la rivière.

Lalla Thor fut scandalisée, disant que l'idée était totalement contraire à la tradition musulmane. « Les paysannes vont complètement détruire la réputation de cette maison, fulminait-elle, comme l'a prédit le vénérable historien Ibn Khaldun il y a six siècles. Il disait dans son *Muqaddimah* que l'Islam était une culture essentiellement citadine menacée par les monstrueux paysans incultes. Il est inévitable qu'avec un si grand nombre d'épouses venant de la montagne, nous allions à la catastrophe[3]. » Yasmina répliqua que Lalla Thor serait beaucoup plus utile aux musulmans si elle cessait de lire ses vieux bouquins et mettait la main à la pâte comme tout le monde. Mais Lalla Thor porta le sujet à la connaissance de grand-père, car elle était verte de jalousie en voyant les autres épouses projeter de s'amuser.

Grand-père fit venir Mabrouska et Yasmina et leur demanda de lui expliquer leur sujet de discorde. Après l'avoir exposé, elles démontrèrent que, malgré leur origine de paysannes illettrées, elles n'étaient pas idiotes et ne pouvaient de ce fait considérer comme sacrées les paroles d'Ibn Khaldun. Après tout, ce n'était qu'un historien, « il fait du bla-bla comme nous toutes et tous », roucoulait Yasmina qui avait bien pris soin de s'informer sur Ibn Khaldun auprès du maître de l'école coranique de la ferme, avant d'aller à la *mahkama* (cour de justice) quand elle avait appris que grand-père allait convoquer les trublions. Elles renonceraient de bon cœur à leur projet, si Lalla Thor pouvait produire une *fatwa* des autorités religieuses de la mosquée Qaraouiyine interdisant aux femmes de faire la vaisselle à la rivière. Mais jusque-là, elles feraient comme bon leur semblait. Après tout, la rivière était une création d'Allah, une manifestation de son pouvoir et, de toute façon, si nager était un péché, elles étaient prêtes à en répondre devant lui le jour du Jugement dernier. Grand-père, impressionné par leur logique, leva la séance en disant qu'il était heureux que, dans la religion islamique, la responsabilité fût une affaire individuelle. *Kul kebch kayt'allaq men rajlu* (chaque mouton se pend par son pied), chantonnait Yasmina pour célébrer son triomphe après le procès. Mais grand-père, essayant à tout prix de ne pas sourire, s'esquiva aussi vite qu'il le put.

À la ferme, comme dans tous les harems, les travaux domestiques sont accomplis suivant un système de stricte rotation. Les femmes s'organisent en petites équipes selon leurs affinités et leurs intérêts, et se partagent les tâches. L'équipe qui s'occupe de la cuisine pendant une semaine nettoie les sols la semaine suivante, prépare les boissons la troisième, fait la lessive la quatrième et se repose la cinquième. Les femmes sont rarement toutes requises en même temps pour accomplir une corvée, à l'exception de la vaisselle quand elle devint un exercice aquatique. À la suite de la suggestion de Mabrouska, cette ennuyeuse besogne se transforma (du moins pendant les étés où j'étais à la ferme) en un fantastique spectacle nautique, avec participants, spectateurs et supporters.

Les femmes se mettent dans la rivière, sur deux rangs. Au premier rang, elles sont debout, presque entièrement vêtues, de l'eau jusqu'aux genoux. Le second rang est réservé à celles qui savent nager, car le courant peut être traître. Dans l'eau jusqu'à la taille, elles ne sont vêtues que de leurs *qamis*, relevés dans la ceinture. Elles ont également la tête nue, car elles ne peuvent lutter contre le courant si elles doivent se préoccuper de la perte éventuelle de leurs foulards et autres turbans de précieuse soie brodée. La première rangée se charge du lavage initial, grattant les pots, les casseroles et les tagines (plats en terre) avec la *tadekka*, une pâte à récurer faite de sable et d'argile prélevés dans la vase de la rive. Elles les font ensuite rouler dans l'eau jusqu'à la seconde rangée pour un autre lavage. Pendant ce temps, le reste de la vaisselle circule dans le courant de main en main, suivant une chaîne, pour rincer la *tadekka*. Enfin, Mabrouska, nageuse émérite, fait son apparition. Ayant été kidnappée dans un village près d'Agadir, sur la côte, pendant la *siba* (désordre, guerre civile, éclipse de l'État central) qui avait suivi l'occupation française, elle avait passé son enfance à plonger dans l'océan depuis les falaises. En tout cas, c'est la légende qu'elle s'était créée — et tant que vous pouviez vous débrouiller pour préserver une sorte de vraisemblance, vous aviez droit à votre légende dans la ferme de Yasmina. Mabrouska pouvait non seulement nager comme un poisson et rester très longtemps sous l'eau, mais elle avait sauvé de la noyade bon nombre d'épouses qui, sans elle, auraient été emportées par les flots jusqu'à Kenitra, où le fleuve Sebou se jette dans la mer. Son rôle pendant les expéditions de vaisselle consistait à rattraper les pots et les casseroles qui échappaient aux autres. Elle devait lutter contre le courant et les rapporter sur la rive. Chaque fois qu'elle émergeait, un pot ou une casserole sur la tête, les femmes applaudissaient et la « criminelle », c'est-à-dire la maladroite qui avait laissé échapper l'ustensile, devait exaucer un de ses vœux le soir même. Les vœux variaient en fonction des aptitudes des coupables. Chaque fois que Yasmina était en faute, Mabrouska demandait des *sfinges*, les beignets que grand-mère réussissait à la perfection. Quand les pots étaient lavés, on les rapportait à Yasmina, qui les tendait à Krisha, l'homme clé de toute l'opération. Krisha, qui signifie littéralement « petit estomac », était le surnom que ces dames avaient donné à Mohammed al-Gharbaoui, leur chauffeur unique et préféré, objet de toutes leurs attentions.

Krisha était un Gharbaoui, originaire de la plaine du Gharb, près de la mer, entre Fès et Tanger. Il vivait, en compagnie de sa femme Zina, à quelques centaines de mètres de la ferme. Il n'avait jamais quitté son village et était persuadé que rien au monde ne pouvait être aussi beau que sa plaine. « Il est impossible de trouver au monde un coin plus beau que le Gharb », disait-il. Souvent, quand Zina lui enfonçait discrètement le coude dans les côtes, il ajoutait : « À l'exception de La Mecque. » Krisha, très grand et d'une belle prestance, comme la majorité de la population de la plaine, portait toujours un impressionnant turban blanc et un lourd burnous brun élégamment rejeté sur les épaules. En fait, il avait un air d'autorité naturelle qu'il ne possédait nullement dans la réalité. Ni l'exercice du pouvoir ni la défense de l'ordre ne l'intéressaient. L'exécution des lois, la surveillance d'autrui l'ennuyaient prodigieusement. Il se contentait d'être gentil, convaincu que la plupart des créatures d'Allah sont assez intelligentes pour agir et se comporter en individus responsables, à commencer par sa femme, qui accomplissait un minimum de tâches ménagères sans pour autant s'attirer de réprimandes. « Si elle n'aime pas faire le ménage, disait-il, tant pis. Je ne vais pas divorcer pour si peu. Nous nous débrouillerons. »

Krisha n'était pas à proprement parler un homme outrageusement occupé. Quand il ne conduisait pas sa calèche tirée par deux chevaux, il dormait ou mangeait. Mais il participait souvent aux activités des femmes, surtout si elles nécessitaient le transport de personnes ou de matériel. La vaisselle à la rivière aurait été irréalisable sans Krisha. La plupart des ustensiles étaient de lourds pots de cuivre, des casseroles de fer, des tagines de terre pesant largement cinq ou six kilos chacun (la cuisine dans une ferme aussi grande que celle de Yasmina exigeait l'emploi d'énormes ustensiles). Il aurait été impossible de les transporter des cuisines à la rivière sans l'aide de Krisha et de sa calèche. Comme Krisha ne résistait jamais à un bon repas, on pouvait lui faire déplacer des montagnes en lui préparant son couscous favori, avec des raisins secs, des pigeons farcis, et quantité d'oignons roussis au miel.

L'une des tâches officielles de Krisha était d'emmener les femmes au hammam, tous les quinze jours. Le hammam était situé au village voisin de Sidi Slimane, à dix kilomètres de la ferme, et le voyage dans la calèche de Krisha était toujours une partie de plaisir. Les femmes ne cessaient de sauter dans la voiture ou d'en descendre, et demandaient à s'arrêter toutes les deux minutes « pour aller pisser. » Il avait toujours la même réponse, qui les faisait toutes éclater de rire : « Mesdames, il est conseillé, et même recommandé, de pisser dans vos sarouals. Le plus important n'est pas de pisser, mais de rester dans cette foutue calèche jusqu'à ce que nous arrivions à Sidi Slimane. »

En arrivant, Krisha descendait sans se presser de son siège de conducteur et, debout sur le trottoir, se mettait à compter les femmes sur ses doigts quand elles entraient au hammam. « Ne disparaissez pas dans la vapeur, mesdames, s'il vous plaît. Je compte sur vous toutes pour répondre "présente" quand nous repartirons ce soir. »

Oh, on ne s'ennuyait pas à la ferme de Yasmina ! « Le contact direct avec une rivière frémissante, disait-elle lorsque je commençais à pleurer à l'idée de retourner à Fès, des champs vibrant sous la caresse des brises, et des ciels qui avalent les horizons estompe les frontières, et dissipe les hiérarchies. Il faut multiplier ces contacts avec la nature. Un être malheureux est celui qui n'a jamais eu ce contact. Ceux-là peuvent s'abîmer dans la soumission. Mais je n'ai pas peur pour toi. »

9

FOUS RIRES AU CLAIR DE LUNE

À la ferme de Yasmina, on ne savait jamais à quelle heure on allait dîner. Parfois, Yasmina ne se souvenait qu'à la dernière minute qu'elle devait me donner à manger, me persuadant alors de me contenter de quelques olives et d'un morceau du délicieux pain qu'elle cuisait à l'aube. Mais dans notre harem de Fès, c'était une autre histoire ! Nous mangions à des heures précises, et jamais entre les repas. À Fès, nous devions nous asseoir pour manger à des places déterminées à l'une des quatre tables communes. La première réunissait les hommes, la seconde les femmes de haut rang et la troisième les enfants et les femmes de moindre importance — à notre grande joie, car cela signifiait que tante Habiba pouvait partager nos repas. La quatrième table était réservée aux domestiques et à ceux qui arrivaient en retard, sans considération d'âge, de sexe ou de rang. Cette table était souvent complète, car c'était la dernière chance pour ceux qui avaient commis la faute de ne pas être à l'heure.

Manger à heures fixes était justement ce que ma mère détestait le plus de la vie en communauté. Elle harcelait constamment mon père pour qu'il abandonne cette coutume, de façon que notre famille immédiate puisse se retrouver seule. Les nationalistes se battaient pour l'abandon de la réclusion et du voile, mais ne soufflaient mot sur le droit des couples à se séparer du groupe familial. En fait, la plupart des dirigeants vivaient encore avec leurs parents. Les mouvements nationalistes masculins soutenaient la libération de la femme, mais n'avaient pas encore admis l'idée de laisser les personnes âgées vivre seules tandis que les couples mariés habiteraient dans des appartements séparés, ces deux démarches ne semblant ni convenables ni élégantes.

Ma mère était toujours la dernière levée, et aimait prendre un petit déjeuner tardif qu'elle se préparait seule avec un certain défi sous le regard désapprobateur de ma grand-mère Lalla Mani. Elle se faisait des œufs brouillés et du *baghrir,* des crêpes fines arrosées de miel et de beurre frais, et accompagnées, bien sûr, de quantité de thé. Elle déjeunait en général à onze heures, juste au moment où Lalla Mani se préparait à entamer son rituel de purification pour la prière de midi. Deux heures plus tard, ma mère était parfaitement incapable d'avaler une bouchée du déjeuner à la table commune. Parfois, elle se dispensait même totalement d'y apparaître, surtout quand elle voulait contrarier mon père, sauter un repas étant considéré comme très impoli et trop ouvertement individualiste. Ma mère rêvait de vivre seule avec mon père et nous, les enfants. « Qui a jamais entendu parler de dix oiseaux vivant dans le même nid ? disait-elle. Ce n'est pas normal de vivre en groupe de cette importance, sauf si on veut rendre les gens malheureux. » Mon père avait beau répondre qu'il ne connaissait rien aux mœurs des oiseaux, il était implicitement d'accord avec ma mère, partagé entre son devoir envers la famille traditionnelle et son désir de la rendre heureuse. Il se sentait coupable de briser la solidarité familiale, sachant trop bien que les grandes familles en général et la vie du harem en particulier étaient en passe de devenir rapidement des reliques du passé.

Il prédisait même que, dans les vingt ou trente prochaines années, nous ne vaudrions guère mieux que les chrétiens, qui ne s'occupaient plus beaucoup de leurs vieux parents. En fait, la plupart de mes oncles, qui avaient déjà quitté la grande cellule familiale, trouvaient tout juste à présent le temps de rendre visite à leur mère, Lalla Mani, le vendredi après la prière. « Et leurs enfants ne baisent plus les mains ! » se lamentait-on. Le plus grave était que, jusqu'à une date récente, tous mes oncles avaient habité la maison et n'en étaient partis que lorsque l'opposition de leur femme à la vie commune était devenue insupportable. Voilà qui donnait de l'espoir à ma mère.

Le premier à quitter la famille avait été l'oncle Karim, le père de ma cousine Malika. Sa femme adorait la musique et aimait chanter quand il l'accompagnait au luth, dont il jouait à la perfection. Mais il cédait rarement aux instances de sa femme de passer avec elle une soirée à chanter dans leur salon, car son frère aîné, l'oncle Ali, ne trouvait pas convenable pour un homme de chanter ou de jouer d'un instrument de musique. Finalement, un jour, la femme de l'oncle Karim était tout simplement retournée dans la maison de son père, en emmenant ses enfants après avoir annoncé son intention de ne jamais remettre les pieds dans la maison commune. L'oncle Karim, qui était de caractère joyeux et s'était souvent senti mal à l'aise dans la discipline du harem, avait vu là une occasion de partir et avait excusé son départ en disant qu'il préférait céder aux désirs de sa femme plutôt que de détruire leur mariage. Peu de temps après, tous mes autres oncles avaient pris le même chemin, l'un après l'autre. Seuls étaient restés l'oncle Ali et mon père. Si mon père partait, ce serait la fin de la grande famille. « Tant que ma mère est en vie, disait-il souvent, je ne faillirai pas à la tradition. »

Cependant, mon père aimait tant sa femme qu'il était malheureux de ne pas accéder à ses désirs. Il ne cessait de proposer des compromis. L'un d'eux était de mettre à sa disposition un placard empli de provisions, au cas où elle voudrait manger à l'insu du reste de la famille. Car l'un des problèmes de la vie communautaire était de ne pouvoir tout simplement ouvrir un réfrigérateur quand on avait faim. D'abord, il n'y avait pas de réfrigérateurs en ce temps-là. Mais avant tout, l'idée de base du harem était de vivre selon le rythme du groupe ; impossible donc de manger quand on en avait envie. Lalla Radia, la femme de mon oncle, détenait la clé du garde-manger et, même si le soir après dîner elle vous demandait ce que vous désiriez manger le lendemain, vous étiez obligé de vous contenter de ce que le groupe — après d'interminables discussions — avait décidé.

Si le groupe avait opté pour un couscous aux pois chiches et aux raisins secs, il fallait vous en accommoder. Tant pis si vous aviez horreur des pois chiches et des raisins secs, vous n'aviez d'autre choix que de vous contenter, avec la plus grande discrétion, d'un repas frugal composé de quelques olives. « Quelle perte de temps, disait ma mère, ces discussions infinies à propos des repas ! Les Arabes feraient mieux de laisser chacun choisir ce qu'il a envie d'avaler. Forcer tout le monde à prendre trois repas par jour ne fait que compliquer les choses. Et dans quel but, sacré ou non, je vous le demande ? Aucun, bien entendu. » Et elle enchaînait en disant que sa vie entière était une absurdité, où rien n'avait de sens, tandis que mon père expliquait patiemment qu'il ne pouvait s'en aller comme ça. Sinon, toutes les traditions s'écrouleraient. « Nous vivons des temps difficiles, le pays est aux mains de l'occupant étranger, notre culture est menacée. Il ne nous reste que nos traditions. » Ce raisonnement rendait ma mère folle : « Crois-tu qu'en restant tous ensemble agglutinés dans cette énorme maison absurde, nous allons trouver la force nécessaire pour jeter dehors les armées d'occupation ? Et qu'est-ce qui compte le plus, de toute façon, les traditions ou le bonheur des gens ? »

L'argument mettait brutalement fin à la conversation. Mon père essayait de lui caresser la main, mais elle se dérobait. Si bien que mon père ne cessait de proposer des compromis. Non seulement il réussit à procurer à ma mère ses propres provisions, mais il lui apportait également des douceurs qu'elle affectionnait, dattes, noix, amandes, miel, farine et huiles de toutes sortes. Elle pouvait ainsi confectionner tous les desserts qu'elle aimait, sans être en principe autorisée à préparer des plats de viande ou des repas complets. Sinon, ç'aurait été la fin de l'organisation commune. La fantaisie provocatrice de ses petits déjeuners était déjà suffisamment insultante pour le reste de la famille.

De temps en temps, très rarement, ma mère se débrouillait pour préparer un déjeuner ou un dîner complets ; il lui fallait alors non seulement faire preuve d'une absolue discrétion, mais encore trouver un prétexte plus ou moins exceptionnel. Son stratagème le plus fréquent était de déguiser le repas en pique-nique nocturne sur la terrasse. Ces dîners occasionnels en tête à tête étaient, de la part de mon père, destinés à apaiser ma mère en satisfaisant son désir d'intimité. Nous nous transportions sur la terrasse, comme des nomades, avec matelas, tables, plateaux, et le berceau de mon petit frère au beau milieu. Ma mère ne se tenait plus de joie. Personne d'autre n'osait se montrer, car tout le monde comprenait que ma mère cherchait à fuir la promiscuité du groupe. Elle aimait tout particulièrement faire perdre à mon père son habituelle réserve guindée. Au bout de quelques instants, elle se mettait à faire des bêtises, comme une gamine, et mon père la poursuivait tout autour de la terrasse, tandis qu'elle le défiait. « Sidi, mon seigneur, tu ne peux plus courir, tu es trop vieux ! Tu n'es plus bon maintenant qu'à t'asseoir et à veiller sur le berceau de ton fils. Toute la population de la Médina de Fès doit savoir que Hadi Mernissi est incapable de courir après une femme, et surtout de la rattraper ! » Mon père, qui souriait jusque-là, la regardait d'abord comme si ce qu'elle venait de dire ne le touchait pas le moins du monde. Puis son sourire disparaissait brusquement et il se mettait à la poursuivre à travers la terrasse, sautant par-dessus les sofas et les plateaux. Parfois, ils organisaient des jeux où nous prenions tous part, ma sœur, Samir (le seul autorisé à se joindre à nos réunions au clair de lune) et moi. Le plus souvent, ils oubliaient totalement le reste du monde, et nous autres enfants passions le lendemain à éternuer parce qu'ils n'avaient pas pensé à nous mettre des couvertures quand nous nous étions assoupis sur la terrasse ce soir-là[1].

À la suite de ces soirées bénies, ma mère était d'une humeur anormalement douce pendant toute une semaine. Puis elle me disait que, quelle que soit la vie que j'aurais, il me faudrait absolument prendre sa revanche. « Je veux que mes filles aient une vie palpitante, disait-elle, passionnante et pleine de bonheur à cent pour cent, ni plus ni moins. » Je levais la tête en la regardant sérieusement, et lui demandais ce que signifiait le « bonheur à cent pour cent », car je voulais qu'elle sache que j'avais l'intention de faire de mon mieux pour y parvenir. Le bonheur, expliquait-elle, c'est se sentir bien, léger, créatif, satisfait, aimé, amoureux, et libre. Une personne malheureuse a l'impression que des barrières font obstacle à ses aspirations et à ses talents intérieurs. Une femme heureuse est une femme qui peut exercer tous les droits, y compris ceux de se déplacer et de créer, de se mesurer aux autres, de les défier, sans risquer cependant d'être rejetée. Une partie de son bonheur peut venir d'un homme qui aime la force de sa femme et est fier de ses talents. Le bonheur comprend aussi le droit à l'intimité, le droit de fuir la compagnie des autres pour se plonger dans la contemplation solitaire. Ou de rester seule sans rien faire pendant toute une journée, sans avoir à chercher d'excuses ou se sentir coupable. Le bonheur, c'est être avec ceux qu'on aime, tout en ayant conscience d'exister en tant qu'individu et de ne pas être là uniquement pour les rendre heureux. Le bonheur, c'est l'équilibre entre ce que l'on donne et ce que l'on reçoit. Je lui ai alors demandé quel pourcentage de bonheur elle avait dans la vie, et elle m'a répondu que cela variait selon les jours. Certains jours elle n'en avait que cinq pour cent. D'autres, comme ceux que nous passions sur la terrasse avec mon père, elle parvenait pour de bon à être heureuse à cent pour cent.

Cet objectif de « bonheur à cent pour cent » était un peu écrasant pour la gamine que j'étais, surtout quand je voyais à quel point ma mère peinait à y parvenir. Combien de temps et d'énergie elle devait déployer pour avoir droit à ces soirées au clair de lune où elle pouvait s'asseoir près de mon père et lui chuchoter doucement à l'oreille, la tête posée sur son épaule ! Cela me paraissait un véritable exploit, car elle devait commencer ses travaux d'approche des semaines à l'avance, sans parler de toute la logistique pour préparer le repas et déménager le matériel. Comment ne pas être impressionnée par l'effort et la persévérance nécessaires pour obtenir quelques heures de bonheur ! Du moins, je savais que c'était réalisable. Mais comment, me demandais-je, pourrais-je soutenir un tel niveau de concentration et d'obstination ? Ma foi, si ma mère croyait cela possible, je tenterais d'y parvenir. « Les temps vont devenir moins durs pour les femmes, ma fille. Ta sœur et toi allez recevoir une bonne éducation, vous circulerez librement dans les rues et les jardins, et vous découvrirez le monde. Je veux que vous deveniez indépendantes, indépendantes et heureuses. Je veux que vous brilliez comme des lunes. Je veux que votre vie soit une cascade d'enchantements sereins. Cent pour cent de bonheur. Ni plus ni moins. »

Mais quand je lui demandais des détails, ma mère s'impatientait soudain. « C'est à toi d'y travailler. On développe des muscles pour le bonheur de la même façon que l'on développe ceux qui vous permettent de marcher ou de respirer. Tu crois que respirer c'est simple ? » Donc, chaque matin, je m'asseyais sur le seuil, contemplant la cour déserte et rêvant à mon merveilleux avenir, cette « cascade d'enchantements sereins ». Ne jamais renoncer aux clairs de lune romantiques sur la terrasse, mettre celui qu'on aime au défi d'oublier ses contraintes sociales pour, l'espace d'un soir, se détendre, blaguer, regarder les étoiles en vous tenant la main... Voilà, me disais-je, une façon de développer ses muscles du bonheur. Façonner de douces nuits, quand les rires se mêlent aux souffles de la brise printanière... Mais ces nuits magiques étaient rares, ou du moins le semblaient.

10

LE SALON DES HOMMES

Le problème, chez nous, c'est qu'il était facile de rater les occasions de se distraire, de faire des bêtises ou de s'amuser. Ces occasions n'étaient jamais prévues, sauf si cousine Chama et tante Habiba s'en chargeaient et, même dans ce cas, elles pouvaient faire l'objet de strictes contraintes. Les séances de contes de tante Habiba et les pièces de théâtre de Chama devaient obligatoirement avoir lieu dans les étages. Il n'était jamais possible de s'amuser vraiment dans la cour, un endroit trop public. Juste au moment où on commençait à prendre du bon temps, les hommes arrivaient pour discuter de leurs projets, se lançaient dans des discussions professionnelles, ou se mettaient à écouter la radio et à commenter les informations, les jeunes à jouer aux cartes et les plus âgés aux échecs, et on était obligé de décamper. Tout divertissement de qualité nécessite de la concentration et du silence pour qu'opère la magie du maître de cérémonie, du conteur et des acteurs.

Impossible de créer cette magie dans la cour, que des douzaines de gens ne cessent de traverser d'un salon à l'autre, surgissant des escaliers ou s'interpellant du rez-de-chaussée au premier étage. Impossible également de créer toute magie quand les hommes parlent politique, écoutent la radio ou lisent la presse locale et internationale. Les discussions politiques des hommes sont toujours chargées d'une passion intense. En écoutant attentivement ce qu'ils racontent, on a l'impression que la fin du monde est imminente. Ma mère disait que si l'on en croyait la radio et les commentaires des hommes, la planète aurait dû disparaître depuis longtemps.

Ils parlent des Allemands, une nouvelle race de chrétiens qui a donné une raclée aux Français et aux Anglais. Ils parlent aussi d'une bombe que les Américains, de l'autre côté de la mer, ont lancée sur le Japon, une des nations asiatiques proches de la Chine, à des milliers de kilomètres à l'ouest de La Mecque. Non seulement la bombe a tué des milliers et des milliers de gens, en les désintégrant, mais elle a également rasé des forêts entières de la surface de la terre. Les informations concernant cette bombe ont plongé mon père, oncle Ali et mes jeunes cousins dans des abîmes de désespoir, car si les chrétiens ont bombardé des Asiatiques vivant si loin d'eux, ils ne mettront plus de temps à attaquer les Arabes.

Samir et moi adorions les discussions politiques des hommes, parce que nous étions alors autorisés à pénétrer dans leur salon et à nous joindre à eux. Mon oncle et mon père, confortablement vêtus d'une djellaba blanche, étaient assis au milieu des *chabab,* les jeunes, c'est-à-dire la douzaine d'adolescents ou de jeunes célibataires qui vivaient dans la maison. Mon père plaisantait souvent avec les *chabab* à propos de leurs costumes occidentaux étroits et inconfortables, disant qu'il leur fallait à présent des chaises pour s'asseoir. Tout le monde détestait les chaises, les sofas étaient bien plus commodes. Je grimpais sur les genoux de mon père. Oncle Ali était assis en tailleur au milieu du plus grand sofa, vêtu de sa djellaba d'un blanc immaculé et d'un turban blanc, son fils Samir, en short anglais, perché sur ses genoux. Je me pelotonnais contre mon père, dans ma jolie robe blanche française, très courte, ornée de rubans de satin à la taille. Ma mère tenait à m'habiller à la dernière mode occidentale, des robes courtes de dentelle aux rubans colorés et des souliers noirs vernis.

Comme elle se mettait en rage quand je salissais ces robes ou dérangeais l'ordre des rubans, je la suppliais souvent de me laisser porter mon confortable petit saroual, ou une autre tenue traditionnelle nécessitant moins de précautions. Mais c'était seulement les jours de fête religieuse que, sur l'insistance de mon père, elle me permettait de porter un caftan, tant elle était soucieuse de me voir échapper à la tradition. « Les projets d'une femme se voient à sa façon de s'habiller. Si tu veux être moderne, exprime-le dans les vêtements que tu portes, sinon tu te retrouveras enfermée derrière des murs. Certes, les caftans sont d'une beauté inégalable, mais les robes occidentales sont le symbole du travail rémunéré des femmes. » J'en suis donc venue à associer les caftans au luxe des jours de fête, aux vacances, aux rituels religieux et aux splendeurs de notre passé ancestral, et les vêtements occidentaux aux projets pragmatiques et aux corvées professionnelles et ennuyeuses.

Dans le salon des hommes, mon père était toujours assis en face de mon oncle, sur le sofa près de la radio, de façon à pouvoir contrôler le choix des stations. Les deux hommes étaient revêtus d'une double djellaba — dessus faite de pure laine blanche transparente, une spécialité de Ouezzane, ville religieuse du Nord à tradition tisserande, et dessous en tissu plus épais. Mon père portait aussi le turban jaune pâle de coton brodé venant du pays de Cham, qui était sa seule excentricité vestimentaire. « Mais quel est le devenir de nos tenues traditionnelles, plaisanta un jour mon père avec les jeunes cousins assis autour de lui, quand vous autres jeunes êtes tous habillés comme Rudolph Valentino ? » Sans exception, ils portaient des complets à l'occidentale et, tête nue, leurs cheveux coupés court au-dessus des oreilles, ils ressemblaient beaucoup aux jeunes soldats français postés au bout de la rue. « Nous réussirons probablement un jour à flanquer les Français dehors, pour nous apercevoir ensuite que nous leur ressemblons tous », ajouta mon oncle.

Parmi les jeunes hommes fréquentant le salon, il y

avait les trois frères de Samir, Zin, Jawad et Chakib, ainsi que les fils de toutes les tantes et les cousines veuves ou divorcées qui vivaient avec nous. La plupart fréquentaient l'école nationaliste, mais quelques-uns, les plus brillants d'entre eux, allaient au Collège musulman, école d'élite située à quelques mètres de la maison. Le Collège était un établissement secondaire français qui préparait les fils de familles éminentes à des situations importantes. Le niveau d'excellence des étudiants dépendait de leur connaissance de l'arabe, du français et de l'histoire. Pour vaincre l'Occident, la jeunesse arabe devait maîtriser au moins deux cultures. De tous mes cousins, Zin était considéré de loin comme le plus doué. Dans le salon, il s'asseyait habituellement près de mon oncle, les journaux français ostensiblement déployés sur les genoux. C'était un beau garçon brun, aux yeux en amande et aux pommettes saillantes, avec une petite moustache. Il ressemblait étonnamment à Rudolph Valentino, que nous voyions souvent au cinéma du Boujeloud, qui passait toujours deux films à la suite, l'un égyptien, en arabe, et l'autre étranger, en français. La première fois que Samir et moi avons vu Rudolph Valentino dans un film, nous l'avons immédiatement adopté comme membre de notre harem, tant il ressemblait à mon cousin Zin. À cette époque, Zin cultivait déjà le style du « cheikh », l'expression boudeuse, le costume sombre, la raie au milieu et la petite fleur rouge à la boutonnière. Fort à propos, le nom de Zin signifie « beauté », et j'étais béate d'admiration devant sa prestance et son élégance. Il représentait le genre d'hommes qui m'enchantent, plus proches des dieux que des humains : des hommes nageant entre deux cultures, à l'aise dans l'une comme dans l'autre, car le jeu et la fluidité sont le terrain où se forge leur sérénité. Comme tout le monde, j'étais impressionnée par son éloquence en français, langue que personne de la famille ne maîtrisait encore. J'aurais pu l'entendre des heures durant émettre ces étranges sons. Tout le monde l'écoutait religieusement quand l'oncle lui faisait signe de lire les journaux français.

Il commençait par lire rapidement les titres principaux, pour revenir aux articles que l'oncle ou mon père sélectionnaient plus ou moins intuitivement, car leur français était plutôt médiocre pour ne pas dire douteux. Il lisait ensuite à haute voix, avant de faire un *résumé-synthèse* en arabe. J'ai bien dit un résumé-synthèse, car il devait se retenir d'y mêler ses propres commentaires, piège où mes autres cousins tombaient presque régulièrement. Mon père et mon oncle surveillaient leur interlocuteur, et rien qu'au rythme d'enchaînement des phrases et des hésitations, ils pouvaient repérer les rajouts indus. Faire confiance à quelqu'un qui confond lire et interpréter aurait été une folie, et c'est ainsi que Zin se tailla une place royale.

La façon dont Zin parlait français, et plus particulièrement dont il roulait les *r*, me donnait des frissons. Mes *r* étaient lamentablement plats, surtout en arabe classique, et mon professeur, Lalla Tam, m'interrompait souvent dans la lecture du Coran pour me rappeler que nos ancêtres prononçaient très vigoureusement les *r*. « Il faut respecter tes ancêtres, Fatima Mernissi, disait-elle. Pourquoi massacrer cet alphabet qui ne t'a rien fait ? » Je m'arrêtais, l'écoutais poliment et jurais de respecter mes ancêtres. Je rassemblais toutes mes forces respiratoires dans une tentative courageuse et désespérée pour prononcer un *r* énergique, et je m'étouffais lamentablement. Et dire que Zin était si doué et si beau, pouvait parler français et rouler des centaines de *r* sans effort apparent !

Je le fixais souvent avec intensité, espérant confusément qu'à force de concentration, un peu de son talent et de sa magique beauté, qui sait, de sa mystérieuse capacité à rouler les *r*, finirait par déteindre sur moi. Zin travaillait très dur pour devenir le nationaliste moderne idéal, c'est-à-dire celui qui connaissait à fond l'histoire, les légendes et la poésie arabes, parlait de plus couramment le français, la langue de nos ennemis, afin de déchiffrer la presse des chrétiens et déjouer leurs plans. Il y réussissait à merveille. Même si la suprématie des chrétiens modernes était évidente en sciences et en mathématiques, les leaders nationalistes encourageaient les jeunes à lire les traités classiques d'Avicenne et al-Khwarizmi[1], « uniquement pour se faire une idée de la manière dont fonctionnait leur esprit. Il est toujours utile de savoir que vos ancêtres étaient rapides et précis ». Mon père et l'oncle respectaient Zin comme l'un des membres de la nouvelle génération de Marocains qui allaient sauver le pays. Il menait la procession à la mosquée Qaraouiyine le vendredi, où tous les hommes de Fès, jeunes et vieux, apparaissaient vêtus de leur traditionnelle djellaba blanche et de leurs belles babouches de cuir jaune pour aller à la prière publique. Officiellement, cette réunion du vendredi midi était religieuse, mais tout le monde, y compris les Français, savait que beaucoup de décisions importantes du *Majlis al-Baladi* (le conseil municipal) étaient prises à cette occasion. Non seulement tous les membres du conseil municipal, comme l'oncle Ali, assistaient à cette prière, mais des délégués de tous les groupes sociaux de la ville, du plus prestigieux au plus humble, étaient également présents.

La mosquée, ouverte à tous, contrebalançait ainsi la structure plus élitiste du conseil, qui avait été institué par les Français, selon mon oncle, en tant qu'assemblée de dignitaires. « Bien que les Français aient détrôné leurs nobles et leurs rois, disait-il, ils préfèrent encore discuter exclusivement avec des hommes de haut rang. Il nous appartient donc à nous, gens du pays, d'être responsables et de communiquer avec les autres catégories de la ville. Notre ville est une ville d'artisans, qui ont leur propre organisation, leurs réseaux de délégués et de représentants. On ne gouverne pas cette ville en s'enfermant dans un petit groupe. Toute personne ayant une fonction politique doit assister régulièrement à la prière du vendredi. C'est le seul moyen de garder le contact avec les gens. »

Cinq groupes ayant contribué pendant des siècles à la situation intellectuelle et économique du Maroc étaient toujours largement représentés à la mosquée le vendredi. D'abord, les *ulémas*, les érudits, qui vouaient leur vie à la science et dont on pouvait souvent retrouver des ancêtres en Andalousie ou en Espagne musulmane. Ils vénéraient le texte écrit, et contribuaient à la pérennité de l'industrie du livre, depuis la fabrication du papier, la calligraphie, jusqu'à la reliure, encourageant la lecture, l'écriture et la collection des éditions rares. Venaient ensuite les *sharifs*, ou descendants du Prophète, qui jouissaient d'un immense prestige et jouaient un rôle symbolique dans les cérémonies de mariage, de naissance et d'enterrement, et un rôle central dans les arbitrages des conflits et les négociations. Les sharifs étaient de condition modeste, leur principal souci n'étant pas de gagner de l'argent et de faire fortune. C'étaient là les préoccupations des *tujjars*, ou marchands, qui constituaient le troisième groupe, fluctuant et habile. C'étaient des aventuriers, et, durant les intermèdes séparant les prières, ils décrivaient volontiers leurs dangereuses expéditions en Europe et en Asie, ou vers le sud, au-delà du Sahara. Puis venaient les familles de *fellahs*, les propriétaires terriens, groupe auquel appartenaient mon père et mon oncle. Le mot *fellah* avait deux significations contradictoires : d'un côté les pauvres paysans sans terre et, de l'autre, les riches propriétaires et exploitants agricoles. Mon oncle et mon père étaient fiers d'être *fellahs*, mais appartenaient à la seconde catégorie. Ils étaient très attachés à leur terre et rien ne leur procurait plus de plaisir que de passer des journées entières dans leurs fermes, même s'ils avaient choisi de vivre en ville. Les *fellahs* faisaient de l'agriculture, à plus ou moins grande échelle, et tentaient souvent de se mettre au courant des techniques d'agriculture moderne introduites par les colons français. Beaucoup de familles de propriétaires, comme la nôtre, venaient des montagnes du pré-Rif, au nord de la ville, et s'enorgueillissaient de leurs origines rurales, surtout lorsqu'elles étaient confrontées à l'arrogance des Andalous, le groupe des érudits. « Les *ulémas* sont importants, certes, disait mon père chaque fois qu'était soulevée la question de la hiérarchie des groupes de la ville. Mais si nous n'étions pas là pour leur procurer de quoi manger, ils mourraient de faim. Vous pouvez faire bien des choses avec un livre, le regarder, le lire, en débattre les idées. Mais vous ne pouvez pas le manger. Voilà le vrai problème des intellectuels. Il vaut mieux être *fellah* comme nous, qui aimons et admirons la terre, et recevoir ensuite une instruction. Si vous savez cultiver la terre et lire des livres, vous ne pouvez pas vous tromper. »

Mon père se faisait du souci pour les *chabab*, les jeunes de la famille, qui prenaient trop de plaisir à l'étude et perdaient le goût de la terre. C'est pourquoi il insistait pour qu'ils passent les vacances d'été avec lui dans la ferme de l'oncle, à quelques kilomètres de Fès. Mais très souvent, il réalisait que le groupe des jeunes s'amenuisait à vue d'œil juste quelques jours après leur arrivée à la ferme : ils détalaient sans le lui dire, atterrés par l'énormité de la tâche. « Peut-être que le Maroc va devenir moderne, mais une chose est sûre, les hommes vont avoir les mains aussi lisses que celles des dames », grommelait mon père, quand aucun *chabab* n'acceptait son invitation de goûter aux plaisir champêtres.

Le cinquième groupe de la ville, le plus nombreux aussi, était celui des artisans, qui fabriquaient pratiquement tous les produits finis du Maroc avant que les Français n'envahissent le marché avec leurs denrées manufacturées. Les quartiers de Fès sont nommés selon les corporations d'artisans qui y travaillent. *Haddadine* — littéralement : les ferronniers — est le quartier où l'on travaille le fer et le cuivre. *Debbaghine* (peau tannée) est celui du cuir. Les potiers officient dans *Fakharine* (quartier de la poterie) et vous alliez au *Najjarine* (quartier du bois) acheter des articles de menuiserie. Les artisans les plus prospères étaient ceux qui travaillaient l'or et l'argent et ceux qui tissaient les fils de soie en luxueuses *sfifa* (passementeries) pour décorer les caftans brodés au préalable par les femmes[2].

Les gens d'un même quartier se regroupaient souvent à la mosquée et rentraient ensemble en bavardant et en échangeant leurs opinions sur les nouvelles les plus récentes. Le cousin Zin et les jeunes se rendaient toujours à pied aux réunions du vendredi à la mosquée, alors que les plus vieux suivaient à quelques mètres, parfois à pied, parfois à dos de mulet. Samir et moi adorions quand nos pères prenaient leur mule, car ainsi nous pouvions être de la partie. Nous prenions place devant la selle. Mon père avait hésité à m'emmener la première fois, mais j'avais hurlé si fort que mon oncle l'avait assuré qu'il n'y avait rien de répréhensible à emmener une petite fille à la mosquée. « Le *Hadith* ne mentionnait-il pas que le Prophète, que la prière d'Allah et la paix soient avec lui, avait un jour dirigé les prières dans la mosquée pendant qu'une petite fille jouait devant lui ? » disait mon oncle Ali, chaque fois que je commençais à m'accrocher, en lançant des cris stridents, à la djellaba de mon père, lorsqu'il commençait à s'habiller pour la prière du vendredi. Ma mère, jalouse de ma liberté de sortir et d'accompagner mon père dans les lieux publics d'où elle était exclue, ne ratait aucune occasion de se moquer de lui, en le voyant céder à mes caprices : « Mon cher al-Hadi, si tu continues à choyer cette fille, à faire tout ce qu'elle veut, bientôt elle va insister pour t'accompagner aux toilettes. »

La seule concession aux traditions à laquelle consentaient les jeunes le vendredi était de porter le *terbouch watani* (terbouch nationaliste), coiffe de feutre triangulaire, dont la mode fut lancée par les nationalistes moyen-orientaux. Ces coiffes de feutre pouvaient attirer des ennuis en période d'agitation, quand les policiers français devenaient hystériques, car la mode s'en était répandue après qu'Allal al-Fassi, un héros de la résistance à l'occupation française, plusieurs fois condamné, emprisonné et exilé, eut fait son apparition avec cette coiffe à la mosquée Qaraouiyine. Plus tard, quand notre roi Mohammed V arbora ce terbouch, qui retombait avec élégance sur son auguste front, à une réunion officielle avec le résident général français à Rabat, les spécialistes de politique étrangère en conclurent que les Occidentaux ne pouvaient plus rien espérer de bon de lui. Impossible de faire confiance à un roi qui tronquait le traditionnel turban contre un feutre subversif !

En tout cas, la tradition et la modernité se côtoyaient en toute harmonie dans la tenue vestimentaire des jeunes, comme chez nous pendant les réunions « de presse » des hommes. Après les informations à la radio, en français et en arabe, mon père éteignait la radio et le groupe écoutait les jeunes lire et commenter la presse écrite. On servait le thé, et Samir et moi étions censés nous taire. Cependant, j'appuyais souvent la tête sur l'épaule de mon père en chuchotant : « Qui sont les Allemands ? D'où viennent-ils ? Et pourquoi sont-ils plus forts que les Français ? Où se cachent-ils, si les Espagnols sont au nord et les Français au sud ? » Mon père me promettait toujours de me répondre plus tard, quand nous serions seuls. Et il le faisait souvent en effet, mais je n'ai jamais réussi à m'y retrouver, pas plus que Samir, malgré tous nos efforts pour reconstituer les morceaux du puzzle.

11

LA GUERRE VUE DE LA COUR

Les Allemands sont des chrétiens, c'est sûr. Ils vivent dans le nord comme tous les autres, dans ce que nous appelons *Blad Teldj*, le pays de la neige. Allah n'a pas fait de cadeau aux chrétiens : leur climat est froid et rigoureux, ce qui les met de mauvaise humeur. Quand le soleil ne se montre pas pendant des mois, ils deviennent méchants. Pour se réchauffer, ils sont obligés de boire du vin et d'autres boissons fortes qui les rendent agressifs, et ils commencent à chercher des noises aux autres. Ils boivent parfois du thé, comme tout le monde, mais même leur thé est amer et bouillant, très différent du nôtre, toujours parfumé à la menthe, à l'absinthe ou au myrte. Cousin Zin, qui est allé en Angleterre, dit que le thé, là-bas, est si amer qu'ils sont obligés d'y mettre du lait. Samir et moi avons donc essayé une fois de verser du lait dans notre thé à la menthe, juste pour voir. C'était dégoûtant ! Pas étonnant que les chrétiens soient malheureux et cherchent sans arrêt la bagarre !

Quoi qu'il en soit, il semblait que les Allemands avaient préparé en secret, depuis des années, une immense armée. Personne n'était au courant, et un beau jour ils ont envahi la France. Ils ont colonisé Paris, la capitale française, et ont commencé à donner des ordres aux gens, exactement comme les

Français le font ici, à Fès. Nous avions de la chance quand même, parce que, au moins, les Français n'aimaient pas notre Médina, la cité de nos ancêtres, et ont donc construit la Ville Nouvelle pour y habiter. Quand j'ai demandé à Samir ce qui se serait passé si les Français avaient trouvé la Médina à leur goût, il m'a répondu qu'ils nous auraient tous jetés dehors pour prendre nos maisons. Cependant, ces mystérieux Allemands n'en voulaient pas seulement aux Français. Ils ont aussi déclaré la guerre aux juifs. Les Allemands obligent les juifs à porter quelque chose de jaune chaque fois qu'ils mettent le nez dehors, tout comme les musulmans exigent que les femmes portent un voile, pour pouvoir immédiatement les repérer.

Pourquoi les Allemands en voulaient aux juifs, personne dans la cour ne pouvait vraiment le dire. Samir et moi posions sans arrêt des questions, courant d'un groupe de brodeuses à l'autre, dans l'après-midi calme, mais nous n'obtenions que des suppositions. « C'est peut-être la même chose que pour les femmes ici, disait ma mère. Personne ne sait vraiment pourquoi les hommes nous forcent à porter le voile. C'est sans doute une question de différence. La peur de la différence fait agir les gens de façon très bizarre. Les Allemands se sentent probablement plus en sécurité quand ils sont entre eux. C'est comme les hommes dans la Médina, qui deviennent nerveux dès qu'une femme apparaît. Si les juifs insistent pour rester différents, ça peut déstabiliser les Allemands. Le monde est fou ! »

Dans Fès, les juifs ont leur propre quartier, qu'on appelle le Mellah. De chez nous, il faut exactement une demi-heure pour s'y rendre, et les juifs ressemblent à n'importe qui, dans leurs longues robes semblables à nos djellabas. Ils portent des chapeaux au lieu de turbans, c'est tout. Ils s'occupent de leurs affaires et restent dans leur Mellah, où ils fabriquent de magnifiques bijoux et les femmes de délicieuses conserves de légumes au vinaigre. Ma mère a essayé avec des courgettes, des petits concombres et de minuscules aubergines, mais elle n'a jamais réussi. « Ils doivent avoir une formule magique, » a-t-elle conclu. Comme nous, les juifs ont leurs propres prières, adorent leur Dieu et enseignent son Livre à leurs enfants. Ils lui ont construit une synagogue, qui est comme notre mosquée, et nous avons les mêmes prophètes, à l'exception de notre bien-aimé Mohammed, que la prière et la paix de Dieu soient sur lui.

Je n'ai jamais été très loin dans la liste des prophètes, parce que cela devient compliqué et j'ai peur de me tromper. Mon professeur, Lalla Tam, dit que les erreurs en matière de religion peuvent vous envoyer en enfer. C'est ce qu'on appelle *tashif*, blasphème, et comme j'ai déjà pris la décision d'aller au paradis, j'essaie d'éviter les erreurs. Une chose est sûre, les juifs ont vécu avec les Arabes depuis la nuit des temps, et le prophète Mohammed les aimait quand il a commencé à prêcher l'islam. Mais ils ont fait quelque chose de méchant, et il a décidé que si les deux religions devaient coexister dans la même ville, ce serait dans des quartiers séparés. Les juifs sont très bien organisés et ont un sens de la communauté beaucoup plus développé que le nôtre. « Le riche n'oublie jamais le pauvre chez eux », dit tante Habiba. Dans le Mellah, on s'occupe toujours des pauvres et tous les enfants vont à l'Alliance israélite, une école à la discipline aussi sévère que chez Lalla Tam.

Ce que je ne pouvais comprendre, c'est ce que les juifs faisaient en Allemagne. Comment étaient-ils arrivés là-bas, dans le pays de la neige ? Je croyais que les juifs, comme les Arabes, préféraient les climats chauds. Est-ce qu'ils n'habitaient pas la ville de Médine, au beau milieu du désert d'Arabie, à l'époque du Prophète ? Et avant ça, ils avaient vécu en Égypte, non loin de La Mecque, et en Syrie. De toute façon, les juifs étaient toujours restés plus ou moins à proximité des Arabes[1].

Pendant la conquête de l'Espagne, quand la dynastie arabe omeyade de Damas avait transformé l'Andalousie en un jardin ombragé et bâti les palais de

Cordoue et Séville, les juifs leur avaient emboîté le pas. Lalla Tam nous avait raconté tout ça. Elle en avait même tellement dit que je m'étais un peu embrouillée, au point de croire que c'était mentionné dans le Coran. Vous comprenez, la plupart du temps Lalla Tam ne se préoccupait pas trop d'expliquer la signification des versets du Coran. Nous nous contentions de les copier sur nos *luha,* nos ardoises, le jeudi, et nous les apprenions par cœur les samedi, dimanche, lundi et mardi.

Chacun de nous s'asseyait sur son coussin, la *luha* sur les genoux, et lisait à haute voix, psalmodiant jusqu'à ce que les mots lui rentrent dans la tête. Puis, le mercredi, Lalla Tam nous faisait réciter ce que nous avions appris. Il fallait poser la *luha* sur les genoux, à l'envers pour ne pas être tenté de lire, et réciter de mémoire. Si on ne faisait aucune erreur, Lalla Tam souriait. Mais elle souriait rarement quand c'était mon tour. « Fatima Mernissi, disait-elle, la mèche de son fouet menaçante au-dessus de ma tête, tu n'iras pas loin dans la vie si tout ce qui rentre par une oreille ressort par l'autre. » Après le jour de la récitation, le jeudi et le vendredi étaient presque des vacances, même si nous avions à nettoyer nos *luha* puis à y recopier de nouveaux versets. Mais, pendant tout ce temps, Lalla Tam ne donnait aucune explication. Elle disait que ça ne servirait à rien. « Contentez-vous d'apprendre par cœur ce que vous avez écrit sur vos *luha,* personne ne vous demandera votre opinion. » Cependant, comme elle ne cessait de parler de la conquête d'Espagne, j'ai tout mélangé et j'ai commencé à croire que cela faisait partie du livre sacré. Alors elle s'est mise à hurler que c'était du pur blasphème et a convoqué mon père. Il a mis un certain temps à éclaircir la situation.

Il m'a expliqué qu'il était essentiel pour une jeune fille, qui comptait éblouir le monde musulman, de connaître quelques dates significatives, et que tout le reste se mettrait en place le moment venu. Puis il m'a dit que les révélations du Coran avaient pris fin à la mort du Prophète, en l'an 11 de l'héjire (qui correspond au départ de Mohammed de La Mecque), c'est-à-dire l'an 632 du calendrier chrétien. J'ai demandé à mon père de bien vouloir simplifier les choses en s'en tenant au calendrier musulman pour l'instant, car le chrétien était trop compliqué, mais il m'a répondu qu'une jeune fille intelligente née sur les bords de la Méditerranée devait être capable de naviguer dans au moins deux ou trois calendriers. « Le passage de l'un à l'autre deviendra automatique si tu commences assez tôt. » Il a quand même accepté d'oublier momentanément le calendrier juif, beaucoup plus ancien que les autres. J'avais le vertige rien que d'imaginer à quelle distance dans le temps il vous faisait remonter.

Enfin, pour en revenir à nos moutons, les Arabes ont donc conquis l'Espagne presque un siècle après la mort du Prophète, en l'an 91 de l'héjire. Par conséquent, on ne pouvait trouver nulle part mention de la Conquête dans le livre sacré. « Alors, pourquoi Lalla Tam ne cesse-t-elle d'en parler ? » ai-je demandé. Mon père a répondu que c'était sans doute parce que sa famille était originaire d'Espagne. Son dernier nom était Sabata, un dérivé de Zapata, et son père possédait encore la clé de leur maison de Séville. « C'est qu'elle a le mal du pays, a dit mon père. La reine Isabelle a fait massacrer la plus grande partie de sa famille. » Il a raconté ensuite que les juifs et les Arabes avaient vécu en Andalousie pendant sept cents ans, du IIe au VIIIe siècle de l'héjire (du VIIIe au XVe siècle de l'ère chrétienne). Les deux peuples étaient allés en Espagne quand la dynastie omeyade avait vaincu les chrétiens et établi un empire dont Cordoue était la capitale. À moins que ce ne soit Grenade ? Ou Séville ? Lalla Tam ne parlait jamais d'une ville sans parler des autres, alors peut-être que les gens avaient le droit de choisir entre trois capitales. Mais normalement vous n'étiez autorisé qu'à une seule. Enfin, rien n'était tout à fait normal avec l'Espagne, à laquelle les Omeyades avaient donné le nouveau nom d'al-Andalous.

Les califes omeyades étaient une bande de joyeux

lurons qui s'étaient bien amusés à construire un fabuleux palais, l'Alhambra, et une tour, la Giralda. Puis, comme ils voulaient montrer à tout le monde à quel point leur empire était puissant, ils avaient construit la même tour à Marrakech, la Koutoubia. Ils faisaient comme s'il n'y avait pas de frontière entre l'Afrique et l'Europe. « Tout le monde rêve de réunir ces deux continents, disait mon père. Sinon, pourquoi les Français camperaient-ils à notre porte en ce moment même ? » Donc, les Arabes et les juifs ont pris du bon temps ensemble là-bas, en Andalousie, pendant sept cents ans, s'amusant à réciter de la poésie et à observer les étoiles dans leurs ravissants jardins de jasmins et d'orangers, qu'ils arrosaient grâce à un nouveau système d'irrigation très compliqué. Ils adoraient naviguer entre les langues, traversaient les cultures et valsaient entre les religions avec une agilité incroyable, pour ne pas dire « inconsciente », ajoutait mon père. Ils étaient tellement tolérants qu'on ne savait plus quelle était la religion du voisin, les gens changeaient de dogmes comme de caftans. Non, vraiment, l'Andalousie c'était bizarre ! Difficile à enseigner à un enfant, car déjà elle donne le vertige aux grands.

En tout cas, nous avions complètement oublié les Andalous, ici, à Fès, jusqu'au jour où la ville s'était éveillée en les voyant arriver par centaines, hurlant de peur, la clé de leur maison à la main. Sortie tout droit de la neige, une féroce reine chrétienne, du nom d'Isabelle la Catholique, était à leurs trousses. Elle leur avait donné une vraie raclée et leur avait dit : « Soit vous priez comme nous, soit nous vous jetons à la mer. » Mais en réalité, elle ne leur avait même pas donné le temps de répondre, et ses soldats avaient flanqué tout le monde dans la Méditerranée. Les juifs et les Arabes avaient nagé ensemble jusqu'à Tanger et Ceuta (sauf ceux qui avaient eu la chance de trouver un bateau) et s'étaient précipités à Fès pour s'y cacher. Tout cela s'était passé il y avait plus de cinq cents ans, voilà pourquoi nous avions une grande communauté andalouse en plein centre de la

Médina, près de la mosquée Qaraouiyine, et un vaste quartier juif, le Mellah, à quelques centaines de mètres de là.

Mais tout cela n'expliquait pas comment les juifs s'étaient retrouvés en Allemagne. Après maintes discussions, Samir et moi avons décidé que, peut-être, quand Isabelle la Catholique s'était mise à crier, une partie des juifs avaient pris le mauvais chemin, en direction du nord, et s'étaient retrouvés au beau milieu du pays de la neige. Puis, les Allemands étant chrétiens, comme Isabelle la Catholique, ils avaient chassé les juifs parce qu'ils ne priaient pas de la même façon qu'eux. Mais tante Habiba nous a dit que cette explication n'avait pas l'air correcte parce que les Allemands se battaient aussi contre les Français, qui étaient pourtant des chrétiens et adoraient le même dieu qu'eux. Cela a mis fin à notre théorie.

Impossible d'expliquer en termes de religion ce qui se passait dans la chrétienté. J'étais sur le point de suggérer à Samir de laisser tomber cette mystérieuse question des juifs jusqu'à l'année suivante, où nous aurions grandi en âge et en sagesse, quand la cousine Malika a apporté une explication logique mais terrifiante. La guerre était un problème de couleur de cheveux ! Les tribus aux cheveux blonds se battaient contre les peuples aux cheveux noirs ! C'était fou ! Les Allemands, en l'occurrence, étaient des grands blonds pâles, tandis que les Français étaient des petits bruns bronzés. Les pauvres juifs, qui s'étaient tout simplement trompés de chemin quand Isabelle avait chassé tout le monde d'Espagne, se retrouvaient pris au piège entre les deux. Ils étaient malencontreusement dans la zone de guerre, et avaient les cheveux noirs. Ils n'appartenaient ni à un camp ni à l'autre ! Ainsi donc, les puissants Allemands en voulaient à tous ceux qui avaient les cheveux et les yeux noirs !

Samir et moi étions terrifiés. Nous avons vérifié les dires de Malika auprès du cousin Zin, et il a dit qu'elle avait absolument raison. Hi-Hitler — c'était le nom du roi des Allemands — détestait les cheveux et les yeux noirs et lançait des bombes sur toutes les populations répondant à cette description. Pas moyen de lui échapper en se jetant à la mer, car il envoyait des sous-marins pour vous repêcher. Regardant son grand frère, Samir a mis ses mains sur ses cheveux de jais, comme pour les cacher, et a dit : « Mais crois-tu qu'une fois que les Allemands auront écrasé les Français et les juifs, ils vont pousser vers le sud et venir à Fès ? » La réponse de Zin a été vague. Il a dit que les journaux ne parlaient pas des projets à long terme des Allemands.

Cette nuit-là, Samir a supplié sa mère de lui mettre du henné dans les cheveux pour les rougir, la prochaine fois que nous irions au hammam. Quant à moi, je me suis promenée avec un des foulards de ma mère solidement noué autour de la tête, jusqu'à ce qu'elle s'en aperçoive et m'oblige à l'ôter. « Ne te couvre jamais la tête ! a hurlé ma mère. Tu entends ? Jamais ! Je me bats pour l'abandon du voile, et toi tu en mets un ? Quelle est cette absurdité ? » Je lui ai expliqué le problème des juifs et des Allemands, des bombes et des sous-marins, mais elle n'a pas paru impressionnée. « Même si Hi-Hitler, le roi tout-puissant des Allemands, est à ta poursuite, a-t-elle dit, il faut que tu lui tiennes tête les cheveux découverts. Il ne sert à rien de se couvrir la tête et de se cacher. Ce n'est pas en se cachant qu'une femme peut résoudre ses problèmes. Elle devient au contraire une victime toute désignée. Ta grand-mère et moi avons assez souffert avec cette histoire de masques et de voiles. Nous savons que ça ne marche pas. Je veux que mes filles aillent la tête haute sur la planète d'Allah en regardant les étoiles. »

Sur ce, elle m'a arraché le foulard, me laissant totalement sans défense, face à une armée invisible qui poursuivait les gens aux cheveux noirs.

12

ASMAHAN, LA PRINCESSE CHANTEUSE

Parfois, en fin d'après-midi, dès que les hommes quittent la maison, les femmes se précipitent sur la radio, l'ouvrent grâce à leur clé illicite et se lancent dans une recherche frénétique de musique et de chansons d'amour. Chama était la technicienne, car elle était la seule à pouvoir lire les inscriptions étrangères en lettres dorées sur l'impressionnant cadran. C'est en tout cas ce qu'on croyait. Les hommes manipulaient les boutons avec des gestes calmes et précis, déchiffrant apparemment sans peine les signes cabalistiques, mais, bien qu'ayant appris l'alphabet français, Chama ne pouvait décoder les lettres SW, MW et LW. Elle a supplié ses frères Zin et Jawad de lui dire ce que représentaient ces sigles et, devant leur refus, a même menacé d'avaler en entier le dictionnaire français. Ils lui ont répondu que, même si elle en arrivait là, elle ne résoudrait pas son problème, car les lettres étaient les initiales de mots anglais. Elle a alors abandonné toute tentative d'approche scientifique et mis au point une extraordinaire technique de bidouillage, manipulant plusieurs boutons à la fois à la recherche d'une mélodie, coupant impitoyablement le sifflet à toutes les stations « importantes », des sermons pour guider les âmes aux chants nationalistes ou militaires, ces derniers étant souvent si semblables qu'on avait du mal à les distinguer, tandis que tante Habiba insistait pour les traiter différemment. Elle disait que c'était pécher de ne pas respecter les nationalistes, et qu'il fallait au moins faire semblant d'écouter quelques secondes avant de les étouffer. Quand Chama trouvait la mélodie, il fallait alors se livrer à de multiples manipulations supplémentaires. Le réglage de l'énorme poste pour obtenir une émission distincte et dénuée de parasites pouvait durer une éternité. Mais quand Chama y parvenait enfin et qu'une voix masculine chaude et tendre, comme celle de l'Égyptien Abdelwahab, fredonnant *Ahibi 'itchi l-hurriya* (J'aime la vie libre et sans entraves), montait dans l'air, la cour tout entière se mettait à pousser des gémissements de plaisir. C'était encore mieux quand les doigts magiques de Chama réussissaient à capturer la voix ravissante de la princesse libanaise Asmahan, susurrant sur les ondes *Ahwa ! Ana, ana, ana ahwa !* (Je suis amoureuse, je, je, je suis amoureuse !) Les femmes étaient alors littéralement transportées d'extase. Elles se débarrassaient de leurs mules en les lançant en l'air et dansaient pieds nus autour de la fontaine, l'une derrière l'autre, relevant d'une main leur caftan et serrant de l'autre un partenaire imaginaire contre elles.

Malheureusement, il était rare de tomber sur une chanson d'Asmahan. On entendait beaucoup plus fréquemment les rengaines nationalistes d'Oum Kelthoum, la diva égyptienne qui pouvait roucouler des heures durant sur le thème du passé glorieux des Arabes, et la nécessité de regagner la gloire perdue en résistant aux envahisseurs colonialistes. Quelle différence entre Oum Kelthoum, jeune fille pauvre à la voix d'or découverte au fin fond d'un obscur village égyptien, parvenue à la gloire à force de discipline et de travail acharné, et l'aristocratique Asmahan, qui n'avait jamais eu le moindre effort à faire pour atteindre la célébrité ! Oum Kelthoum donnait l'image peu courante d'une femme arabe déterminée et pleine d'assurance, ayant un but dans la vie, sachant ce qu'elle voulait et où elle allait, alors qu'Asmahan nous chavirait le cœur par sa bouleversante fragilité. Solide et bien en chair (dans les films du cinéma Boujeloud), Oum Kelthoum apparaissait toujours dans de longues robes flottantes qui dissimulaient son opulente poitrine. Et cette énorme poitrine et l'assurance qui l'accompagnait étaient deux des raisons qui m'empêchaient de m'identifier à elle, car non seulement ma poitrine était désespérément plate, mais ma confiance en moi vacillait autour du zéro. Oum Kelthoum se préoccupait de tout ce qui était juste et noble — l'épreuve de la nation arabe dans son présent humiliant — et se faisait l'expression de tous nos désirs nationalistes d'indépendance. Cependant, les femmes n'avaient pas pour elle la même adoration que pour Asmahan.

Asmahan était tout le contraire d'Oum Kelthoum. C'était une frêle créature à la poitrine menue, à l'air souvent perdu, totalement dans les nuages, plus ancrée dans ses rêves que dans une réalité qui l'ignorait. Asmahan était vêtue avec une extrême élégance de chemisiers occidentaux outrageusement décolletés et de jupes échancrées. Asmahan n'était pas obsédée par la nation arabe et se comportait comme si les chefs politiques, qu'Oum Kelthoum glorifiait sans arrêt, n'existaient pas. Ce qu'elle voulait, Asmahan, c'était avoir de jolies toilettes, des fleurs dans les cheveux, rêver, chanter et danser dans les bras d'un homme amoureux, aussi romantique qu'elle — un homme chaleureux et tendre qui aurait le courage de rompre avec la tradition et de danser publiquement avec la femme qu'il aimait. Asmahan négligeait le passé, elle s'immergeait dans un présent de désirs fous. Un présent élusif, un présent qui se dérobe aux Arabes comme un amant effarouché. Asmahan n'était qu'une quête lancinante et tragique d'instants de bonheur simple, mais immédiat. Les femmes arabes, réduites à danser seules dans des cours fermées à double tour, admiraient Asmahan en qui elles voyaient la réalisation d'un rêve : danser dans les bras d'un homme à la manière occidentale, et suivre le rythme de la musique en se serrant tout contre lui.

Asmahan projetait cette image d'un plaisir gratuit, oisif, aux côtés d'un homme qui le partagerait totalement.

Asmahan avait toujours autour de son long cou un collier de perles, et je suppliais Chama de me prêter le sien pendant quelques instants, juste pour créer un lien mystérieux entre mon idole et moi. Un jour, j'ai osé demander à Chama si, comme Asmahan, j'avais des chances d'épouser un jour un prince arabe, et elle m'a répondu que le monde arabe tendait plutôt vers la démocratie, et que les rares princes qui nous accompagneraient vers la modernité risquaient d'être de bien mauvais danseurs. « Ils seront totalement pris par leurs tâches, esclaves de la politique ou de l'argent. Les princes arabes de ton âge n'auront guère le temps de danser, ils seront happés par leurs responsabilités. Cherche-toi plutôt un professeur si tu veux danser comme Asmahan. »

Nous connaissions la vie d'Asmahan dans ses moindres détails, car c'était l'un des thèmes favoris de Chama dans les pièces de théâtre qu'elle montait sur la terrasse. Elle mettait en scène la vie de nombreuses héroïnes, mais la princesse romantique était de loin la plus populaire. Sa vie était aussi fascinante qu'un conte de fées, malgré sa fin tragique, comme on pouvait s'y attendre — une femme arabe ne pouvait en toute impunité consacrer sa vie à la recherche de la volupté, des distractions frivoles et du bonheur sans avoir à en payer le prix, à un moment ou à un autre. Asmahan était une princesse née au Liban, dans les montagnes druzes. Mariée très jeune à son cousin, un riche prince du nom de Hassan, elle devait divorcer à dix-sept ans et mourir à trente-deux (en 1944), dans un mystérieux accident d'automobile où il fut question d'espionnage international. Entre-temps, elle fut chanteuse et actrice, vivant au Caire où elle fit immédiatement sensation dans un monde arabe meurtri, qui n'osait pas encore penser au bonheur. Elle fascinait les foules en les plongeant dans un rêve inouï jusqu'alors, celui de la félicité individuelle, d'une vie privilégiant les plaisirs et l'amour, faisant totalement fi des codes du clan et des exigences de la tribu.

Dans sa vie quotidienne, Asmahan, fragile et effrayée, avait l'incroyable force de mettre en pratique ses convictions. Elle croyait qu'une femme peut mener de front sa carrière et sa vie amoureuse. Elle tenait à vivre en même temps une vie conjugale intense tout en travaillant son répertoire de chanteuse et d'actrice. Son premier mari, le prince Hassan, ne put l'accepter et demanda le divorce. Elle fit deux autres tentatives, et chaque fois ses maris, tous deux magnats du show-business égyptien, commencèrent par accéder à ses désirs. Mais ses mariages ne tardèrent pas à s'achever en divorces scandaleux, son dernier mari allant jusqu'à la poursuivre avec un revolver, toute la police du Caire à leurs trousses pour tenter de l'empêcher de faire un malheur. Finalement, une prétendue collaboration avec les agents secrets des services d'espionnage français et anglais, dans leur lutte contre la présence allemande au Moyen-Orient, fit d'elle une cible facile aux critiques sévères et moralisatrices, et la victime sans défense de la politique explosive de la région. Puis, durant quelques années de répit, de retour au Liban, Asmahan parut avoir trouvé sa place. Elle était superbe, vivait à la fois indépendante et entourée, heureuse malgré et en dépit de tout. Elle accueillit, dans sa résidence privée de Beyrouth et au palais du roi David à Jérusalem, des réunions au sommet entre le général de Gaulle et le président de la Syrie et du Liban. Au cours de ses soirées éclectiques, les nationalistes arabes rencontraient des généraux européens des forces alliées, et des révolutionnaires en herbe se mêlaient aux banquiers.

Asmahan vivait à toute vitesse, goûtait à tout à la hâte. « Je sais que ma vie sera courte », disait-elle toujours. Elle gagnait énormément d'argent, mais ne semblait jamais en avoir assez pour payer les factures de ses bijoux, ses toilettes et ses voyages extravagants. L'un de ses passe-temps favoris était de partir à l'improviste, à la surprise toujours renouvelée de son entourage. C'est au cours de l'une de ces virées improvisées, alors qu'elle était en voiture avec une amie à quelques kilomètres du Caire, que la mort la rattrapa. La voiture fut retrouvée flottant sur un lac. Les admirateurs d'Asmahan la pleurèrent tandis que ses ennemis invoquèrent une conspiration mettant en scène des espions. Quelqu'un avança qu'elle avait été tuée par des espions britanniques parce qu'elle commençait à agir de façon trop indépendante. D'autres en firent la victime de l'espionnage allemand. D'autres encore, intégristes bien-pensants, se félicitèrent de sa mort prématurée, y voyant une juste punition de sa vie dissolue.

Cependant, après sa mort, la légende d'Asmahan ne fit que s'accroître, car elle avait montré aux Arabes des deux sexes qu'une vie librement choisie, fût-elle courte et scandaleuse, valait mieux qu'une longue existence respectable dévouée à une tradition léthargique. Asmahan fascinait aussi bien les hommes que les femmes par sa vie aventureuse où succès et échecs se succédaient, beaucoup plus passionnante qu'une existence terne et codifiée, passée derrière des murs protecteurs. Impossible de fredonner ses chansons sans évoquer les épisodes palpitants de son existence.

Quand Chama mettait en scène la première partie de la vie d'Asmahan, elle jetait un tapis vert sur le sol de la terrasse pour nous permettre d'imaginer les forêts des montagnes druzes escarpées où elle était née. Chama tirait alors un sofa sur la scène pour représenter le lit de la princesse, et se barbouillait les yeux de khôl pour évoquer le regard rêveur de ses yeux verts. Les cheveux étaient plus difficiles à figurer — ceux de l'héroïne étaient noirs de jais —, si bien que Chama était obligée de recouvrir ses boucles cuivrées d'un turban couleur de charbon. Chama ne pouvait hélas pas faire grand-chose pour dissimuler ses taches de rousseur (la peau d'Asmahan était lisse comme une porcelaine) et se contentait donc de recréer le fameux grain de beauté de l'actrice, sur le côté gauche du menton. Impossible de jouer le rôle sans ce détail primordial. Chama s'allongeait ensuite sur le sofa, vêtue d'un *qamis* de satin dont le bas était élargi grâce à un fil de fer pour suggérer la forme évasée d'une jupe occidentale. L'air triste et mélancolique, elle fixait d'abord le ciel sans rien dire, pendant quelques instants. Puis des voix, derrière le rideau, se lançaient dans une mélodie nostalgique chantant l'absurdité d'être enfermée et de perdre son temps quand le monde entier s'amusait. Ces jolies voix appartenaient aux sœurs de Chama et aux autres cousines.

Près du lit d'Asmahan, il y avait un cheval de bois. Asmahan avait commencé à monter à cheval très jeune. Que peut faire d'autre une femme arabe d'une extrême beauté, née dans une famille princière d'une lointaine montagne où tout le monde se rappelle encore l'époque des Croisades, a peur des invasions étrangères et guette le moindre mouvement ? Asmahan montait à cheval, comme Tamou dans la région du Rif. Pour elle, le galop était synonyme de liberté. Être libre voulait dire courir, partir, s'éloigner, découvrir. Courir, galoper, même sans but, peut vous donner le goût du bonheur, le mouvement étant une joie en soi. Chama quittait donc le lit et montait sur le cheval immobile, tandis que les voix derrière le rideau continuaient à chanter le drame de celles qui sont prises au piège d'une forteresse inexpugnable. Parfois, Samir ou moi balancions le cheval de bois pour donner un peu de mouvement à la scène, tandis que les spectateurs (c'est-à-dire ma mère, mes cousins adolescents, la tante Habiba et toutes les autres tantes ou parentes veuves ou divorcées) se joignaient au chœur. Ensuite, Samir et moi tirions le rideau pour permettre le changement de tableau et en arriver à la scène du mariage.

Chama n'aimait pas voir son public sombrer longtemps dans le désespoir. « Le but de tout spectacle doit être de vous soutenir dans votre espoir, de vous renforcer dans l'idée que changer votre vie est toujours possible », disait-elle. Le cousin Zin faisait alors son apparition, vêtu d'une cape blanche, dans le rôle du marié, le prince Hassan. Devant la beauté de Zin, je m'évanouissais littéralement et commençais à négliger mon rôle de machiniste. Le public se mettait alors à rouspéter, car la responsabilité des machinistes comprenait le service des rafraîchissements au moment d'un événement important, mariage ou naissance. Samir et moi étions chargés de passer les biscuits que le public réclamait avec du thé, menaçant de s'en aller si Chama n'en fournissait pas. Mais on cassa tant de verres que grand-mère Lalla Mani intervint et nous interdit de servir du thé. « Le théâtre est déjà une activité assez équivoque, dit-elle. On n'en parle pas dans le Coran, et il est inconnu à La Mecque ou à Médine. Maintenant, si certaines femmes imprudentes persistent à prendre goût au théâtre, tant pis ! Chacun sera responsable de ses fautes devant Allah le jour du Jugement dernier. Mais casser les verres de mes fils pour célébrer le mariage de cette Asmahan, cette scandaleuse fainéante, c'est de la pure folie ! » Après quoi les cérémonies de mariage sur scène furent célébrées de manière beaucoup plus sobre. Nous nous contentions de distribuer de minuscules biscuits, souvent préparés par tante Habiba à la dernière minute. Il fallait bien choyer les spectateurs, si on voulait s'assurer de leur fidélité.

On avait à peine fini les biscuits que le prince Hassan flanquait Asmahan à la porte. Chama apparaissait sur la scène, les joues poudrées d'une pâleur mortelle, transportant une énorme malle, en route pour Le Caire. Le chœur chantait la douleur de la séparation, le chagrin de l'exil, tandis que tante Habiba chuchotait à ma mère : « Asmahan n'avait que dix-sept ans au moment de son divorce. Quelle honte ! Mais après tout, c'était sa seule chance de sortir de ces horribles montagnes druzes qui l'étouffaient. Quand on y pense, le divorce est souvent une bouffée d'air. Il vous oblige à vous lancer vers l'inconnu, qu'on ne connaîtrait jamais autrement. »

Ce qui était particulièrement intéressant, c'est que le prince Hassan avait répudié sa femme parce qu'elle voulait qu'il l'emmène danser dans des cabarets ! Non seulement elle portait des robes décolletées, à l'occidentale, des chaussures à talons, et s'était fait couper les cheveux, mais elle voulait aussi fréquenter les dancings, où les gens s'asseyaient sur des chaises dures autour d'une table et disaient n'importe quoi jusqu'à l'aube. Au cours de ce tableau, Chama avançait sur la scène, pâle et tremblante, les yeux à demi fermés. « Asmahan voulait aller dans les restaurants chics, danser comme les Françaises, et tenir son prince dans ses bras, disait-elle. Elle voulait valser toute la nuit avec lui, au lieu de rester en coulisses, à le regarder pérorer dans ses interminables conciliabules exclusivement masculins. Elle détestait le clan et sa loi cruelle et insensée. Elle n'était pas criminelle, elle ne voulait aucun mal à personne. » À ce moment, tante Habiba interrompait le spectacle. « Je n'ai jamais rêvé de choses pareilles, fredonnait-elle en imitant l'une des mélodies d'Asmahan. Et je me suis fait répudier quand même. Rappelez-vous, mesdames, ne vous gênez pas. Une femme arabe qui ne demande pas la lune est une parfaite imbécile.

— Silence ! » hurlait le public. Et Chama reprenait sa représentation des rêves voluptueux d'Asmahan, à la recherche du plaisir dans une société arabe peu habituée à voir s'exprimer aussi ouvertement le désir féminin. En observant Chama, je me promettais, quand je serais aussi grande qu'elle, de faire du théâtre. J'éblouirais les foules arabes venues m'admirer, et je leur dirais ce que ressent une femme ivre du désir de rire dans une société qui cultive le deuil. Je les ferais pleurer sur toutes les occasions perdues, les captivités absurdes, les illusions anéanties. Puis, quand je les aurais bien ferrées, je leur chanterais, comme Asmahan et Chama, les merveilles de l'aventure individuelle doublée de la peur qui l'accompagne, et de la nécessité d'éprouver les deux en même temps. Je leur parlerais de la fascination de l'inconnu, de celle du risque et de l'inaccoutumé. Je leur chanterais l'insolite et tout ce qu'on ne contrôle pas. C'est-à-dire la seule vie qui est digne d'un être : sans frontières, sacrées ou pas. Une vie aux odeurs nouvelles qui ne rappellent rien d'ancestral.

Oh, oui, je leur parlerais de l'impossible, d'un monde arabe dans lequel hommes et femmes pourraient danser, chanter et discuter sans qu'aucune frontière, aucune angoisse les sépare.

Oh, oui, pour enchanter mon public, je recréerais, par des mots magiques et des gestes appropriés, comme Asmahan et Chama sous mes yeux, une planète sereine où les maisons n'auraient pas de portes, et où les fenêtres donneraient, grandes ouvertes, sur des rues sans danger. Je les aiderais à marcher dans un monde où la différence n'aurait besoin d'aucun voile et où les corps des femmes bougeraient naturellement, où leurs désirs ne généreraient aucune peur.

Je créerais pour mon public, et avec lui, de longs poèmes où j'exalterais un territoire sans peur. La confiance serait un nouveau jeu que nous pourrions explorer, et je leur avouerais humblement mon ignorance de ses règles qu'il faudrait élaborer tous ensemble.

Dans mon théâtre, je gagnerais assez d'argent pour servir du thé et des biscuits à tous les spectateurs, pour que les gens puissent se détendre pendant de longues heures tout en digérant cette idée nouvelle d'un monde arabe où les jeunes ne connaissent pas la peur. Un pays où hommes et femmes marchent doucement, les yeux fixés sur un horizon rassurant, à peine imaginable, où ce qui est inconnu n'est pas pour autant menaçant.

Je convaincrais ma petite audience émerveillée que le bonheur peut fleurir partout, même chez nous, même dans les ruelles sombres de la Médina assiégée.

Je réhabiliterais Asmahan. Elle pourrait exister, et pas seulement comme victime tragique. Des millions d'Asmahan pourraient s'épanouir, qui ne seraient pas obligées de mourir à trente-deux ans, dans quelque lointain territoire, broyées dans quelque absurde accident d'automobile.

J'ai versé maintes larmes sur Asmahan pendant ces

séances théâtrales, l'après-midi, sur les terrasses isolées. J'assistais Chama dans ses brèves aventures libanaises, tout en surveillant du coin de l'œil le mouvement des étoiles au-dessus de nos têtes. Le théâtre, cette écriture des rêves où le corps mime l'imaginaire, me paraissait essentiel. Je me suis toujours demandé pourquoi on ne l'a pas déclaré institution sacrée.

13

LE HAREM VA AU CINÉMA

Chez nous, les distractions étaient peut-être considérées comme vulgaires, mais elles attiraient une foule considérable. Dès que les femmes terminaient leurs corvées domestiques, elles se précipitaient pour demander où tante Habiba racontait ses histoires, à quel endroit Chama donnait ses représentations. Les spectacles abondaient surtout dans les lieux discrets, un peu à l'écart, au dernier étage ou sur les terrasses. Chacun était censé apporter sa *glissa* (petit coussin utilisé pour s'asseoir), dénicher une bonne place devant, et s'asseoir sur le tapis qui servait à délimiter l'auditoire. La démocratie régnait : les premiers arrivés, sans distinction d'âge ou de rang, avaient droit aux « loges », c'est-à-dire que nous, les enfants, étions systématiquement devant. Mais beaucoup ne respectaient pas la règle et apportaient des tabourets. L'assistance les huait vigoureusement et les obligeait à s'asseoir derrière. Confortablement assise sur mon coussin, les jambes croisées, je sillonnais la planète, sautant d'une île à l'autre sur des bateaux qui faisaient naufrage, avant d'être miraculeusement repêchée par des princesses pleines de ressources. Au plus fort de l'excitation, il m'arrivait de prendre mon coussin sur mes genoux et de me balancer d'avant en arrière, complètement sous le charme, prenant mon envol sur les mots étranges que nous lançaient

Chama ou tante Habiba, grandes prêtresses de l'imaginaire.

Tante Habiba était certaine que chacune de nous possédait en soi une sorte de magie, enfouie dans ses rêves les plus intimes. « Quand vous êtes emprisonnée, sans défense, derrière des murs, coincée dans un harem, disait-elle, vous rêvez d'évasion. Il suffit de formuler ce rêve pour que la magie s'épanouisse. Les frontières disparaissent. Les rêves peuvent changer votre vie, et peut-être même le monde finalement. La libération commence quand les images se mettent à danser dans votre petite tête et que vous commencez à les traduire en mots. Les mots ne coûtent rien ! » Elle n'arrêtait pas de nous répéter que nous avions tous ce pouvoir intérieur, et qu'il ne tenait qu'à nous d'en jouer.

Je serais donc capable de faire disparaître les frontières, moi aussi : voilà le message que je retenais, assise sur mon coussin, là-haut sur la terrasse. Tout cela me semblait naturel. Je me balançais d'avant en arrière, levant de temps en temps la tête vers le ciel pour sentir sur mon visage la lumière des étoiles. Les théâtres devraient toujours être en hauteur, sur des terrasses blanchies à la chaux, près du ciel. À Fès, par ces nuits d'été, les galaxies lointaines se joignaient à notre spectacle, et l'espoir n'avait pas de limites. Je pensais : Oui, tante Habiba, je serai magicienne. Je réussirai à traverser cette vie strictement codifiée qui m'attend dans les rues étroites de la Médina, sans jamais perdre de vue l'essentiel, les rêves et leur magie. Je me coulerai dans une adolescence sans heurts, en serrant l'évasion sur mon cœur, comme, en dansant, les jeunes filles européennes serrent contre elles leur cavalier. Les mots, je les chérirai. Je les cultiverai pour éclairer les nuits, abattre les murailles et anéantir les barrières. Tout me semblait facile, tante Habiba, grâce à vous et Chama qui apparaissiez et disparaissiez derrière le rideau de votre fragile théâtre de l'impuissance. Si frêles vous étiez, dans la nuit déjà avancée, sur cette terrasse isolée, mais si vitales, si merveilleuses. Je me ferai magicienne. Je ciselerai les mots, pour partager le rêve avec les autres et rendre les frontières inutiles.

Pendant la journée, Chama et tante Habiba attendaient patiemment la nuit, le moment où elles pourraient faire appel à leur imagination et donner naissance aux rêves, tandis que le sommeil ravirait les moins curieux d'entre nous. Beaucoup de femmes de la maison ne vivaient que pour ces soirées, mais les jeunes gens à qui l'on demandait parfois de prendre part au jeu ne manifestaient jamais un enthousiasme débordant. Ils s'intéressaient modérément aux récits et pièces de théâtre, car, contrairement aux femmes, ils avaient accès autant qu'ils voulaient au cinéma Boujeloud, situé à côté du hammam.

Quand on voyait Zin et Jawad mettre leur nœud papillon rouge, on devinait qu'ils allaient au cinéma. Souvent, Chama essayait de suivre ses frères, les suppliant de l'emmener. Ils résistaient, prétextant qu'elle n'avait pas la permission de son père, ou du mien. Elle essayait quand même de les suivre, enfilait en hâte sa djellaba, se voilait le visage d'un foulard de mousseline noire, et se précipitait à leur suite. Hmed, le portier, se levait dès qu'il la voyait. « Chama, s'il vous plaît, ne m'obligez pas à vous poursuivre dans la rue aujourd'hui encore. Je n'ai reçu aucune consigne pour laisser sortir les femmes. » Mais Chama ne s'arrêtait pas, faisant mine de ne pas entendre.

Parfois elle était si rapide qu'elle parvenait à se glisser dehors. Alors, toutes les femmes de la cour s'attroupaient dans l'entrée pour voir ce qui allait se passer. Quelques minutes plus tard, on voyait revenir Hmed, hors d'haleine, poussant Chama devant lui. « Personne ne m'a dit que les femmes allaient au cinéma ce soir, répétait-il d'un ton ferme. S'il vous plaît, ne me créez pas d'ennuis. Ne m'obligez pas à courir à mon âge. » Ma mère s'énervait en voyant Chama qui ne réussissait pas à s'enfuir et était ramenée comme une criminelle. « Vous verrez, Hmed, prophétisait-elle, vous allez bientôt vous retrouver au chômage, car les femmes seront libres de faire le tour du monde. » Elle entourait Chama de son bras et la ramenait avec elle dans la cour, et toutes les autres suivaient en parlant à mots couverts de rébellion et de punition. Chama ne disait rien, de grosses larmes coulaient sur ses joues. Au bout d'un moment, elle demandait à ma mère, complètement bouleversée : « J'ai dix-sept ans et je ne peux pas voir un film parce que je suis une femme ! Qu'est-ce que c'est que cette justice ? Quand traitera-t-on de la même manière garçons et filles ? » Il fallait qu'un film ait un succès général et que toute la population de Fès aille le voir, pour que les femmes de la famille Mernissi soient autorisées à y aller aussi. C'était le cas de tous les films d'Asmahan, et du film *Dananir,* une esclave chanteuse dont la voix et l'esprit avaient si bien envoûté le calife Harun al-Rashid qu'il en avait oublié ses mille autres *jaryas*.

Le personnage de Dananir était joué par Oum Kelthoum, qui lui avait donné vie grâce au pouvoir extraordinaire de sa voix. *Dananir* était basé sur une histoire vraie, nous avait dit Chama qui se balada partout, des semaines durant avant qu'on aille voir le film, avec le troisième volume des *Muruj ad-Dahab* (Les prairies d'or) d'al-Mas'udi, où la vie de Harun al-Rashid, son calife préféré, s'étalait sur soixante-quinze pages. J'étais autorisée à feuilleter le précieux livre, qu'elle empruntait dans la bibliothèque de mon père (qui estimait pourtant qu'un livre est chose sacrée et ne doit être déplacé sous aucun prétexte), et qu'elle lisait aux toilettes.

Le calife Harun avait rencontré une très belle esclave nommée Dananir au cours d'une soirée *samar.* J'ai adoré le *samar* dès que Chama m'a expliqué ce que c'était : une veillée pendant laquelle un calife surmené tentait de se détendre, avant ou après un événement important (une bataille, un voyage dangereux ou une négociation difficile), en écoutant de la poésie et de la musique. Les artistes les plus talentueux étaient alors rassemblés au palais et, comme à cette occasion les femmes étaient autorisées à rivaliser avec les hommes, les *jaryas* de Bagdad n'avaient pas tardé à dépasser leurs professeurs masculins, si bien que le *samar* était devenu la spécialité des femmes[1]. C'était le contraire d'un champ de bataille. Le calife Harun avait sérieusement besoin de se détendre, car il passait le plus clair de son temps à se battre. Pendant son règne, l'Empire musulman s'étendait jusqu'en Chine. Cependant, en ce qui concernait Dananir, le calife Harun avait un problème. Elle appartenait à son propre vizir, le plus haut dignitaire de la cour, Yahya Ibn Khaled al-Barmaki[2]. Et le vizir aimait Dananir. Le calife décida de garder secrets ses sentiments à l'égard de Dananir et se mit à rendre régulièrement visite au vizir, dans l'espoir d'entendre à nouveau la voix de Dananir. Il ne pouvait reconnaître ouvertement l'amour qu'elle lui inspirait, mais en peu de temps toute la ville de Bagdad fut au courant, et onze cents ans plus tard, tous les habitants de Fès se pressaient dans les cinémas pour être témoins de ses amours contrariées filmées par les studios égyptiens.

Nous, les enfants, n'étions pas, en principe, autorisés à aller au cinéma. Mais sous la houlette de Samir, nous avions organisé nos propres révoltes, tout comme les femmes, et nous avions obtenu, comme elles, la permission souhaitée. Quand je dis « nous », je veux parler de Samir en réalité, car j'avais des difficultés à crier et à manifester mon mécontentement en trépignant comme lui ou, mieux encore, à me rouler par terre en donnant des coups de pied. Exprimer ma révolte m'a toujours posé des problèmes, sans doute à cause de l'attitude bizarre de ma mère. Elle m'encourageait souvent à me rebeller, et ne cessait de me répéter que je ne devais pas compter sur Samir pour défendre mes intérêts. Mais quand je me jetais par terre et me mettais à hurler, elle m'arrêtait immédiatement. « Je n'ai jamais dit que tu devais te rebeller contre moi ! Tu dois résister à l'autorité des autres, mais tu dois quand même obéir à ta mère. Sinon, ce serait l'anarchie. Il faut se rebeller intelligemment. Tu dois envisager soigneusement la situation, et tout analyser. Révolte-toi quand tu es sûre d'avoir des chances de gagner. » Après ça, j'ai dépensé beaucoup d'énergie à analyser mes chances de gagner, chaque fois qu'il s'avérait qu'on cherchait à m'exploiter. Encore aujourd'hui, presque un demi-siècle plus tard, je passe des heures à analyser le pour et le contre d'une bonne « séance-révolte » avec cris et gesticulations, lorsque je suis humiliée ou attaquée. Et chaque fois, je me retrouve au même point : je ne suis jamais sûre du résultat. En bonne Marocaine bien « programmée », je me rabats souvent sur la négociation pour ne pas dire la soumission. Je rêve encore du jour merveilleux où je serai capable d'exprimer une révolte spectaculaire, qui clouerait l'adversaire sur place et m'assurerait une victoire éclatante. Tout compte fait, je suis très reconnaissante à Samir d'avoir su faire ce qu'il fallait à l'époque. Sinon, je n'aurais jamais pu aller au cinéma. Et il n'y avait rien de plus amusant que d'aller au cinéma, croyez-moi.

Les femmes commençaient à se pomponner comme si elles allaient pouvoir sortir à visage découvert dans la rue. Ma mère passait des heures à se faire des mises en plis incroyablement compliquées. Ailleurs, aux quatre coins de la cour, les autres femmes se maquillaient fébrilement. Les amies donnaient leur avis sur l'usage du khôl, du rouge, sur la coiffure et les bijoux. Les enfants devaient tenir les miroirs à main de façon à capter au mieux les rayons du soleil, car les miroirs fixés aux murs du salon n'étaient d'aucune utilité. La lumière du soleil ne les atteignait presque jamais, sauf peut-être quelques heures en été. Et quand, enfin, les dames s'étaient mises sur leur trente et un, elles s'enveloppaient des pieds à la tête dans leur voile, *haik* ou djellaba, selon leur âge et leur statut !

Plusieurs années avant, ma mère s'était disputée avec mon père, d'abord à propos du tissu dans lequel était taillé le voile, puis du *haik*, la longue cape traditionnelle que les femmes portaient en public. Le voile traditionnel était un grand rectangle de coton blanc si épais qu'on pouvait tout juste respirer. Ma mère voulait le remplacer par un minuscule voile noir triangulaire, en mousseline noire transparente. Mon père était fou : « C'est exactement comme si tu n'étais pas voilée ! » Mais le petit voile, le *litham*, a bientôt fait fureur, car toutes les femmes de nationalistes se sont mises à le porter dans Fès, aux assemblées religieuses et aux célébrations publiques, notamment quand les prisonniers politiques ont été libérés par les Français. Ma mère voulait aussi remplacer le traditionnel *haik* des femmes par la djellaba, le manteau masculin, que beaucoup de femmes de nationalistes avaient adopté. Le *haik* était fait de sept mètres de lourd coton blanc dans lequel on se drapait. Il fallait ensuite maintenir les deux extrémités du *haik*, nouées avec difficulté sous le menton, pour l'empêcher de tomber. « Le *haik*, disait Chama, a probablement été conçu pour que les sorties des femmes dans la rue deviennent rapidement une telle torture qu'elles n'aient plus qu'une envie, rentrer à la maison et n'en jamais ressortir. » « Si jamais votre pied glisse et que vous tombiez, renchérissait ma mère, vous êtes sûre de vous casser les dents, puisque vous n'avez pas les mains libres. En plus, c'est affreusement lourd, et je suis si maigre ! » En revanche, la djellaba était un manteau étroit à capuchon, fendu sur les côtés pour permettre de grandes enjambées, et aux manches commodes qui laissaient les mains libres.

Quand les nationalistes ont commencé à envoyer leurs filles à l'école, ils leur ont également permis de porter une djellaba, beaucoup plus légère et pratique que le *haik* pour faire quatre fois par jour le trajet de la maison à l'école. Les filles se sont donc mises à porter les djellabas des hommes et, très vite, leurs mères les ont imitées. Pour dissuader ma mère de faire la même chose, mon père faisait régulièrement des commentaires sur la révolution dont il était témoin dans les rues de la Médina. « Si les femmes s'habillent comme des hommes, c'est pire que l'anarchie, c'est le *fana* (la fin du monde). » Cependant, lentement mais sûrement, le désordre de la rue s'infiltrait dans notre maison, et la planète, miraculeusement, continuait à tourner. Un jour, ma mère apparut vêtue d'une djellaba de mon père, dont le capuchon était adroitement replié sur son front, et d'un minuscule *litham* de mousseline de soie noire transparente. Evidemment, on voyait parfaitement à travers le voile, et mon père, furieux, l'a prévenue qu'elle portait préjudice aux intérêts familiaux. Mais l'honneur de la famille semblait soudain en grand péril dans l'ensemble de Fès, car les rues de la Médina étaient envahies de femmes portant des djellabas d'homme et des voiles de mousseline coquins. Peu après, les filles des nationalistes se mirent à sortir dans la rue à visage découvert, jambes nues, habillées à l'occidentale, avec des sacs à main en bandoulière. Bien entendu, il n'était pas question pour ma mère de s'habiller à l'occidentale, son environnement immédiat étant bien trop conservateur. Mais elle réussit quand même à imposer sa djellaba et son *litham* de mousseline transparente. Plus tard, en 1956, dès qu'elle apprit la nouvelle de l'indépendance du Maroc et le départ des armées françaises, ma mère participa à la manifestation des femmes des nationalistes et chanta avec elles tard dans la nuit. Quand elle revint à la maison, épuisée d'avoir tant marché et chanté, elle était tête nue et le visage découvert. À partir de ce jour, on ne vit plus de *litham* noir sur le visage des jeunes femmes de la Médina de Fès. Seules les vieilles dames et les jeunes paysannes récemment immigrées ont continué à sortir voilées[3].

Mais revenons au cinéma. En ces occasions exceptionnelles, les femmes quittaient la maison en procession, tôt dans l'après-midi. Mes cousins marchaient devant, comme pour empêcher les foules de se rassembler pour entrevoir à la dérobée les beautés cachées de la famille Mernissi. Immédiatement derrière les hommes venait ma grand-mère Lalla Mani, silhouette menue majestueusement drapée dans son *haik*, marchant dédaigneusement la tête haute, comme pour faire sentir à tous les passant l'autorité qu'elle détenait. Lalla Radia, la mère de Samir, avançait à côté de ma grand-mère, à petits pas méticuleux, les yeux rivés au trottoir. Puis suivaient tante Habiba et les parentes divorcées ou veuves, dans un silence total, agrippées à leur *haik* blanc. Contrairement à ma mère, les femmes divorcées ou veuves, ne bénéficiant pas de la protection d'un mari, ne pouvaient se permettre de porter une djellaba. Si elles l'avaient fait, on les aurait immédiatement et irrévocablement affublées d'une mauvaise réputation. En fin de procession venaient les rebelles, vêtues de djellabas moulantes et colorées, suivies par les adolescentes timides qui gloussaient nerveusement tout le long du chemin, et pour finir, nous, les enfants, tenant Hmed par la main.

La section des rebelles n'était pas nombreuse, en fait. Il n'y avait que ma mère et Chama, mais elles réussissaient à monopoliser l'attention générale. Ma mère, les yeux cernés de khôl, et Chama, avec son faux grain de beauté pour imiter Asmahan, restaient voilées du minuscule *litham* noir transparent, mais elles avaient les mains libres et un nuage de parfum aguichant flottait autour d'elles. Souvent, ma mère déclenchait un fou rire général en imitant Leila Mourad, la vedette de cinéma égyptienne qui jouait toujours des rôles de femme fatale. Elle se mettait à marcher en regardant droit devant elle (au risque de trébucher sur les pavés inégaux des rues de la Médina), en écarquillant les yeux comme si elle souffrait d'une dangereuse infection oculaire, puis lançait des œillades assassines à droite et à gauche, tout en susurrant d'une voix de conspiratrice : « Aucun homme ne peut résister à ma beauté extraordinaire ! Il suffit d'un regard et les victimes innocentes tombent à mes pieds comme des mouches. Il va y avoir un massacre dans les rues de Fès, aujourd'hui ! »

Ma mère avait trouvé cette idée dans les théories d'un écrivain égyptien féministe qui s'appelait Qacem Amin. Cet homme était l'auteur d'un best-seller intitulé, non sans provocation, *Tahrir al-Mar'a* (La libération des femmes), publié en 1899, an 1316 du calendrier musulman, où il émettait l'hypothèse que les hommes voilaient les femmes parce que leur charme et leur beauté leur faisaient peur. Les hommes, incapables de résister aux femmes, écrivait-il, étaient souvent sur le point de s'évanouir quand une belle femme passait à proximité. Qacem Amin concluait en incitant les hommes arabes à trouver en eux-mêmes le moyen de vaincre leur peur, pour que les femmes puissent quitter le voile. Ma mère adorait Qacem Amin mais, comme elle ne savait pas lire, elle devait supplier mon père de lui lire ses passages favoris. Avant de céder, mon père formulait tout un tas d'exigences, qu'elle refusait d'abord de satisfaire : lui tenir la main pendant qu'il lisait, ou lui préparer sa boisson favorite (un lait glacé aux amandes fraîches pilées, parfumé d'une goutte d'essence de fleur d'oranger) ou, pis encore, lui masser les pieds. Cependant, ma mère finissait toujours par accepter et le pressait de commencer à lire. Puis, juste au moment le plus intéressant, mon père s'arrêtait soudain, lançait le livre d'un geste rageur et se plaignait que Qacem Amin allait détruire l'harmonie du mariage arabe. « Est-il possible que j'aie besoin de cet imbécile d'Égyptien pour me rapprocher de ma femme, pour qu'elle soit gentille avec moi ? hurlait-il. Je refuse de le croire ! » Alors ma mère se précipitait pour ramasser le livre, le remettait dans sa couverture de cuir et quittait la pièce, boudeuse mais sûre d'elle, son trésor sous le bras.

Chama, avec ses taches de rousseur et ses yeux couleur de miel, riait avec ravissement quand ma mère faisait son numéro de femme fatale pendant le trajet au cinéma de Boujeloud. Elles regardaient toutes deux attentivement pour voir si les passants étaient prêts à tomber comme des mouches. Et, naturellement, elles faisaient aussi des commentaires sur les hommes qu'on rencontrait. Alors, immanquablement, cousin Zin et ses frères se retournaient et leur demandaient de parler moins fort. Une fois au cinéma, le harem au grand complet occupait deux rangées de sièges. En réalité, on achetait les places de quatre rangées, pour laisser libres celles de devant et de derrière. Pas question qu'un spectateur mal intentionné et irrespectueux profite de l'obscurité pour pincer l'une de ces dames, tout entières absorbées par l'intrigue du film.

14

LES FÉMINISTES ÉGYPTIENNES VISITENT LA TERRASSE

La plupart des pièces mises en scène par Chama nécessitaient des acteurs masculins, et quand leurs intérêts n'étaient pas accaparés par le cinéma voisin, tous les jeunes gens de la maison y prenaient part. Zin, bien entendu, était très demandé, à cause de son physique et de son éloquence. Il prenait grand plaisir à récupérer en douce les turbans ou les capes de mon oncle ou de mon père, à fabriquer toutes sortes d'épées de bois pour pouvoir jouer les princes abbassides de manière plus convaincante. Il jouait également de nombreux rôles, que ce soit un poète préislamique, ou le héros nationaliste moderne enfermé dans les prisons françaises ou britanniques. Les pièces qui avaient le plus de succès auprès du public étaient celles qui comportaient de grandes scènes de foule, avec défilés et chansons, parce que tout le monde pouvait y participer. C'était le genre de scènes qui faisaient perdre la tête à Chama, car inévitablement à ce moment-là il n'y avait plus un seul spectateur. « Il faut absolument que quelqu'un reste pour regarder la pièce, hurlait-elle. On ne peut pas faire de théâtre si on n'a pas de public ! » Le problème, avec Chama, c'est qu'elle était sujette à des sautes d'humeur, passant de l'excitation bouillonnante au silence total, sans qu'on puisse détecter à l'avance les signes d'un tel changement. Elle se décourageait aussi très facilement quand le public ne manifestait pas l'attention désirée. Elle s'arrêtait alors tout simplement au beau milieu d'une phrase, regardait tristement ceux qui avaient provoqué l'interruption et prenait la direction des escaliers. Dans ce cas, il n'y avait pas grand-chose à faire. Parfois même, elle restait déprimée pendant plusieurs jours, enfermée dans sa chambre. Mais quand Chama était de bonne humeur, je vous assure qu'elle était capable d'enflammer la maison tout entière !

Le théâtre de Chama donnait à chacun de nous l'occasion extraordinaire de découvrir et de montrer ses talents, de surmonter sa timidité et de développer sa confiance en soi. Mes cousines, qui étaient très timides, avaient leur chance de briller quand elles chantaient dans le chœur. Elles avaient horreur d'être sur scène quand le rideau se levait : elles saluaient le public en tortillant nerveusement leurs nattes ; mais une fois le rideau tombé, leurs voix s'élevaient, claires et superbes. Quant à moi, je suis devenue absolument indispensable après que Chama eut découvert que je savais faire des sauts acrobatiques (que m'avait appris grand-mère Yasmina). À partir de ce jour, j'ai été chargée de faire patienter l'auditoire par mes pirouettes chaque fois que quelque chose clochait dans le déroulement du spectacle. Dès que je sentais qu'il y avait un problème entre le metteur en scène, les acteurs ou le public, j'apparaissais sur le plateau en marchant sur les mains. J'ai appris à reconnaître instinctivement le moment où Chama était sur le point de sombrer dans la déprime. Mes acrobaties permettaient aussi aux acteurs de prendre leur temps pour changer de costume entre les scènes. Sans mon aide, Chama aurait été obligée de réduire ses préparatifs.

J'étais très fière d'avoir un rôle à jouer, même si c'était un rôle silencieux et plutôt marginal, dont mes pieds étaient les principales vedettes. Mais tante Habiba disait que le rôle que l'on jouait n'avait pas d'importance, du moment qu'il était utile. L'essentiel était d'avoir un rôle, de participer au projet collectif.

En outre, disait-elle, j'aurais bientôt un rôle plus important à jouer dans la vie réelle : j'avais donc uniquement besoin de révéler un talent. Je lui ai dit que ce serait sans doute l'acrobatie, mais elle n'a pas eu l'air convaincu. « La vie est plus dure que le théâtre. De plus, selon nos traditions, les femmes doivent marcher sur leurs pieds. C'est plutôt risqué de les lancer en l'air. » C'est alors que j'ai commencé à me faire du souci pour mon avenir. Mais tante Habiba m'a conseillé de ne pas m'inquiéter et m'a dit que tout le monde avait en soi des trésors cachés. La seule différence vient de ce que certains réussissent à les exploiter, contrairement à d'autres. Ceux qui ne parviennent pas à découvrir leurs précieux talents se sentent malheureux toute leur vie, tristes, maladroits avec les autres, et sont souvent agressifs. Il est indispensable d'exploiter son talent, répétait tante Habiba, pour pouvoir donner, partager, et briller. Et pour cela, il fallait se discipliner et travailler très dur de façon à devenir excellent dans un domaine. N'importe lequel, le chant, la danse, la cuisine, la broderie. Il suffit de devenir bon en quelque chose, que ce soit écouter, regarder, sourire, attendre, accepter, rêver, se révolter ou sauter. « Tout ce que tu sais bien faire peut changer ta vie », disait tante Habiba. J'ai donc décidé que je cultiverais un talent qui me permettrait de rendre heureux les gens qui m'entouraient. Comme ça, personne ne songerait à me faire du mal. Le seul problème, c'est que je ne savais pas ncore quel serait mon talent. J'étais sûre d'en posséder un. Allah est généreux et donne à chacune de ses créatures sa part de beauté, même s'il la cache au fin fond de l'être, comme une fleur mystérieuse, dont on n'est même pas conscient. J'avais probablement reçu ma part, je n'avais qu'à attendre et à la laisser s'épanouir le moment venu. En attendant, j'apprendrais tout ce que je pourrais des héroïnes de la littérature et de l'histoire.

Les héroïnes les plus fréquemment mises en scène dans le théâtre de Chama et tante Habiba étaient, par ordre de fréquence : Asmahan, la princesse chanteuse ; les féministes égyptiennes et libanaises ; Schéhérazade et les princesses des *Mille et Une Nuits* ; et, enfin, les personnages religieux importants lorsque Lalla Mani les réclamait. Parmi les féministes, les *raidates* — les pionnières en matière des droits de la femme —, trois se partageaient les faveurs de Chama : Aisha Taymour, Zaynab Fawwaz et Huda Sha'raoui[1]. Quant aux personnages religieux, les plus populaires étaient Khadija et Aisha, les femmes du prophète Mohammed, et Rabea al-Adaouiya, une mystique. Leurs vies étaient généralement mises en scène pendant le mois de Ramadan, quand grand-mère Lalla Mani s'habillait en vert des pieds à la tête (la couleur du Prophète, que la prière et la paix d'Allah soient sur lui) et se plongeait dans de grandes méditations mystiques. Elle prêchait alors le repentir des péchés, et prédisait l'enfer à tous ceux qui n'obéissaient pas aux commandements d'Allah en général, ainsi qu'aux femmes qui voulaient abandonner le voile, aimaient danser, chanter et s'amuser en particulier. Mais comme il n'y avait qu'un mois de Ramadan, les onze mois restants étaient consacrés aux spectacles profanes.

Les femmes marocaines, rêvant de libération et de changement, étaient obligées d'aller chercher leurs féministes à l'est, en Égypte et en Turquie, car il n'en existait pas encore d'assez célèbres dans le pays pour nourrir leurs aspirations. « Pas étonnant que le Maroc soit si arriéré, remarquait Chama de temps en temps. Coincés au sud par le silence du Sahara, à l'ouest par les vagues vociférantes de l'Atlantique, et au nord par l'invasion chrétienne, les Marocains se sont repliés sur la défensive, alors que toutes les autres nations musulmanes ont pris leur essor et se confrontent au monde moderne. Les femmes ont progressé partout, sauf dans ce pays si fier d'avoir résisté aux Ottomans. À force de se battre contre les étrangers, on s'est murés. Nous sommes un musée. On devrait faire payer un droit d'entrée aux touristes qui arrivent à Tanger ! »

L'ennui, avec quelques-unes des féministes préférées de Chama, surtout les plus anciennes, c'est qu'elles ne faisaient pas grand-chose à part écrire, puisqu'elles étaient enfermées dans des harems. Par conséquent, il n'y avait pas beaucoup d'action à mettre en scène, et on devait se contenter d'écouter Chama réciter leurs protestations et leurs suppliques. Le pire, c'était la vie d'Aisha Taymour. Née au Caire en 1840, elle a passé son temps, sans relâche jusqu'à sa mort en 1906, à écrire des poèmes enflammés contre le port du voile. D'accord, elle écrivait en plusieurs langues, en arabe, en turc, et même en persan, ce qui m'impressionnait. Imaginez une femme, gardée en otage dans un harem, et qui parlait plusieurs langues étrangères ! Parler une langue étrangère, c'est ouvrir une fenêtre dans un mur aveugle. Et parler une langue étrangère dans un harem, c'est se donner des ailes qui vous permettent de voler vers une autre culture, même si la frontière est encore là, et le portier aussi.

Quand Chama voulait nous faire comprendre que Aisha Taymour lisait sa poésie en turc ou en persan, langues que personne dans la Médina de Fès n'avait jamais entendues, elle rejetait la tête en arrière, fixait son regard sur le ciel ou le plafond, et commençait à émettre des bredouillements gutturaux inintelligibles, en imitant le rythme de la poésie arabe pré-islamique. Ce qui impatientait ma mère. « Nous avons compris, ma chère. Tout le monde est impressionné par la façon dont Aisha maîtrise le turc, criait-elle. Maintenant, reviens à l'arabe, ou tu vas perdre ton public. » À ces mots, Chama se taisait brusquement, l'air affreusement vexé, et demandait à ma mère de présenter immédiatement des excuses. « Je m'efforce de créer une délicate atmosphère de magie, disait-elle, et toi, en m'interrompant, tu détruis le rêve. » Ma mère se levait alors, baissait la tête en inclinant profondément le buste, puis la relevait et jurait de ne plus prononcer un seul mot. Pendant tout le reste de la pièce, elle restait assise sans bouger, un sourire ostensiblement admiratif sur les lèvres.

Il y avait une autre pionnière du féminisme que Chama admirait beaucoup, et qu'on ne pouvait éviter : Zaynab Fawwaz, une Libanaise autodidacte d'une grande érudition, née dans les années 1850. Issue d'un obscur village où elle débuta comme servante, elle réussit, grâce à une stratégie bien calculée de mariages arrangés jointe à une stricte discipline, à devenir une figure littéraire célébrée dans les cercles intellectuels de Beyrouth et du Caire. Mais étant donné que Zaynab n'avait jamais mis le nez hors du harem, il était affreusement difficile de trouver dans sa vie de recluse de quoi alimenter l'action dramatique. La seule chose que pouvait faire Zaynab depuis son harem, c'était inonder la presse arabe d'articles et de poèmes dans lesquels elle exprimait sa haine du voile et condamnait la réclusion des femmes. Ces deux éléments, assurait-elle, étaient les principaux obstacles à l'essor musulman, et expliquaient la médiocrité de nos performances face aux armées occidentales. Par chance, nous avons échappé, dans nos spectacles de la terrasse, aux prestations journalistiques de Zaynab, textes extrêmement répétitifs et d'un ennui prodigieux, car notre féministe avait également publié en 1893 une sorte de *Who's Who* de femmes célèbres compilant plus de quatre cent cinquante biographies exceptionnelles, où Cléopâtre et la reine Victoria se trouvaient nez à nez, ce qui offrait à Chama une source inépuisable de documents[2].

Mais la championne toutes catégories des droits de la femme, au goût de l'assistance de notre terrasse, était Huda Sha'raoui, une beauté de l'aristocratie égyptienne née en 1879, qui gagna à sa cause les dirigeants égyptiens à force de discours passionnés et de manifestations populaires. La représentation de sa vie offrait à tous les spectateurs de la terrasse, y compris nous, les enfants, l'occasion de monter sur scène pour chanter les hymnes militaires nationalistes. Il fallait des acteurs pour jouer les manifestants égyptiens, les policiers britanniques, et bien entendu les badauds. Contrainte à un mariage précoce dès l'âge de treize ans, Huda fascinait Chama parce qu'elle avait réussi à transformer une société entière en quelques décennies par sa volonté entêtée. Huda accomplit en même temps deux exploits en apparence contradictoires : combattre l'occupation britannique et mettre fin à sa propre tradition de réclusion. Elle se débarrassa de son voile lorsqu'elle mena la première manifestation de rue contre les Britanniques en 1919, et par son influence entraîna les législateurs à passer plusieurs lois très importantes, dont une, en 1924, qui éleva l'âge du mariage des filles à seize ans. Elle fut aussi tellement dégoûtée de voir le nouvel État égyptien, formé en 1922, adopter la Constitution de 1923 qui limitait le droit de vote aux hommes, qu'elle créa l'Union des féministes égyptiennes et se battit avec succès pour l'obtention du droit de vote des femmes[3]. La persévérance acharnée de Huda Sha'raoui concernant les droits de la femme servit de modèle à d'autres États arabes récemment indépendants, déjà attirés par les idéaux nationalistes, et les incita à inclure le droit de vote des femmes dans leur nouvelle constitution.

Sur la terrasse, nous adorions les manifestations féministes de 1919. C'était le moment clé de la mise en scène de Chama.

Nous envahissions les planches, nous bousculant derrière les draperies flageolantes que Chama avait eu tant de mal à ériger. (Elles étaient soutenues par les piquets du fil à linge plantés dans des jarres à olives.) C'était prétexte à sauter partout, à crier des insultes à d'imaginaires soldats britanniques, à se débarrasser de son foulard, symbole du voile tant détesté. Nous autres, enfants, nous amusions tout particulièrement de voir tous ces adultes, y compris nos propres mères, jouer comme des gamins. Souvent, les choses prenaient un tour si exubérant que Chama était obligée de grimper sur l'échelle qui servait à mettre le décor en place pour crier aux acteurs de quitter la scène, parce que les Britanniques avaient évacué l'Égypte en 1922 et qu'on était maintenant en 1947. Huda était sur le point de mourir et il fallait absolument faire silence, étant donné qu'elle s'était paisiblement éteinte dans sa chambre. Lorsque, comme c'était souvent le cas, personne ne consentait à bouger de la scène, les cris de Chama se transformaient en menaces : « Si les acteurs ne reprennent pas leurs esprits et ne respectent pas le déroulement de la pièce, proclamait-elle du haut de l'échelle, la direction du théâtre va se voir obligée de fermer ses portes pour toute la saison d'été, pour cause de vandalisme perpétré par des éléments incontrôlables. »

Passer sans transition de l'ambiance festive des manifestations de rue à la scène du lit de mort de Huda était un moment très délicat. Il nous fallait non seulement quitter la scène pour redevenir spectateurs, mais aussi montrer, grâce à un silence de circonstance, que nous étions en deuil. Tout le monde n'en était pas capable. Tante Habiba s'est fait un jour renvoyer de la terrasse parce qu'elle n'a pas pu s'empêcher d'éclater de rire quand Chama, surgissant de derrière le rideau, revêtue à la hâte d'un drap noir, s'est empêtrée dedans et a perdu l'équilibre. Nous avions tous envie de rire, évidemment, mais Chama était si occupée à se remettre debout qu'elle n'a pas vu nos grimaces.

Cependant, les vies des féministes ne comportaient pas assez de passages chantés et dansés. Chama aimait peut-être les mettre en scène, mais le public préférait de loin voir Asmahan ou l'une des héroïnes aventureuses des *Mille et Une Nuits*. Ces récits contenaient davantage d'histoires d'amour, de conquêtes et d'aventures. Les vies des féministes, elles, ne parlaient apparemment que de luttes, de mariages malheureux, et jamais de bonheur, ou de nuits magnifiques, ou d'amoureux transis. « Toutes ces dames hyperactives ont fasciné les hommes arabes avec leurs idées nouvelles, disait tante Habiba. Les hommes tombaient constamment amoureux d'elles, mais on ne nous parle jamais de leurs étreintes passionnées, sans doute parce que les féministes estimaient que c'était sans rapport avec la politique, ou parce qu'elles se censuraient elles-mêmes de peur d'être accusées d'immoralité. » Parfois, tante Habiba se demandait si ce n'était pas Chama qui censurait, de crainte qu'en donnant trop d'importance aux épisodes romantiques, le public ne s'égare et oublie la lutte militante. Quoi qu'il en soit, j'ai décidé à ce moment-là que si je devais un jour me battre pour la libération des femmes, je ne laisserais certainement pas de côté les plaisirs de la vie. Comme le remarquait tante Habiba : « Pourquoi se révolter et changer le monde si on ne peut pas obtenir ce qui nous manque ? Et ce qui nous manque le plus, dans notre vie de femmes, c'est l'amour, le désir et la tendresse. À quoi bon faire la révolution si le monde doit rester un désert affectif ? Une révolution féministe doit plonger hommes et femmes dans un hammam de tendresse. »

Les personnages de Schéhérazade dans les *Mille et Une Nuits* ne se mêlaient pas de faire des discours ou d'écrire sur leur éventuelle libération. Elles allaient de l'avant, s'évadaient, vivaient en danger permanent, affrontaient le trouble des passions et parvenaient toujours à se tirer d'affaire. Elles ne cherchaient pas à convaincre la société de les libérer, elles se libéraient elles-mêmes. Prenez l'histoire de la princesse Budur. Voilà une princesse très gâtée, surprotégée, fille du puissant roi Ghayur, et femme du non moins puissant prince Qamar al-Zaman (Lune du temps)[4]. Elle part en voyage avec son mari, et naturellement c'est lui qui s'occupe de tout. Elle se contente de suivre, comme toutes les femmes qui voyagent avec leur mari ou avec les hommes de leur famille. Ils voyagent loin et un jour, à son réveil, la princesse Budur s'aperçoit qu'elle est seule dans sa tente, en pays totalement inconnu. Le prince Qamar a disparu. De crainte que les autres hommes de la caravane ne tentent de la violer ou de voler ses bijoux, ou même de la vendre comme esclave, la princesse Budur décide de mettre les vêtements de son mari et de se faire passer pour lui. Et sa ruse marche...

Les spectateurs de la terrasse faisaient un triomphe à la princesse Budur, parce qu'elle avait osé imaginer l'impossible, l'irréalisable. En tant que femme, elle était impuissante et désespérément faible, entourée de voleurs de grands chemins, à mille lieues de chez elle, au milieu d'une caravane d'esclaves et d'eunuques auxquels elle ne pouvait se fier, sans parler des marchands peu dignes de confiance. Mais quand votre situation est désespérée, la seule chose qui vous reste à faire est de tourner le monde à l'envers, de le transformer selon vos souhaits et de le recréer. C'est exactement ce qu'a fait la princesse Budur.

15

LE DESTIN DE LA PRINCESSE BUDUR

Si vous cherchez la princesse Budur dans les *Mille et Une Nuits*, vous aurez du mal à la trouver. D'abord, son histoire porte le nom de son mari : « Le conte de Qamar al-Zaman », et elle n'est racontée que pendant la neuf cent soixante-deuxième nuit, si bien que vous êtes obligé de lire le livre presque jusqu'à la fin avant de tomber sur notre Budur[1]. Tante Habiba pense que Schéhérazade, qui devait divertir à tout prix son mari Schahriar, n'a pas raconté plus tôt l'histoire de la princesse Budur de peur d'avoir la tête coupée. Le fond de l'histoire, en effet, c'est qu'une femme réussit à tromper tout le monde en se faisant passer pour un homme. Il lui suffit de mettre les vêtements de son mari, ce qui laisse entendre que la différence entre les sexes ne tient qu'à une question d'habillement. Il fallait effectivement beaucoup de culot à Schéhérazade pour donner une pareille leçon au roi Schahriar, connaissant son état d'esprit, surtout au début. Schéhérazade devait d'abord l'amadouer et le distraire avec des contes moins inquiétants.

Une des qualités de la princesse Budur, pour laquelle on l'aimait bien, était sa vulnérabilité. Comme la majorité des femmes de notre terrasse, c'était quelqu'un qui n'avait pas l'habitude de résoudre ses problèmes toute seule. Complètement dépendante des hommes, et ignorant tout du monde extérieur, elle n'avait jamais manifesté la moindre confiance en elle, pas plus qu'elle n'avait eu l'occasion d'analyser des situations et de proposer des solutions. Pourtant, en dépit de son apparent manque d'assurance, elle réussit à prendre les bonnes décisions, toutes risquées qu'elles aient pu paraître. « La faiblesse n'est pas une tare, mesdames, disait tante Habiba, quand c'était à elle de monter sur scène. La princesse Budur en est la preuve. Ce n'est pas parce que vous n'avez jamais eu l'occasion de mettre vos talents à l'épreuve que vous n'en possédez aucun. » Tante Habiba montait sur scène quand le public se lassait des féministes de Chama et demandait des comédies plus amusantes, avec des chants et des danses.

Tante Habiba n'était pas un metteur en scène aussi strict que Chama, qui investissait une énergie incroyable dans la réalisation des décors et des costumes. Tante Habiba, au contraire, simplifiait tout au maximum. « La vie est déjà assez difficile comme ça, disait-elle. Alors, je vous en prie, ne nous compliquons pas l'existence ! » Elle s'installait dans un confortable fauteuil, drapé d'un tissu brodé pour lui donner l'aspect d'un trône. Elle portait, pour l'occasion, son élégant caftan *tarz ntaa*, en velours noir brodé d'or, qu'elle gardait en général soigneusement plié dans le coffre de cèdre qu'elle avait récupéré après son divorce. C'était tante Habiba qui avait brodé elle-même ce caftan de velours incrusté de perles, rapportées par son père de son pèlerinage à La Mecque. Elle y avait passé trois ans ! « De nos jours, les gens achètent des vêtements tout faits et portent des habits qu'ils n'ont pas créés, remarquait-elle. Mais si on passe je ne sais combien de nuits à broder un foulard ou un caftan, on en fait une œuvre d'art unique. Même si le tissu est modeste. C'est le travail humain, ce sont nos petits doigts qui transforment de simples morceaux de chiffon en pièces d'art[2]. » Pour sûr, le caftan de tante Habiba était particulièrement éblouissant et, comme elle ne le revêtait que pour les grandes occasions, on avait vraiment l'impression de changer d'univers dès qu'elle apparaissait sur scène.

L'histoire de la princesse Budur commençait assez bien. Son père, le roi Ghayur, lui procurait, ainsi qu'à son mari bien-aimé le prince Qamar al-Zaman, tout ce dont ils avaient besoin pour voyager. « Le roi fit amener de ses écuries des chevaux marqués à son chiffre, des dromadaires pur-sang qui peuvent voyager dix jours sans boire, et prépara une litière pour sa fille, chargeant en outre de victuailles nombre de mules et de chameaux. De plus, il leur donna des esclaves et des eunuques pour les servir, ainsi que quantité d'accessoires de voyage de toutes sortes et, le jour du départ, quand le roi Ghayur prit congé de Qamar al-Zaman, il lui fit présent de dix splendides costumes de drap d'or brodés de pierreries, ainsi que de dix chevaux de trait et dix chamelles, et d'un trésor d'argent, et il le chargea d'aimer et de chérir sa fille, la princesse Budur. Puis, le prince et la princesse se mirent en route sans s'arrêter le premier jour, ni le deuxième, ni le troisième, ni le quatrième. Ils ne cessèrent de cheminer pendant un mois entier, jusqu'au moment où ils arrivèrent dans une vaste plaine aux pâturages abondants, où ils plantèrent leurs tentes. Là, ils mangèrent et burent et se reposèrent, et la princesse Budur s'allongea pour dormir[3]. » Et, quand elle s'éveilla le lendemain matin, elle était seule dans la tente. Son mari avait mystérieusement disparu.

À cet instant du récit, Samir et moi, assis derrière la tente de la princesse Budur, émettions toutes sortes de bruits pour indiquer que la caravane se réveillait. Samir était incomparable pour imiter les hennissements et les bruits de sabots des chevaux, et ne s'arrêtait qu'à regret quand Chama, en princesse Budur, commençait à faire à haute voix des commentaires sur la solitude et l'impuissance d'une femme qui se retrouve soudain sans mari. « Si je sors et annonce aux valets que mon mari a disparu, ils chercheront à abuser de moi. Il n'y a d'autre solution que d'user d'un stratagème[4]. » Elle se leva donc et revêtit une partie des vêtements de son mari, ses bottes de cheval et un turban semblable au sien, dont elle laissa pendre l'une des extrémités devant son visage en guise de voile de bouche. Puis, installant une jeune esclave à sa place dans la litière, elle sortit de la tente. Et, avec toute sa suite, elle voyagea maints jours et maintes nuits jusqu'à ce qu'apparût une cité au bord de la mer de Sel, où ils plantèrent leurs tentes et s'arrêtèrent pour se reposer. La princesse demanda le nom de la ville et on lui dit : « Elle se nomme la cité d'Ébène, son roi s'appelle Armanus, et il a une fille du nom de Hayat al-Nufus[5]. » Ce n'est pas en arrivant à la cité d'Ébène que devaient prendre fin les ennuis de la princesse Budur. En fait, sa situation ne fit qu'empirer, car le roi Armanus était si séduit par le soi-disant Qamar al-Zaman qu'il voulait lui donner sa fille Hayat al-Nufus en mariage. Quelle affreuse perspective pour la princesse Budur ! Hayat al-Nufus allait immédiatement découvrir la supercherie, et elle serait peut-être décapitée sur-le-champ.

Dans la cité d'Ébène, on décapitait tous les jours des gens pour moins que ça. Dans la scène suivante, la princesse Budur faisait les cent pas dans sa tente, se demandant ce qu'elle devait faire. Si elle acceptait la proposition du roi, elle serait condamnée à mort pour avoir menti. Mais si elle refusait la proposition du roi, elle encourrait aussi la peine de mort. Pas moyen de vivre longtemps si vous refusiez les offres d'un roi. Surtout si ce refus équivalait à un affront à sa fille. Tandis que Chama faisait les cent pas sur la scène, en mimant le dilemme de la princesse Budur, les spectateurs se rangeaient en deux camps. Le premier suggérait de dire la vérité au roi : peut-être que si la princesse Budur lui apprenait qu'elle était une femme, il allait tomber amoureux d'elle et lui pardonner. L'autre camp estimait qu'il serait plus sûr d'accepter la proposition de mariage et de tout révéler ensuite à la princesse Hayat, une fois dans ses appartements, faisant ainsi appel à la solidarité féminine.

La solidarité féminine était un thème excessivement sensible dans la cour, car les femmes étaient rarement unanimes dans leur affrontement avec les hommes. Quelques femmes, dont Lalla Mani et Lalla Radia, contentes de leur sort, étaient toujours d'accord avec les décisions des hommes, et ma mère accusait ces femmes d'être grandement responsables des souffrances de leurs semblables. « Elles sont plus dangereuses que les hommes, expliquait-elle, parce que physiquement elles sont exactement comme nous. Mais en réalité ce sont des loups déguisés en agneaux. Si la solidarité entre femmes existait, nous ne serions pas coincées sur cette terrasse. Nous serions en train de faire le tour du Maroc, ou même de voguer vers la cité d'Ébène, où bon nous semble ! » Tante Habiba, qui était toujours assise au premier rang, même quand elle ne jouait pas ni ne dirigeait les acteurs, était chargée par Chama de veiller très attentivement à l'humeur de l'auditoire, et si jamais la question de la solidarité féminine venait à surgir, elle la censurait immédiatement avant que la discussion ne dégénère en dispute sérieuse. En fin de compte, la princesse Budur avait effectivement opté pour la solidarité féminine, et son choix se révéla être le bon, démontrant ainsi que les femmes étaient capables entre elles de grands et nobles sentiments.

La princesse Budur accepta, comme le lui proposait le roi Armanus, d'épouser sa fille. C'était un acte qui devait lui donner immédiatement le droit de gouverner la cité d'Ébène. Sur la terrasse, on célébrait le mariage en passant des biscuits à la ronde, Samir et moi. Un jour, Chama tenta de démontrer que, puisque le mariage entre femmes n'était pas légal, il n'y avait pas lieu d'offrir des biscuits. Mais le public réagit immédiatement. « La règle des biscuits doit être respectée, la légalité du mariage n'a jamais été une condition ! »

Après le mariage, les jeunes mariés se retirèrent dans la chambre de la princesse Hayat. Mais ce soir-là, la princesse Budur, après avoir, par un rapide baiser, souhaité une bonne nuit à sa jeune épouse, se plongea dans d'interminables prières, jusqu'à ce que la pauvre Hayat s'endorme. Pendant cette scène, nous nous tordions tous de rire devant le portrait du très pieux mari campé par Chama. « Cesse de prier, et mets-toi au travail ! » criait ma mère. Puis Samir et moi nous nous précipitions pour descendre le rideau, montrant ainsi qu'une nuit était passée. Nous le relevions, et le pauvre mari était encore en prière, tandis que Hayat al-Nufus attendait en vain ses baisers. Nous recommencions plusieurs fois, le mari toujours priant et l'épouse toujours en attente, et la salle entière hurlait de rire. Finalement, après bien des nuits de prières, la princesse Hayat perdit patience et alla se plaindre à son père tout-puissant, le roi Armanus. Le prince Qamar, lui dit-elle, ne manifestait aucun empressement à lui faire un enfant et passait toutes ses nuits en prière.

Comme on pouvait s'y attendre, le roi n'était pas très content et il menaça de bannir immédiatement le mari de la cité d'Ébène s'il ne se conduisait pas rapidement en époux. Donc, ce soir-là, la princesse Budur confessa toute son histoire à la princesse Hayat, du début à la fin, et lui demanda son aide. « Je te conjure par Allah de garder mon secret, car je n'ai usé de ce subterfuge que pour qu'Allah me permette de retrouver mon bien-aimé Qamar al-Zaman[6]. »

Et, bien entendu, le miracle se produisit. La princesse Hayat se prit de sympathie pour la princesse Budur et promit de l'aider. Les deux jeunes femmes mirent donc au point une fausse cérémonie de dépucelage, comme le voulait la tradition. « Hayat al-Nufus se leva et prit un pigeonneau, lui trancha la gorge au-dessus de son pantalon et le couvrit de son sang. Puis elle se saisit de son pantalon et poussa un cri, à la suite de quoi les gens accoururent en poussant des hourras et des exclamations de joie, selon la coutume[7]. » Par la suite, les deux femmes se firent passer pour mari et femme. La princesse Budur gouvernait le royaume d'une main, et de l'autre organisait des battues pour retrouver son bien-aimé, le prince Qamar al-Zaman.

Les femmes de la terrasse applaudissaient la décision de la princesse Hayat de venir en aide à la princesse Budur, qui avait osé tenter l'impossible. Longtemps après la fin de la pièce, elles parlaient encore avec chaleur, tard dans la nuit, du destin et du bonheur, de la manière d'échapper au premier et de se lancer à la poursuite du second. La solidarité féminine, selon bon nombre d'entre elles, était la meilleure manière d'atteindre les deux buts.

16

LA TERRASSE INTERDITE

Je pensais alors, et je le crois encore, que le bonheur, ne se conçoit pas sans terrasse. Et par terrasse j'entends quelque chose qui n'a rien à voir avec les toits des maisons européennes que nous décrivait cousin Zin après avoir visité le royaume des Anglais, un des pays les plus bizarres de *Blad Tedj,* le pays de la neige où Allah a entassé les pauvres chrétiens qui passent leur vie à grelotter de froid. Il nous raconta que les maisons là-bas n'avaient pas de terrasses plates comme les nôtres, joliment blanchies, ou parfois somptueusement pavées, avec des sofas, des plantes et des arbustes fleuris. Au contraire, leurs toits étaient triangulaires et pointus car ils devaient protéger leur maison de la neige, et il était donc impossible de s'allonger dessus sans glisser immédiatement en bas. Cependant, toutes les terrasses de Fès n'étaient pas conçues pour être accessibles. Les plus hautes étaient normalement interdites d'accès, car vous pouviez mourir en tombant de si haut. Naturellement, je rêvais de me rendre sur notre terrasse interdite, la plus haute de la rue, où on n'avait jamais vu aucun enfant, à ma connaissance.

Mais la première fois où j'ai accédé à cette terrasse interdite, je n'étais plus sûre du tout d'avoir envie de visiter l'endroit. J'ai même décidé sur-le-champ de reconsidérer le principe selon lequel les adultes étaient des créatures déraisonnables et bornées qui ne pensaient qu'à empêcher les enfants d'être heureux.

J'avais une telle frousse, là-haut, que j'en avais la respiration coupée et que je me suis mise à trembler. Je regrettais finalement d'avoir désobéi et quitté notre terrasse habituelle, confortablement entourée de murs hauts de deux mètres. Les minarets et même l'immense mosquée Qaraouiyine étaient à mes pieds, comme de minuscules jouets dans une ville miniature. En même temps, les nuages au-dessus de ma tête me semblaient dangereusement proches, avec des flammes roses, presque rouges, que je n'avais jamais distinguées d'en bas. J'entendais un bruit bizarre, si effrayant que tout d'abord j'ai cru qu'il s'agissait d'un monstrueux oiseau invisible. Mais quand j'ai interrogé cousine Malika, elle m'a dit que ce n'était que ma peur : le bruit venait de mon propre sang qui bourdonnait dans mes veines. Elle avait éprouvé la même sensation quand elle s'était retrouvée la première fois sur la terrasse interdite. Mais elle m'a dit aussi que si je me mettais à pleurnicher ou à me plaindre, elle consentirait à m'aider à redescendre mais ne me ramènerait plus jamais là-haut avec elle. Je n'aurais qu'à me débrouiller toute seule, jusqu'à la fin de mes jours, pour comprendre le sens du mot harem. C'était en effet le sujet dont Samir et elle avaient projeté de discuter sur la terrasse. Ils s'étaient donné pour mission d'analyser ce mot insaisissable et, en récompense, s'étaient offert une visite de la fameuse terrasse interdite. La discrétion la plus totale était essentielle. Ils voulaient que personne n'ait connaissance de l'expédition.

J'ai donc murmuré dans un souffle que je n'avais pas peur. La seule chose dont j'avais besoin, c'était un conseil pour arrêter le bruit dans ma tête. Elle m'a dit de m'allonger sur le dos et d'éviter de regarder des objets qui bougeaient, les nuages ou les oiseaux par exemple, et de fixer un point stable. Alors, si je me concentrais sur ce point pendant un certain temps, tout redeviendrait normal. Avant de m'allonger, je la priai de mettre ma mère au courant, au cas où la volonté d'Allah serait de me faire mourir sur cette terrasse, que je devais une énorme somme d'argent à Sidi Soussi, le marchand de pois chiches, de cacahuètes et d'amandes grillées, qui tenait une échoppe devant notre école coranique. On allait directement en enfer, m'avait dit mon professeur, Lalla Tam, si on arrivait dans l'autre monde avec des dettes. Un bon musulman paie toujours ses dettes et met ses comptes à jour, mort ou vif.

La terrasse qui surplombait celle où nous donnions nos représentations théâtrales était interdite car elle n'avait pas de murs, si bien qu'au moindre faux mouvement, vous pouviez vous écraser en bas et mourir sur le coup. À deux mètres au-dessus de l'autre, cette terrasse était en fait le toit de la chambre de tante Habiba. Aucun escalier n'y conduisait, car on n'était pas censé y monter. La seule voie officielle d'accès était une échelle, détenue par Hmed, le portier. Mais tout le monde dans la maison savait que les femmes qui souffraient de *hem*, une sorte de légère dépression, grimpaient sur cette terrasse pour y trouver le calme et la beauté dont elles avaient besoin. Le *hem* est une maladie étrange, très différente d'un *mushkil*, ou problème. La femme qui souffre d'un *mushkil* connaît la raison de son mal. En revanche, en cas de *hem*, la souffrante ignore la source de sa douleur. J'étais terrorisée à l'idée de souffrir d'une chose que je n'arriverais pas à nommer. « Tante Habiba, je préfère cent *mushkil* plutôt qu'un *hem* », m'écriai-je un jour que le sujet de la souffrance avait émergé dans les conversations interrompues de longs silences qu'elle m'accordait lorsque je m'asseyais sans faire de bruit devant son métier à broder. « Ce n'est pas la bonne manière d'aborder la vie, ma petite fille, me répondit-elle. Cent *mushkil*, c'est beaucoup trop. L'idéal c'est de s'organiser pour n'avoir qu'un tout petit *mushkil*, et surtout un seul à la fois. Ainsi on peut prendre le temps de l'analyser calmement et d'y réfléchir silencieusement pour trouver une solution. » Tante

Habiba disait que c'était une chance d'identifier ce qui vous fait mal, parce que ainsi vous pouviez vous soigner. La femme atteinte de *hem* ne peut rien faire, sauf rester assise en silence, les yeux grands ouverts et le menton appuyé dans la paume de la main, comme si son cou ne pouvait plus soutenir sa tête.

Pour me préparer aux dangers qui risquaient de ponctuer ma vie d'adulte, je m'asseyais dans un coin quand la terrasse était déserte et je m'exerçais à tenir ma tête dans la paume de ma main, les yeux fixés dans le vague, le cou penché sur la gauche comme s'il était privé de tout ressort. Un jour, ma mère me surprit dans cette position et rentra dans une colère terrible : « Ne mime jamais le malheur, idiote ! Toute la vie n'est qu'un théâtre. Si tu te présentes au monde avec le cou brisé, on te réduira en miettes. Même si tu as mal, lève la tête haute. Même si tu es clouée par le *hem*, garde un port de reine. Si je t'attrape encore une fois dans cette position, j'irai tout dire à Lalla Tam qui s'y connaît en punitions. » Rien que pour éviter d'avoir des démêlés avec la terrifiante Lalla Tam, j'ai décidé sur-le-champ d'évacuer de ma vie et *hem* et *mushkil* et de me consacrer au bonheur et à lui seul.

Étant donné que seuls le calme et la beauté pouvaient guérir les femmes atteintes de *hem*, on les emmenait souvent dans des sanctuaires au sommet des montagnes, comme Moulay-Abdesslam dans le Rif, Moulay-Bouazza dans l'Atlas, ou l'une des nombreuses retraites de Lalla Aicha qui sillonnent les plages en bordure de l'océan, entre Tanger et Agadir[1].

Chama était parfois touchée par le *hem*. Généralement, ses crises se déclenchaient lorsqu'elle écoutait une émission bien particulière de Radio-Le Caire, parlant de Huda Sha'raoui et de l'avancée des droits de la femme en Égypte et en Turquie. « Ma génération est sacrifiée ! sanglotait-elle. La révolution libère les femmes d'Égypte et de Turquie et partout dans l'ex-Empire ottoman, et nous, ici, nous sommes vouées à l'oubli. Nous ne faisons plus partie du monde traditionnel, mais nous ne bénéficions pas encore des avantages de la modernité. Nous sommes coincées entre les deux, comme des papillons égarés. » Quand Chama se mettait à pleurer ainsi, nous l'entourions de *hanan*, de tendresse sans limites, jusqu'à ce qu'elle se sente mieux.

Une autre femme de la maison grimpait parfois secrètement sur la terrasse interdite. C'était tante Habiba. Elle avait commencé à utiliser la terrasse au début, quand elle était venue vivre avec nous après son divorce. C'était grâce à elle que nous avions appris à y grimper sans nous servir d'une échelle. Nous, les enfants, nous connaissions le secret de tante Habiba car elle utilisait nos services pour faire le guet dans la cour et les escaliers, quand elle montait sur la terrasse. Elle prenait deux des gigantesques piquets qui tenaient les fils à linge sur la terrasse d'en bas (utilisés pour sécher les grosses pièces, comme les couvertures de laine ou les tapis, qu'on ne nettoyait qu'au mois d'août, quand le soleil était le plus chaud), et les utilisait en guise d'échelle. Ce n'était pas une mince affaire. D'abord, tante Habiba stabilisait les piquets en les plantant dans des jarres à olives bourrées de coussins pour étouffer le bruit et atténuer les heurts. Puis elle croisait l'extrémité supérieure des deux piquets, de façon à former une marche sur laquelle elle pouvait poser le pied. Audessous, elle confectionnait d'autres marches avec des caisses qui se trouvaient sur la terrasse. Grâce aux caisses, elle atteignait une hauteur suffisante et n'avait plus qu'à prendre appui sur les piquets croisés pour se propulser sur la terrasse interdite.

Nous n'aurions jamais eu l'idée de nous y prendre de cette manière si nous n'avions pas vu tante Habiba en pleine action.

Les jarres à olives étaient aussi essentielles à l'opération que les piquets à linge. Les olives noires, venant des montagnes au nord de Fès, nous étaient livrées en octobre. Elles étaient d'abord stockées dans des sella géantes, grands récipients en bambou, couvertes de sel de mer et maintenues sous de lourdes pierres de taille pour en faire sortir le jus amer. (Les olives fraîches sont immangeables, et en offrir aux distraits était une des occasions de nous amuser dans les après-midi d'hiver, lorsque le froid rendait les gens grincheux.) Quand le jus avait été exprimé, les olives étaient transférées dans d'immenses jarres en terre, et on les laissait sur la terrasse sécher au soleil pratiquement toute l'année. De temps en temps, tante Habiba exposait les olives à l'air libre en les étalant sur un drap dans un coin de la terrasse. Contrairement aux femmes, disait tante Habiba, les olives noires ne sont bonnes que lorsqu'elles sont ridées. Quand elles étaient toutes sèches, elle leur ajoutait des quantités d'origan frais et tout un tas d'autres herbes, et les remettait dans les jarres. Vers la fin février, on pouvait les manger, et l'équipe de femmes chargées de préparer le petit déjeuner allait chaque jour en chercher un plein seau. Très souvent, nous mangions des olives noires accompagnées de thé à la menthe, de *khli*[2] et de pain frais pour notre petit déjeuner. C'était délicieux. J'aimais le petit déjeuner, non seulement en raison des olives, mais des *ch-hiwat*, ces friandises préparées par les originales qui ne se contentaient pas de la nourriture courante à la table commune. Comme il était interdit de manger devant les autres sans partager, les *ch-hiwat* transformaient les petits déjeuners en véritables festins. Les originales devaient fournir leur plat préféré en quantité suffisante pour satisfaire toute la maisonnée. Certaines apportaient des œufs de canard ou de dinde, d'autres avaient une envie soudaine de miel parfumé à l'eucalyptus, en provenance des forêts de la région de Kenitra. D'autres encore adoraient les beignets, et en apportaient des douzaines en partage. Ce que je préférais, c'étaient les fruits rares, hors de saison, ou les fromages salés du Rif, que l'on présentait sur des feuilles de palmier. Mais revenons à nos olives. Nous adorions les manger, mais nous étions encore plus ravis de voir les jarres se vider graduellement de leur contenu. Les jarres avaient pour nous une infinité d'usages. L'escalade de la terrasse n'en était qu'un parmi tant d'autres.

Les résultats de notre première expédition sur la terrasse interdite furent plutôt maigres. Après avoir repris notre souffle, nous avons été subjugués par le calme et la beauté du lieu. Nous sommes restés assis en silence, à observer sans avoir envie de bouger, car nous étions tellement serrés les uns contre les autres que le moindre mouvement était une gêne. Au point que, quand j'ai replacé mes nattes en les fixant sur le sommet de ma tête, les deux autres se sont plaints. Puis, Malika a posé une question toute simple : « Est-ce qu'un harem est une maison dans laquelle un homme vit avec plusieurs épouses » ? Nous avions chacun une réponse différente. Malika disait que oui, puisque c'était le cas de sa propre famille. Son père, l'oncle Karim, avait deux femmes, Biba, la mère de Malika, et Knata. Samir disait que non, puisqu'il y avait des harems avec une seule épouse, comme celui de son père, l'oncle Ali, ou le mien. (La haine féroce de la polygamie était probablement le seul point commun entre ma mère et Lalla Radia, la mère de Samir.) Ma réponse était plus complexe. Si je prenais le cas de grand-mère Yasmina, ma réponse était oui. Si je pensais à ma mère, c'était non. Mais les réponses complexes déplaisent toujours aux autres et les dressent contre vous, parce qu'elles ne font qu'ajouter à leur confusion. Alors Malika et Samir ont préféré ne pas tenir compte de mon avis et ont continué à discuter tous les deux, pendant que mon attention dérivait vers les nuages, qui semblaient se rapprocher de plus en plus. Finalement, Samir et Malika ont décidé que nous avions posé une question trop compliquée pour commencer. Il fallait revenir au point de départ, et se poser la question la plus bête de toutes : « Est-ce que tous les hommes mariés ont un harem ? » Nous savions tous les trois que Hmed, le portier, était marié. Il habitait près du portail, dans une maison minuscule de deux petites pièces et une cour, en compagnie de sa femme Luza et leurs cinq enfants. Mais sa maison n'était pas un harem. Cela n'avait donc rien à voir avec le fait d'être marié.

« Est-ce que cela veut dire, ai-je demandé, que vous ne pouvez pas avoir de harem si vous n'êtes pas riche ? » Je me trouvais très maligne de poser cette question, et finalement elle devait être excellente, car pendant quelque temps ni Malika ni Samir n'ont pu répondre. Puis Malika, qui abusait systématiquement de l'avantage que lui donnait son âge, a posé une question énorme, indécente, à laquelle nous ne nous attendions pas : « Peut-être qu'un homme doit avoir un gros zizi sous sa djellaba pour posséder un harem, et que celui de Hmed est trop petit ? » Samir a mis fin immédiatement à ce genre d'interrogation. Il nous a dit que chacun de nous avait un ange gardien sur l'épaule, à droite comme à gauche, qui inscrivait tout ce qu'on disait dans un grand livre. Le jour du Jugement dernier, ce livre était consulté, nos actions évaluées et, en fin de compte, seuls ceux qui n'avaient rien à se reprocher étaient admis au paradis. Les autres étaient culbutés en vrac en enfer. « Je ne veux pas me retrouver dans une situation embarrassante », a conclu Samir. Quand nous lui avons demandé de qui il tenait cette information, il nous a dit que c'était de Lalla Tam, notre maîtresse. Sur ce, nous avons décidé que dorénavant nous allions limiter nos investigations au *halal*, à ce qui était permis, honorable et licite. Je me suis donc efforcée depuis d'oublier la possibilité d'un lien mystérieux entre la taille du sexe d'un homme et son droit à posséder un harem.

Quand nous sommes montés sur la terrasse pour la deuxième fois, nous étions plus détendus, car l'altitude nous semblait moins effrayante, et nous savions que nous devions nous en tenir strictement au *halal*. Cette fois, notre question était : « Peut-il y avoir plus d'un maître dans un harem ? » C'était une question délicate, qui nous a laissés silencieux, plongés dans nos réflexions, pendant plusieurs minutes. Puis Samir a dit que dans certains cas, c'était possible, mais dans d'autres non. Il a comparé notre harem à celui de l'oncle Karim, le père de Malika. Dans le cas de l'oncle Karim, il n'y avait qu'un seul maître. Dans le nôtre, il y en avait deux : l'oncle Ali et mon père étaient maîtres tous les deux, même si l'oncle Ali l'était un peu plus que mon père, puisqu'il était le plus âgé, le plus riche et le premier-né. Mais quand même, c'était l'oncle Ali et mon père qui prenaient les décisions, et acceptaient ou refusaient les permissions demandées.

Comme le disait Yasmina, il valait mieux avoir deux maîtres qu'un seul, car si vous ne pouviez obtenir la permission de l'un d'eux, vous aviez toujours la possibilité de tenter votre chance avec l'autre. Dans la maison de Malika, il n'y avait pas grand espoir quand l'oncle Karim refusait une permission. Soit il acceptait, soit il refusait, c'était catégorique. Quand Malika avait demandé l'autorisation de venir chez nous après l'école coranique et de rester jusqu'au coucher du soleil, elle avait dû supplier son père pendant des semaines. Mais il n'avait rien voulu entendre. Il avait dit qu'une petite fille doit rentrer directement chez elle après l'école. Finalement, Malika avait obtenu le soutien de Lalla Mani, Lalla Radia et tante Habiba, qui n'avaient réussi à le faire changer d'avis qu'en démontrant que la maison de ses frères était semblable à la sienne et que, de surcroît, elle n'avait personne de son âge chez elle pour jouer. Tous ses frères et sœurs étaient beaucoup plus âgés.

Plus il y avait de maîtres, plus il y avait de liberté et d'occasions de s'amuser. C'était le cas de la ferme de Yasmina. Grand-père Tazi détenait l'autorité suprême, naturellement, mais ses deux fils aînés, Hadj Salem et Hadj Jalil, avaient également le pouvoir de décision. Quand grand-père était absent, ils jouaient le rôle de califes, et faisaient souvent tout ce qu'ils pouvaient pour provoquer Yasmina et les autres épouses. Yasmina ripostait généralement en annonçant que grand-père lui avait accordé la permission d'aller pêcher avant de partir à l'aube, ce que ne pouvait contredire aucun des fils puisqu'ils ne se levaient jamais avant huit heures. Yasmina se tirait toujours d'affaire parce qu'elle se levait très tôt, et elle me disait que si je voulais être heureuse dans la vie, il me faudrait me lever avant les oiseaux. « Alors, ta vie se déroulera comme un beau tapis de soie dans un jardin. Et tout d'abord le chant des oiseaux fait naître en toi le bonheur, pendant que tu t'assieds tranquillement pour réfléchir au cours que va prendre la journée. Pour être heureuse, une femme doit réfléchir beaucoup, de longues heures, en silence, comme lorsqu'elle joue aux échecs[3], sur la manière dont elle doit faire le prochain petit pas. Il faut d'abord définir qui a sur toi la *sulta* (autorité). Cette information est essentielle. Ensuite, il faut battre les cartes, mélanger les rôles. C'est le plus intéressant. La vie est un jeu. Considère-la sous cet angle, et tu pourras en rire. » La *sulta*, l'autorité, les jeux : c'étaient les mots clés qui ne cessaient de revenir dans nos conversations, et il me vint à l'idée que peut-être le harem lui-même n'était qu'un jeu. Un jeu entre les hommes et les femmes adultes, qui se craignaient mutuellement, et par conséquent avaient toujours besoin de prouver leur force, exactement comme nous, les enfants. Mais je n'ai pas pu soumettre cette idée à Malika et Samir, cet après-midi-là, car je la trouvais un peu trop folle. Cela aurait voulu dire que les adultes n'étaient pas différents des enfants.

En quittant la terrasse, nous étions tellement plongés dans nos recherches que nous n'avons même pas remarqué les nuages roses qui dérivaient vers l'ouest, vers l'océan que nous ne connaissions pas. Nous n'avions trouvé aucune réponse. En fait, nous étions encore plus embrouillés qu'avant, et nous nous sommes précipités chez tante Habiba pour lui demander de l'aide. Nous l'avons trouvée occupée à sa broderie, la tête penchée sur sa *mrema*, le cadre de bois horizontal qu'elle utilisait pour les travaux compliqués. La *mrema* ressemble au métier à tisser des hommes qu'on peut voir chez les artisans de la Médina, mais elle est beaucoup plus petite et légère. On fixe étroitement le tissu sur ce cadre, pour qu'il reste bien tendu au passage de l'aiguille. La *mrema* est un objet personnel, que chaque femme ajuste à sa hauteur pour ne pas avoir à trop pencher la tête. La broderie est surtout une occupation solitaire, mais les femmes se réunissent souvent quand elles veulent bavarder, ou qu'elles se lancent dans un projet qui va exiger beaucoup de travail.

Ce jour-là, tante Habiba était en train de broder un oiseau vert aux ailes d'or. Ce genre d'oiseau, déployant agressivement ses ailes, ne faisait pas partie des motifs classiques, et si Lalla Mani l'avait vu, elle aurait dit que c'était une innovation épouvantable, qui révélait que celle qui l'avait créée ne songeait qu'à prendre son envol. Bien sûr, les oiseaux existaient dans les motifs traditionnels de broderie, mais ils étaient minuscules, et souvent complètement paralysés, coincés entre des plantes gigantesques et de grosses fleurs touffues. À cause de Lalla Mani, tante Habiba brodait toujours des motifs classiques quand elle était dans la cour, et gardait pour elle seule son oiseau aux ailes déployées, dans l'intimité de sa chambre.

J'aimais beaucoup tante Habiba. Elle était tellement silencieuse, tellement prête en apparence à répondre à toutes les attentes d'un monde extérieur cruel, tout en réussissant à s'accrocher à ses ailes. Elle me donnait une vision rassurante du futur : même si une femme est totalement impuissante, elle peut encore donner un sens à sa vie en rêvant de prendre son essor. Nous avons attendu, Malika, Samir et moi, que tante Habiba lève la tête, puis nous lui avons expliqué notre problème, et comment nous nous embrouillions chaque fois que nous essayions de clarifier cette histoire de harem.

Après nous avoir écoutés avec attention, elle nous a dit que nous étions pris dans un *tanaqod*, une contradiction. Être pris dans un *tanaqod*, cela veut dire que lorsque vous posez une question, vous avez trop de réponses, ce qui ne fait qu'accroître votre confusion. « Et quand on est dans la confusion, dit tante Habiba, on ne se sent pas intelligent. Cependant, si vous voulez devenir adultes, il faut apprendre à vous débrouiller avec le *tanaqod*. » Comment ? nous sommes-nous tous écriés, en la suppliant de ne pas nous planter là. La première étape, dit-elle, est de s'armer de patience. La patience est l'unique moyen de dépasser une contradiction. Il faut accepter le fait que, pendant un certain temps, chaque fois que vous essayez de cerner votre question, vous y voyez encore moins clair, car les réponses se chevauchent, s'entrelacent et partent dans tous les sens. Mais ce n'est pas une raison pour abandonner le don le plus précieux qu'Allah ait fait aux êtres humains : *'aql*, la raison. « Et souvenez-vous, a ajouté tante Habiba, personne, jusqu'à maintenant, n'a trouvé de solution à un problème sans poser de questions. »

Tante Habiba a également parlé de temps et d'espace, de la manière dont les harems changent d'un endroit à l'autre, du Maghreb à l'Indonésie, et d'un siècle à l'autre. Le harem du calife abbasside Harun al-Rashid, au IXe siècle à Bagdad, n'avait rien à voir avec le nôtre, par exemple. Ses *jaryas*, ses esclaves, étaient des jeunes femmes très instruites, qui dévoraient les livres d'histoire, de stratégie guerrière et de *fiqh*, les sciences religieuses, pour pouvoir le distraire par leur savoir. Les hommes de ce temps-là n'appréciaient pas la compagnie des femmes illettrées et sans instruction, et vous n'aviez aucune chance de retenir l'attention du calife si vous ne pouviez l'éblouir par vos connaissances en géographie, généalogie, jurisprudence, mœurs et coutumes des pays étrangers, et autres sciences ! Le calife était obsédé par ces sujets, et il passait le plus clair de son temps à en discuter, entre deux *jihads*, deux guerres saintes. Quoi qu'il en soit, ajouta tante Habiba, les califes abbassides vivaient il y a très longtemps. À présent, les harems étaient pleins de femmes illettrées, ce qui montrait bien à quel point nous nous étions éloignés de la tradition. Quant à la puissance, les dirigeants arabes n'étaient plus des conquérants, mais des vaincus, écrasés par les armées coloniales. Du temps où les *jaryas* étaient super-instruites, les Arabes étaient au sommet du monde. Maintenant, les hommes aussi bien que les femmes avaient dégringolé la pente. Mais notre soif d'éducation était un signe que nous étions sur le point d'émerger de nos humiliations coloniales.

Pendant que tante Habiba parlait, je regardais Samir pour savoir s'il comprenait tout ce qu'elle disait. Mais il avait l'air perplexe, lui aussi. Tante Habiba a remarqué notre gêne et nous a dit de ne pas nous inquiéter. Ce qui comptait surtout pour le moment, c'était que nous progressions, même si nous ne nous en rendions pas compte. Pour l'instant, la seule chose à faire était donc de poursuivre la mission que nous nous étions fixée.

Une semaine plus tard, au cours de la session suivante sur la terrasse interdite, Malika aborda la question des esclaves. Était-il nécessaire d'avoir des esclaves pour avoir un harem ? Samir dit que c'était idiot de poser une question pareille, puisque nous n'avions pas d'esclaves chez nous. Mais Malika s'est empressée de lui demander ce qu'il faisait de Mina, qui habitait chez nous, et qui avait été esclave. Samir a rétorqué que la présence de Mina était accidentelle. Elle n'avait pas de mari, pas d'enfants, pas de famille, et habitait avec nous parce qu'elle ne connaissait personne et n'avait pas d'endroit où aller. Elle était *maqtu'a,* déracinée, comme un morceau d'arbre mort.

Bien des années auparavant, Mina avait été arrachée à son Soudan natal, quelque part au sud du Sahara, et vendue comme esclave à Marrakech.

Elle avait été ensuite revendue d'un marché d'esclaves à l'autre, jusqu'au jour où elle était arrivée chez nous, comme cuisinière. Peu de temps après, elle avait demandé à l'oncle Ali de l'exempter de tâches ménagères pour pouvoir se retirer sur le toit et prier.

17

MINA LA DÉRACINÉE

Mina campait sur la terrasse du bas, face à La Mecque, assise sur une antique peau de mouton, appuyée contre le mur de l'ouest, le dos soutenu par un coussin couleur safran venant de Mauritanie. Sa coiffure et son caftan étaient également safran et donnaient à son calme visage noir une lumière extraordinaire. Elle était condamnée à porter des tons or parce qu'elle était possédée par un djinn étranger qui lui interdisait de porter d'autres couleurs. Les djinns sont des esprits terriblement autoritaires qui prennent possession des gens et les obligent à suivre leurs caprices : porter des couleurs spéciales, ou danser sur une musique particulière, même dans les pays où la danse des femmes est considérée comme incorrecte.

Traditionnellement, un adulte respectable porte des couleurs discrètes et danse rarement, et jamais en public. Seuls les hommes et les femmes de rien, à moitié fous ou possédés, dansent en public, disait Lalla Mani. C'était une affirmation qui sidérait toujours ma mère et faisait rire Yasmina aux éclats : « Ces pauvres citadines de Fès, décidément elles ne bougent jamais les fesses et ont des derrières énormes. Mais tout le Maroc rural, auquel j'appartiens et dont je suis fière, danse pour fêter les saisons, hommes et femmes, et les enfants autour. Et on a les jambes légères et l'esprit alerte. » Défendre le rural, quand on était comme ma mère coincée dans la Médina de Fès, n'était pas chose facile ; elle essayait pourtant, et me répétait qu'il faut toujours être fière de ses origines. Grand-père étant citadin et Yasmina paysanne, elle répliquait à Lalla Mani que la majorité des paysans marocains dansaient sans problème pendant les festivals religieux, formant de grandes farandoles d'hommes, de femmes et d'enfants qui sautaient en rythme toute la nuit. C'étaient ces mêmes gens qui nourrissaient tout le pays. « Je croyais que les gens à moitié fous ne faisaient pas leur travail correctement », insistait ma mère, sarcastique. Lalla Mani lui répondait du tac au tac que les paysans donnaient peut-être à manger aux citadins, mais que leur accès au paradis n'était guère certain, car en matière de *shari'a,* de loi religieuse, ils n'étaient pas très forts. « Allah leur pardonnera peut-être. Il est généreux, miséricordieux et plein de pardon », ajoutait-elle, quand elle voyait que ma mère suffoquait d'indignation. Le problème avec la danse, disait Lalla Mani, c'est que lorsqu'on est possédé par un djinn, on perd toute notion de *hudud*. « Les femmes possédées par les djinns sautent en l'air quand elles entendent jouer un certain rythme. Elles se tortillent en perdant toute pudeur, en agitant les bras et les jambes par-dessus la tête. »

Mina, elle, avait gardé de son enfance le souvenir de quelques fragments de sa langue maternelle, mais c'étaient surtout des chansons qui ne faisaient pas sens, ni pour elle ni pour les autres. Parfois, Mina affirmait que la musique des tambours évoquant les djinns, que l'on jouait pendant les *hadra,* les danses rituelles de possession, lui rappelait les rythmes qu'elle avait connus dans son enfance. Mais elle n'en était pas toujours certaine. Elle pouvait décrire des arbres, des fruits et des animaux que personne n'avait jamais vus à Fès. Nous les retrouvions parfois dans les contes de tante Habiba, spécialement quand nous traversions le désert avec une caravane se rendant à Tombouctou. À cette occasion, Mina demandait à tante Habiba de donner des détails. Tante Habiba, qui ne savait pas lire, et qui avait obtenu ses informations en écoutant attentivement son mari lui lire des livres d'histoire ou de littérature, appelait alors Chama à la rescousse. Chama courait au premier étage et rapportait des livres écrits par des géographes arabes. Elle cherchait Tombouctou dans l'index et nous lisait des pages et des pages à haute voix, pour que Mina retrouve quelque chose de son enfance. Mina restait assise sans bouger en écoutant attentivement, demandant parfois la relecture de certains passages, surtout ceux qui décrivaient un marché ou un quartier. « Je vais peut-être rencontrer quelqu'un que je connais, disait-elle en plaisantant, la main devant la bouche pour cacher un sourire timide. Je vais peut-être croiser mon frère ou ma sœur. Ou bien un ami d'enfance va me reconnaître. » Puis elle s'excusait d'avoir interrompu la conteuse.

Mina était *maqtu'a*, vieille et pauvre, mais elle dispensait énormément de *hanan*, cette tendresse miracle. Le *hanan* est un don divin, il bouillonne comme une fontaine, éclaboussant d'affection tout l'entourage, sans se soucier si celui qui la reçoit se conduit bien ou sort du droit chemin fixé par les *hudud* d'Allah. Seuls les saints et les créatures privilégiées dispensent le *hanan*, et Mina était de celles-là. Elle ne se mettait jamais en colère, sauf si elle voyait battre un enfant. Mina dansait une fois par an, pendant le festival du Mouloud, le jour anniversaire de la naissance du Prophète, que la paix et les prières d'Allah soient sur lui. Durant le Mouloud, il y a beaucoup de fêtes rituelles dans toute la ville, depuis les très officiels *sama*, chœurs magnifiques de chants religieux d'hommes qui se donnaient sous l'auguste voûte du sanctuaire de Moulay-Driss, jusqu'aux *hadra*, plus ambiguës, qui sont des danses de possession auxquelles s'adonnent les gens modestes, dans l'intimité des maisons privées. Mina participait au rituel organisé dans la maison de Sidi Belal, le plus réputé et le plus efficace des exorcistes de djinns dans toute la province de Fès. Comme Mina, il était originaire du Soudan et avait d'abord vécu au Maroc comme esclave. Mais il avait manifesté de telles qualités pour venir à bout des djinns et surtout organiser de superbes fêtes, que ses maîtres réalisèrent qu'ils avaient là un atout commercial certain et transformèrent la *hadra* en véritable entreprise. Tout le monde ne pouvait assister aux cérémonies dans la maison de Sidi Belal. Il fallait une invitation.

Les djinns peuvent jeter leur dévolu sur les esclaves tout comme sur des hommes et des femmes libres. En principe, rien ne leur résiste. Cependant, ils semblent recruter plus facilement dans les rangs des faibles et des démunis, et les pauvres sont leurs plus fervents adeptes. « Pour les riches, expliquait Mina, la *hadra* est plutôt une distraction, alors que pour des femmes comme moi, c'est une chance unique de sortir, d'échapper à son destin, d'exister autrement, de voyager. » Pour un homme d'affaires comme Sidi Belal, bien entendu, la présence dans l'assistance de quelques femmes de haut rang était absolument vitale, et elles venaient chez lui en apportant de riches présents. Leur présence et leur générosité étaient comprises par tous comme une expression de la solidarité féminine, et leur soutien était absolument nécessaire.

Les nationalistes, comme Lalla Mani, étaient contre les cérémonies d'exorcisme, rappelant qu'elles étaient contraires à l'islam et à la *shari'a*. Comme tous les chefs de familles importantes partageaient l'opinion des nationalistes, les femmes se rendaient à la *hadra* de Sidi Belal dans le secret le plus absolu. Mina y assistait aussi en secret, car mon père et mon oncle soutenaient les nationalistes, mais toutes les femmes et les enfants de la maison étaient au courant des dates du Mouloud, et tout le monde insistait pour accompagner Mina. Il fallait toujours être accompagné d'un ami pour aller à une danse de possession, car après plusieurs heures à sauter et chanter, vous pouviez vous évanouir de fatigue. Comme Mina était très aimée, chaque occupant de la cour était prêt à être cet ami. Mais, au-delà de l'amitié, nous étions tous irrésistiblement attirés par cette cérémonie si évidemment subversive, au cours de laquelle les femmes dansaient en fermant les yeux, les cheveux flottants, comme si toute modestie et retenue avaient été abolies.

Samir et moi avons réussi à y aller presque régulièrement, en menaçant de tout révéler à mon oncle et à mon père. Le chantage vis-à-vis des femmes nous donnaient un pouvoir fou, et nous assurait ainsi le droit d'assister à pratiquement toutes les cérémonies interdites. La maison de Sidi Belal était aussi grande que la nôtre, mais elle n'avait pas nos dallages de marbre ni nos somptueuses boiseries. La *hadra* commençait en présence de centaines de femmes, toutes habillées et maquillées avec le plus grand soin, alignées en bon ordre sur des sofas disposés le long des quatre murs de la cour. Elles se tenaient par le bras, groupées autour de leur *meriaha,* celle qui ne pouvait résister au *rih,* le rythme qui la forçait à danser. Sidi Belal en personne se tenait au milieu de la cour, portant une grande robe verte flottante, un turban et des babouches safran, entouré d'un orchestre composé exclusivement d'hommes jouant du tambour, du *guenbri* (un instrument à cordes) et des cymbales. Les quatre pièces encadrant la cour étaient occupées par des femmes de familles riches, qui avaient apporté les cadeaux les plus coûteux et ne voulaient pas être vues en train de danser. Les plus pauvres étaient assises dans la cour. Sur de précieux plateaux d'argent, des verres en cristal de Bohême multicolore, des samovars de bronze pleins d'eau bouillante étaient préparés, aux quatre coins de la cour et au milieu de chaque salon. Puis on nous demandait de ne plus bouger.

La règle, valable pour toute cérémonie, religieuse ou profane, était de trouver une place et de ne plus bouger. C'est pourquoi la présence des enfants était tout juste tolérée. Comme nous étions en général une dizaine d'enfants à vouloir suivre Mina, tante Habiba avait institué une loi simple mais inflexible : chaque enfant pouvait choisir quelqu'un près de qui s'asseoir, mais si nous nous levions, commencions à courir ou à essayer de parler aux autres, enfants, après trois avertissements, nous étions mis à la porte. Je n'avais aucune difficulté à suivre cette règle, tant j'étais curieuse de ce spectacle prohibé, tandis que le pauvre Samir ne réussissait jamais à tenir jusqu'à la fin de la cérémonie. Une fois, il a même crié des insultes à Sidi Belal, avant d'être escorté jusqu'à la porte par tante Habiba. L'année suivante, elle a dû lui fabriquer un petit turban pour dissimuler ses boucles, de façon que le maître de cérémonie ne le reconnaisse pas.

D'abord, l'orchestre de Sidi Belal jouait doucement, si doucement que les femmes continuaient à bavarder entre elles comme si de rien n'était. Puis, soudain, les tambours se mettaient à battre un rythme étrange, et toutes les *meriahates* se levaient d'un bond, jetaient leurs coiffures et leurs babouches, se pliaient en deux et balançaient leurs longues chevelures en tous sens. Leurs cous se balançaient d'un côté à l'autre et semblaient s'allonger, comme pour tenter d'échapper à on ne sait quelle pression. Parfois Sidi Belal, effrayé par la violence des mouvements des danseuses et craignant qu'elles ne se fassent mal, faisait signe à l'orchestre de ralentir. Mais souvent il était trop tard, et les femmes, sans tenir compte de la musique, continuaient à leur propre rythme impétueux, comme pour indiquer que le maître de cérémonie n'avait plus le contrôle de la situation. On aurait dit que les femmes se libéraient une fois pour toutes des contraintes extérieures. Plusieurs avaient un léger sourire aux lèvres et, les yeux à demi fermés, elles donnaient parfois l'impression d'émerger d'un rêve enchanteur. À la fin de la cérémonie, elles s'écroulaient sur le sol, totalement épuisées et à moitié inconscientes. Alors, leurs amies les étreignaient, les félicitaient, leur jetaient de l'eau de rose sur le visage et leur murmuraient des secrets à l'oreille. Lentement, les danseuses se remettaient et regagnaient leurs places comme si de rien n'était.

Mina dansait lentement, avec seulement un léger

balancement de la tête, de droite à gauche, le corps bien droit. Elle réagissait aux rythmes les plus doux, et même là elle semblait danser à contretemps, comme sur une musique intérieure. Je l'admirais, pour une raison que je ne comprends toujours pas. Peut-être parce que j'ai toujours aimé les mouvements lents, et que j'imaginais (et j'imagine toujours) la vie comme une danse bien cadencée, calme et douce. Ou peut-être parce que Mina réussissait à jouer en même temps deux rôles contradictoires : danser dans un groupe, et suivre son propre rythme. Je voulais danser comme elle, avec la communauté, en suivant aussi ma propre musique, jaillissant d'une mystérieuse source intérieure, plus forte que les tambours. Plus forte, mais plus douce et plus libératrice. Un jour, j'ai demandé à Mina pourquoi elle dansait tout en douceur alors que la plupart des autres femmes faisaient des mouvements brusques et saccadés, et elle m'a répondu que beaucoup d'entre elles confondaient libération et agitation. « Certaines femmes sont mécontentes de leur vie, et leur danse même est l'expression de leur colère. » Les femmes deviennent souvent l'otage de leur propre colère. Elles ne peuvent y échapper et se libérer, ce qui est un bien triste destin. La pire des prisons est celle où l'on s'enferme soi-même. Soudain, en l'écoutant, je pris peur : « Mina, comment je peux éviter de devenir une femme triste, rongée par ma propre colère ? Comment peut-on échapper à quelque chose qui vient de l'intérieur ? Je peux faire attention à ce qui vient de l'extérieur. Mais, l'intérieur, et surtout un sentiment qui rend fou comme la colère ? Regarde Hamid, le fils de nos voisins les Chaoui. »

Hamid Chaoui passait le plus clair de la journée à hurler dans le quartier, à critiquer, à dénoncer tous les pièges que tous les habitants de la ville ne cessaient de lui tendre. On nous avait appris, tout petits, à ne jamais lui répondre et surtout à éviter de rentrer en conversation avec lui, parce que *Khrejlu'aqlu*, littéralement : son cerveau lui est sorti de la tête. Samir et moi sommes restés fascinés pendant plusieurs semaines par le cerveau de Hamid. « Comment un cerveau peut-il sortir de la tête ? Il a une tête comme les autres. Rien ne dépasse », avait insisté Samir qui exigeait des adultes une rigueur infaillible. On nous apprit finalement que le problème de Hamid était la colère : au lieu d'expliquer aux gens ce qu'il voulait, il se mettait à vociférer. Le résultat était désastreux : personne ne voulait lui parler et, comme il était extrêmement fatigué quand il arrêtait ses hurlements, il allait dormir très tôt. J'étais affolée à l'idée que la colère pouvait m'attaquer de l'intérieur. Mina éclata de rire, ce qui était rare : « Toi, tu vas être heureuse parce que tu simplifies tout. Tu parles du bonheur, de la colère, de la tristesse et du futur comme s'il s'agissait d'une question de plomberie, de déboucher un évier, ou de réparer une fuite. Je ne sais pas comment on peut évacuer sa colère sans vociférer, ce que je sais c'est que danser doucement, en écoutant un rythme agréable, peut aider à la surmonter. En tout cas la colère se cache dans les muscles, et il faut faire quelque chose avec le corps, avec les jambes, les bras et le cou. »

Selon la légende, l'orchestre d'hommes de la *hadra* était censé être entièrement composé de Noirs venant du fin fond du Sahara, de pays étrangers et lointains. Ces musiciens étaient venus d'un fabuleux empire appelé Gnawa (Ghana) s'étendant au-delà du désert du Sahara, au-delà des rivières, tout au sud, au cœur du Soudan. Quand ils étaient montés vers le nord, ils avaient apporté avec eux pour tout bagage leurs chants et leurs rythmes envoûtants. La ville qu'ils préféraient était Marrakech, la porte ouverte sur le désert. Marrakech, connue aussi sous le nom de al-Hamra, la ville aux murs rouges, n'a rien de commun avec Fès, une cité d'angoissés qui sont toujours sur leurs gardes et veulent tout planifier pour éviter les surprises. Fès est située trop près de la frontière chrétienne et de la Méditerranée, et balayée par les vents froids d'hiver. Marrakech, au contraire, est en profonde harmonie avec les parfums africains, et nous entendons toujours des histoires merveilleuses à son sujet. Rares sont les occupants de la cour qui ont déjà visité Marrakech, mais chacun sait un ou deux détails mystérieux la concernant.

Les murs de Marrakech sont rouges comme le feu, ainsi que la terre où l'on marche. À Fès, vous êtes heureux quand vous ne marchez pas dans la boue. Marrakech est chaude comme la braise, mais il y a presque toujours de la neige à proximité, scintillant sur les montagnes de l'Atlas. L'Atlas qui s'étale sur plusieurs pays ne s'épanouit qu'à Marrakech. Dans l'Antiquité Atlas était un dieu grec qui vivait tranquillement avec tous les autres dans la mer Méditerranée. C'était un Titan, se battant contre d'autres géants, et un jour il perdit une bataille importante. Alors il vint se cacher sur les côtes africaines et, s'allongeant pour dormir, il posa la tête en Tunisie et étendit les jambes jusqu'à Marrakech. Il trouva son lit si agréable qu'il ne se releva plus jamais et devint une montagne. Chaque année, la neige rend visite à Atlas pendant des mois. Il semble très heureux avec les pieds pris en piège du désert et, de sa prison royale, étincelle de toute sa neige aux yeux de ses admirateurs.

Marrakech est la ville où se rencontrent et se confondent les légendes des peuples blancs et noirs. C'est la ville où les langues s'entrelacent, où les religions fusionnent et mesurent leurs forces à l'épreuve du silence ininterrompu des sables. Marrakech est le lieu troublant où les pèlerins de toutes les religions découvrent soudain que le corps est un dieu, et que tout le reste, y compris l'âme et surtout la raison, avec ses prêtres autoritaires et ses cruels bourreaux, ne fait guère le poids lorsque les tambours résonnent. À Marrakech, disent les voyageurs, les gens dansent quand leurs langues différentes ne leur permettent plus de communiquer. J'aimais cette idée d'une ville qui se met en transe dès que les mots deviennent obstacles et empêchent la communication. C'est ce qui se passait dans la cour de Sidi Belal, me disais-je, quand les femmes, puisant une vigueur renouvelée à la source de civilisations antiques oubliées, exprimaient en dansant tous leurs désirs irrépressibles.

Les djinns, venant de lointains territoires inconnus, prenaient possession des corps et se mettaient à leur parler une langue familière. Parfois, on remarquait un musicien blanc dans l'orchestre de Sidi Belal. Alors, les bonnes dames qui avaient financé la cérémonie se plaignaient. « Comment peut-on jouer de la musique gnawa, et chanter d'authentiques chants gnawas, si l'on est blanc comme un cachet d'aspirine ? » hurlaient-elles, furieuses de voir une telle bévue. Sidi Belal tentait de leur expliquer que parfois, même si on est blanc, on peut s'imprégner de la culture gnawa et apprendre sa musique et ses chants. Mais ces dames étaient implacables : l'orchestre devait être entièrement noir. Et ces Noirs avaient intérêt à parler arabe avec un accent, sinon comment savoir si ce n'étaient pas de vulgaires Marocains un peu plus bruns que les autres, et qui avaient appris à jouer du tambour. Après des siècles de commerce et d'échanges à travers le désert, on trouvait des Fassis aussi noirs que des Sénégalais, mais quand ils ouvraient la bouche, on était fixé : leur *r* mou ne laissait aucun doute, et tout le charme que leur statut d'étranger aurait pu leur prêter se volatilisait. Les Noirs marocains ne pouvaient convenir de toute façon, car même s'ils pouvaient tromper les femmes, ils n'auraient pu tromper les djinns. Et l'objectif de la cérémonie aurait été totalement raté, puisqu'il s'agissait de communiquer avec les djinns dans leur langue mystérieuse. La danse n'était-elle pas un bond dans un monde inconnu ? En tout cas, les femmes préféraient un authentique orchestre gnawa, parce qu'elles n'aimaient pas l'idée que de vulgaires compatriote de la Médina les reluquent pendant qu'elles se plongeaient dans leurs danses. Elles préféraient se donner en spectacle devant des étrangers, qui ne connaissaient rien aux lois et aux codes de la ville. C'était donc heureux pour tout le monde que les musiciens de l'orchestre de Sidi Belal n'ouvrent pas la bouche quand ils cessaient de jouer.

En dehors de la cérémonie annuelle chez Sidi Belal, la vie de Mina se déroulait la plupart du temps sans rien de notable. Elle partageait une toute petite chambre du dernier étage avec trois autres vieilles esclaves, Dada Sa'ada, Dada Rahma et Aishata. Elles vivaient toutes dans la maison bien avant l'arrivée de la mère de Samir et de la mienne. Pas plus que Mina, elles n'avaient de relation précise avec la famille, mais elles s'étaient retrouvées là quand l'abolition de l'esclavage avait été instaurée par les Français. « Ce n'est que quand les Français ont donné la possibilité aux esclaves d'avoir accès aux tribunaux pour recouvrer leur liberté, disait Mina, et quand les marchands d'esclaves ont été punis d'emprisonnement ou d'amendes, que l'esclavage a finalement cessé. Ce n'est que quand la justice s'en mêle que la violence s'arrête[1]. » Une fois libérées, cependant, bien des esclaves comme Mina étaient trop faibles pour se battre, trop timides pour séduire ou pour protester, et trop pauvres pour retourner dans leur pays d'origine. Ou alors, elles étaient trop incertaines de l'accueil qu'elles y recevraient. Tout ce qu'elles désiraient, en fait, c'était une pièce tranquille où s'étendre pour laisser passer les années. Un lieu où elles pourraient oublier la succession absurde des nuits et des jours, en rêvant d'un monde meilleur où les femmes seraient à l'abri de la violence.

Mais tandis que Dada Sa'ada, Dada Rahma, Aishata et la plupart des femmes de la famille qui vivaient au dernier étage ne sortaient jamais de leurs chambres, Mina n'était jamais aussi heureuse que sur la terrasse. Comme elle ne parlait pratiquement jamais, sauf avec nous, les enfants, ni ne divulguait aucun secret, sa présence ne gênait personne. Ni les jeunes gens qui s'y glissaient en cachette pour tenter d'apercevoir les jeunes filles d'à côté, ni les femmes qui y montaient pour brûler des cierges magiques ou, pis, fumer avec délices les rares et luxueuses cigarettes américaines dérobées dans les poches de Zin ou Jawad. Ni les enfants jouant à cache-cache dans les jarres à olives.

Je prenais un plaisir secret tout particulier à me dissimuler dans ces jarres, avec une fascination morbide qui surprenait tout le monde, et qui finit par me valoir la réunion d'un conseil de famille au plus haut niveau. Je me gardai bien d'avouer quoi que ce soit, pourtant, quand Lalla Mani, dans son rôle de présidente, me demanda pourquoi j'éprouvais le besoin malsain de me fourrer dans ces énormes récipients vides. Je ne soufflai mot du kidnapping de Mina car, sinon, elle aurait eu des ennuis. Mina s'entendait à merveille avec tous les enfants, à tel point que les mères allaient demander son aide quand elles avaient des difficultés de communication avec leur rejeton. Je l'aimais beaucoup et ne voulais pas lui attirer d'ennuis, surtout qu'elle avait déjà beaucoup souffert étant petite.

Elle avait été kidnappée un jour qu'elle s'était éloignée un peu plus que d'habitude de la maison de ses parents. Une grosse main l'avait saisie, et elle s'était retrouvée sur la route, avec d'autres enfants, sous la menace du couteau brandi par des hommes féroces. Mina se rappelait malheureusement trop bien comment les choses s'étaient passées. Les kidnappeurs l'avaient gardée, elle et les autres enfants, cachés pendant le jour, les faisant voyager de nuit après le coucher du soleil. Après avoir traversé la forêt familière qu'elle aimait tant, ils avaient continué loin vers le nord. Bientôt la végétation avait disparu, faisant place aux dunes et aux sables blancs. « Si vous n'avez jamais vu le désert du Sahara, disait Mina, vous ne pouvez pas l'imaginer. C'est à ce moment-là que vous voyez à quel point Allah est puissant — il est clair qu'il n'a pas besoin de nous ! Une vie humaine est négligeable dans le désert. Seules existent les dunes et les étoiles. La souffrance d'une petite fille n'a plus aucune importance. Mais c'est en traversant le désert que j'ai compris qu'il y avait en moi une autre petite fille. Forte, et décidée à survivre. Je suis devenue une Mina différente. J'ai compris que le monde entier étaient contre moi, et que je ne pouvais rien attendre de bon que de moi-même. » Ses kidnappeurs noirs, qui parlaient sa langue maternelle, furent ensuite remplacés par d'autres hommes à la peau plus claire, qui parlaient une langue qu'elle ne comprenait pas[2]. « Avant, je croyais que le monde entier parlait notre dialecte », disait Mina.

Le groupe voyageait en silence, la nuit, et était pris en charge à des endroits bien précis, apparemment convenus, par des amis des ravisseurs, qui leur donnaient à manger et les cachaient jusqu'à la tombée du jour. Ils se mettaient en marche quand les sables disparaissaient dans l'obscurité, et croisaient rarement âme qui vive. il fallait éviter à tout prix les postes français, disséminés ici et là, car le commerce des esclaves était déjà officiellement illégal. Un jour, ils traversèrent une rivière, et Mina, pour une raison inexpliquée, crut voir apparaître à l'horizon sa forêt bien-aimée. Elle demanda à une autre petite fille de son village, enlevée avec elle, si elle voyait aussi la forêt. Elle fit oui de la tête. Elles crurent toutes deux que leurs ravisseurs s'étaient égarés par magie et revenaient vers leur village. Ou alors que c'était leur village qui venait à elles. Peu importe. Et cette nuit-là les deux petites filles tentèrent de s'enfuir. Mais elles furent rattrapées quelques heures plus tard. « Il faut faire attention dans la vie, disait Mina, à ne pas prendre ses désirs pour la réalité. C'est ce que nous avions fait, et nous l'avons payé cher. » Quand Mina en arrivait à ce point de l'histoire, sa voix tremblait, et tout le monde autour d'elle exprimait de la détresse, certains commençaient à pleurer, surtout quand elle entrait dans les détails. « Ils ont détaché le seau de sa corde et m'ont dit que si je tenais à ma peau, je devais m'accrocher au bout de cette corde et me concentrer en silence, pendant qu'ils me descendaient dans l'affreux puits noir. L'horreur, c'est que je ne pouvais même pas trembler, parce que sinon la corde m'aurait glissé des doigts. Je serais morte. » Là, Mina s'arrêtait et sanglotait doucement. Puis elle séchait ses larmes, et poursuivait pendant que les auditeurs pleuraient discrètement : « Je pleure maintenant à cause de la colère que j'ai encore en moi à l'idée qu'ils ne m'ont même pas laissé une chance d'avoir peur. Je savais que j'allais bientôt arriver à la partie la plus profonde et la plus sombre de puits, où il y avait l'eau, mais je devais supprimer ma terreur. Il le fallait absolument. Sinon, je lâchais prise. Alors je continuais à penser à la corde, et à mes doigts. Il y avait à côté de moi une autre petite fille, une autre Mina, qui mourait de peur au moment où son corps allait plonger dans l'eau glacée pleine de serpents et de bestioles visqueuses, mais je devais à tout prix me dissocier d'elle et me concentrer sur la corde. Quand ils m'ont hissée hors du puits, j'ai été aveugle pendant plusieurs jours, non pas parce que mes yeux ne voyaient plus, mais parce que je n'avais plus envie de voir le monde qui m'entourait. »

Les récits d'enlèvement par des marchands d'esclaves étaient courants dans les *Mille et Une Nuits*, où beaucoup d'héroïnes commençaient leur vie comme princesses avant d'être kidnappées et vendues comme esclaves quand la caravane royale, en route vers La Mecque pour un pèlerinage, était attaquée par des brigands[3]. Aucun de ces contes n'avait autant d'effet sur moi, cependant, que le récit de Mina de sa descente dans le puits. J'ai eu des cauchemars la première fois que je l'ai entendu, mais je n'ai jamais dit à ma mère ce qui m'avait effrayée quand elle est venue m'embrasser pour me rassurer et m'emmener avec elle dans son lit. Mon père et ma mère me tenaient serrée contre eux, m'embrassaient, et cherchaient à comprendre pourquoi je n'arrivais pas à dormir. Mais je ne leur ai jamais parlé de puits, de peur qu'ils ne m'empêchent d'écouter l'histoire de Mina. Et j'avais besoin de l'entendre, encore et encore, pour être capable, moi aussi, de traverser le désert et d'arriver sur la terrasse. Il me fallait absolument entendre Mina, parce que je devais connaître tous les détails. J'avais besoin d'en savoir plus — et, surtout, de savoir comment sortir du puits. Tout le monde dans la maison n'était pas d'accord sur ce que l'on pouvait dire devant les enfants. Beaucoup de membres de la famille, comme Lalla Mani, pensaient qu'il était désastreux pour les enfants d'entendre des récits de violence. D'autres disaient au contraire qu'il valait mieux les entendre le plus tôt possible, qu'il était essentiel d'enseigner à un enfant comment se protéger, comment s'enfuir, comment éviter d'être paralysé par la peur.

Mina était de cet avis. « La descente dans ce puits m'a montré que lorsque vous avez une épreuve à affronter, il faut faire appel à toute votre énergie pour réagir. Alors, le fond, le trou noir, se transforme en un tremplin duquel vous pouvez sauter jusqu'aux nuages. Vous voyez ce que veux dire ? » Oui, Mina, je vois ce que tu veux dire. Je le vois si bien. Il me suffit d'apprendre à sauter assez haut pour atteindre les nuages. Je vais apprendre comment faire en me glissant dans les grosses jarres à olives. Je vais m'entraîner pour être prête à faire face aux terreurs futures. Je vais apprendre à briller comme toi, en dépit de tout, le dos appuyé contre le mur de l'ouest, face à La Mecque, débordante de *hanan*. Je lui ai dit un jour : « Je suis sûre que La Mecque est au courant de l'histoire du puits et des ravisseurs, hein, Mina ? Allah doit avoir puni tous ceux qui t'ont fait du mal. C'est sûr, et je n'aurai plus jamais besoin d'avoir peur, dis, Mina ? » Mina était très optimiste. Elle m'a dit non, il n'y avait plus aucune raison d'avoir peur. « La vie se présente bien pour les femmes, à présent. Regarde, les nationalistes réclament pour elles l'instruction et la fin de leur réclusion. Car, tu comprends, le problème des femmes aujourd'hui est qu'elles sont complètement impuissantes. Et l'impuissance vient de l'ignorance et du manque d'instruction. Tu seras forte, toi, j'en suis sûre. Cela me ferait tellement de peine si tu ne l'étais pas. Tu n'as qu'à te concentrer sur le cercle de ciel qui est au-dessus du puits. Il y a toujours un petit morceau de ciel sur lequel tu peux fixer le regard. Alors, ne baisse jamais les yeux. Regarde toujours haut, très haut, et vas-y ! Tu as des ailes ! »

Après avoir persuadé Mina de me raconter maintes et maintes fois comment elle avait réussi à sortir du puits, après m'être glissée régulièrement dans la grande jarre à olives, je finis par oublier ma peur, et mes cauchemars cessèrent. J'avais découvert que j'avais un pouvoir magique. Il me suffisait de fixer le regard sur le ciel, le plus haut possible, et tout irait bien. Malgré leur taille, les petites filles peuvent surprendre les monstres. En fait, ce qui me fascinait dans l'histoire de Mina, c'est la surprise qu'elle avait infligée à ses ravisseurs : ils s'attendaient à ce qu'elle hurle, et elle n'avait rien dit. Je trouvais cela très habile. J'ai dit à Mina que je saurais affronter un monstre moi aussi, si ça m'arrivait. Oui, m'a-t-elle dit, mais il faut d'abord très bien le connaître. Elle avait observé ses ravisseurs pendant des journées entières, car leur voyage avait duré des semaines. Mina disait qu'on a toujours le choix, quand on est pris au piège : on peut hurler et regarder vers le bas, ce qui fait plaisir au monstre, ou le surprendre en regardant vers le haut. Si on veut lui faire plaisir, on regarde en bas, on pense à tous les serpents et à toutes les créatures visqueuses qui grouillent dans l'eau, prêtes à vous saisir. Au contraire, si on veut vaincre le monstre, on fixe les yeux très haut, sur la petite goutte de ciel, et on se garde de laisser échapper un son. Alors, le tortionnaire qui vous regarde de là-haut voit vos yeux et prend peur. « Il croit que vous êtes un djinn, ou deux petites étoiles qui scintillent dans le noir. » Je n'oublierai jamais Mina, petite créature terrorisée, perdue dans les sables aux mains d'étrangers hostiles, se transformant en deux étoiles scintillantes. C'est une vision qui m'a hantée et me hante encore aujourd'hui. Chaque fois que je trouve le silence et le recueillement nécessaires pour me représenter cette image, je sens l'énergie et l'espoir renaître en moi. Mais il m'a fallu d'abord m'entraîner à sortir du puits, et, pendant un temps, mon jeu favori a été de sauter dans le ventre noir d'une grande jarre à olives vide. Je ne pouvais le faire, néanmoins, que quand une grande personne était dans les parages, parce que Samir trouvait que c'était un jeu trop dangereux. J'étais si contente quand Mina m'aidait à sortir du puits que je faisais de ce jeu une véritable obsession.

Avec les autres enfants, nous utilisions les jarres pour jouer à cache-cache, en nous dissimulant derrière ou, quand nous voulions jouer à avoir peur, en nous glissant à l'intérieur. Mais vous couriez le risque de rester coincé. Il fallait donc qu'une grande personne vous aide à sortir. Mina, qui vivait pratiquement sur la terrasse, tournant le dos au mur ouest, nous regardait jouer sans rien dire, attendant la catastrophe. Puis, quand elle nous entendait crier au secours, elle se levait et venait jeter un coup d'œil au fond de la jarre. « Tu ne peux donc pas attendre que la peur vienne toute seule ? disait-elle. Il faut que tu lui coures après ! Calme-toi, à présent. Je vais te sortir de là. » Alors on n'avait plus qu'à se détendre en essayant de respirer normalement, les yeux fixés sur le petit cercle de lumière bleue, tout là-haut. Bientôt, on entendait un bruit de pas sur la terrasse, et la voix de Mina qui chuchotait ses instructions à Dada Sa'ada, Dada Rahma et Aishata. Ensuite, il y avait comme un minuscule tremblement de terre, la jarre s'inclinait à l'horizontale, et il ne restait plus qu'à sortir à quatre pattes. Chaque fois que Mina venait à mon secours, je lui sautais au cou avec enthousiasme pour l'embrasser. « Ne me serre pas si fort, disait-elle. Tu vas déplacer ma *roumiya* (coiffe). Et qu'est-ce qui se serait passé si j'avais été dans la salle de bains, ou plongée dans mes prières ? Hein ? » Alors, je lovais ma tête dans son cou en jurant de ne plus jamais me cacher dans une jarre à olives. Quand elle était bien attendrie et me laissait jouer avec les extrémités de sa *roumiya,* je me hasardais à lui demander une faveur. « Mina, est-ce que je peux m'asseoir sur tes genoux et entendre comment tu es sortie du puits ?

— Mais je t'ai déjà raconté ça des centaines de fois ! Qu'est-ce qui te prend ? Tu sais déjà l'essentiel : une petite fille, aussi petite soit-elle, a assez d'énergie pour défier ses tortionnaires, pour être patiente et courageuse, et ne pas perdre de temps à trembler et à pleurer ? Je t'ai dit que le kidnappeur s'attendait à me voir pleurer et hurler. Mais quand il n'a rien entendu, et qu'il a vu deux étoiles scintillantes qui le regardaient, il m'a immédiatement remontée. Mais tu sais déjà tout ça ! » Je lui jurais que c'était la dernière fois que je lui demandais de me raconter l'histoire, et que je ne reviendrais jamais jouer dans les jarres.

Jusqu'à la prochaine fois.

18

CIGARETTES AMÉRICAINES

Jouer à cache-cache dans les jarres à olives n'était pas la seule activité illicite sur la terrasse. Les grandes personnes commettaient des forfaits bien plus graves, comme mâcher du chewing-gum, mettre du vernis à ongles ou fumer des cigarettes. Ces délits étaient d'ailleurs relativement rares, compte tenu de la difficulté à se procurer les produits étrangers en question. Il y avait des délits plus courants : faire brûler des bougies magiques dans le but d'accroître votre *qbul*, pouvoir de séduction, se coiffer avec une frange pour ressembler à l'actrice française Claudette Colbert, ou bien comploter des escapades pour aller assister aux meetings nationalistes organisés à Dar Mekouar tout à côté, ou carrément à la mosquée Qaraouiyine. Étant donné que nous, les enfants, aurions pu attirer des tas d'ennuis à tous les contrevenants si nous avions raconté ce que nous savions à mon père, mon oncle ou Lalla Mani, on nous traitait avec une indulgence exceptionnelle sur la terrasse. Dès qu'une grande personne se permettait de nous contrarier, nous menacions immédiatement d'informer les autorités. Et, effectivement, les autorités comptaient sur nous quand elles soupçonnaient quelque chose de louche, suivant le principe que « la vérité sort de la bouche des enfants ». Nous avions droit par conséquent à un traitement de faveur de la part des adultes qui, n'ayant pas la conscience tranquille, nous fournissaient abondamment en biscuits, bonbons et surtout en *sfinges* (beignets), sans oublier de nous servir le thé avant tous les autres. Mina observait tout cela en silence, redoublant de prières pour le repos des âmes de toute la famille. Elle était surtout choquée quand les jeunes gens montaient sur la terrasse pour regarder les filles de la famille Bennis. C'était là, d'après elle, un vrai péché, une violation dangereuse des *hudud*. D'accord, les jeunes gens de chaque famille restaient sur leurs terrasses respectives, mais ils chantaient souvent des chansons d'amour de Abdelwahab, Farid al-Atrach et Asmahan, assez fort pour être entendus des voisins. Chama dansait aussi, de même que les filles Bennis, créant ainsi de fugitifs instants de bonheur où s'épanouissaient les amours adolescentes, colorées des lueurs romantiques et pourpres des couchers de soleil. Le pire de tout, pour Mina, c'est que les garçons et les filles ne se contentaient pas de se regarder d'une terrasse à l'autre : ils échangeaient des œillades amoureuses.

Une œillade amoureuse, c'est quand vous regardez un homme en fermant à moitié les yeux, comme si vous étiez sur le point de vous endormir. Chama était particulièrement experte en la matière, et recevait déjà de nombreuses propositions de mariage de fils de familles nationalistes, pleins d'avenir, qui l'avaient remarquée quand elle chantait *Maghribuna watanuna* (Notre Maroc, notre pays), au cours de manifestations de rue ou pour la fête à la mosquée Qaraouiyine, quand les prisonniers politiques avaient été libérés par les Français. À ma demande, Malika consentit à m'apprendre la technique des œillades amoureuses, moyennant un bon pourcentage de mes biscuits, bonbons et *sfinges*. Elle commençait en effet à attirer l'attention de beaucoup de garçons de l'école coranique, et j'étais impatiente de connaître son secret. Elle a fini par me dire mystérieusement, en réponse à mes questions insistantes, qu'elle pratiquait un mélange d'œillade amoureuse et de récitation mentale d'une formule *qbul,* tirée d'un livre de *hikma*[1], répertoire de recettes magiques du Moyen Âge censées vous permettre de séduire définitivement le cœur de l'homme de votre vie. Tout cela m'intéressait au plus haut point, et j'ai tenté de faire partager mon enthousiasme à Samir en « empruntant » un des livres de Chama, mais il se plaignit bientôt que je passais tant de temps à toutes ces histoires de beauté et de séduction que je négligeais tous nos autres jeux. Je me suis donc rendu compte que Malika représentait ma seule chance d'obtenir les informations indispensables.

Sur la terrasse, les grandes personnes nous traitaient, Samir et moi, comme si nous ignorions tout de l'amour et des bébés. Ils pensaient sans doute que nous ne savions pas à quel point la beauté physique est importante pour s'attirer l'amour du sexe opposé. Malika m'a dit plusieurs fois que l'amour était loin d'être une affaire simple, et je l'écoutais attentivement me faire part de toutes les difficultés éventuelles, en me demandant si elle ne cherchait pas tout bonnement à m'impressionner pour faire monter les enchères de notre marché. Elle prétendait que le plus difficile n'était pas que quelqu'un tombe amoureux de vous, mais de garder ensuite cet amour intact. Car, apparemment, l'amour a des ailes, il vient et s'en va. J'ai donc décidé que, pour le moment, je simplifierais la question en me concentrant sur la séduction initiale. Il serait toujours temps par la suite de s'occuper du problème de la durée.

Une femme avait deux choses à faire pour séduire un homme. La première relevait de la magie : il fallait brûler une bougie pendant la pleine lune et chanter une incantation que toutes les filles connaissaient. La seconde était un processus compliqué qui prenait un temps fou : elle devait se faire belle. Il lui fallait prendre soin de ses cheveux, de sa peau, de ses mains, de ses jambes et... Ah ! Je suis sûre que j'ai oublié quelque chose. De toute façon, tante Habiba m'a dit que rien ne pressait, j'aurais bien le temps d'apprendre toutes les techniques de beauté. Je savais déjà ce que je devais faire pour avoir de beaux cheveux, car ma mère avait décrété que les miens étaient affreux. Ils étaient frisés et rebelles, et j'en avais une masse que l'on considérait comme trop importante pour une jolie petite fille. Si bien que, une fois par semaine, ma mère faisait infuser dans une demi-tasse d'huile d'olive bouillante deux ou trois feuilles de tabac frais, obtenues à prix d'or dans les montagnes du Rif où il y en avait des champs immenses. (Au cas où vous n'aviez pas de feuilles fraîches, le tabac séché à priser pouvait éventuellement faire l'affaire.) Après infusion, elle séparait patiemment mes cheveux en une multitude de mèches qu'elle imbibait au fur et à mesure. Puis elle les tressait et les attachait sur le sommet de ma tête, de façon à ne pas salir mes vêtements. J'étais obligée de faire attention à ne pas approcher quelqu'un de trop près avant l'heure du hammam. À ce moment-là, ma mère diluait du henné dans de l'eau chaude et m'en frictionnait la tête, avant de tout rincer. Ma mère disait que l'on ne peut rien attendre de bien de la part d'une femme qui ne fait pas l'effort de prendre soin de ses cheveux. Je voulais que l'on attende beaucoup de bien de moi. Le rinçage était l'étape que je préférais, car aller au hammam était pour moi pénétrer dans une bulle de brume tiède. J'empruntais à ma mère sa précieuse *tassa* (bol en métal argenté) turque, je m'asseyais sur son tabouret syrien en bois incrusté de nacre qu'elle-même empruntait à Lalla Mani pour impressionner la galerie, et je me lavais les cheveux en imitant ses gestes. Je me croise les jambes et essaie de me verser de l'eau sur la tête comme le font les femmes sophistiquées, mais les choses tournent mal assez vite. Mes voisines immédiates se mettent à crier : *Bent men had la'jouba* (Ce monstre est la fille de qui ?) et se plaignent que j'éclabousse tout le monde de henné, et qu'elles en ont plein les yeux. Je quitte alors ma place, le regard hautain, assurée que je suis aussi belle que la princesse Budur.

C'était un tel plaisir d'aller au hammam de notre quartier, avec ses dalles de marbre blanc et son plafond de verre, que j'ai décidé un jour, en m'éclaboussant à plaisir, de trouver le moyen d'en avoir toujours un à proximité, ainsi qu'une terrasse, quand je serais grande. Le hammam et la terrasse représentaient les deux aspects les plus agréables de la vie du harem, disait ma mère. C'étaient les seules choses qu'il fallait garder. Elle voulait que j'étudie pour obtenir des diplômes et devenir quelqu'un d'important, mais aussi avoir une maison à moi, avec un hammam au premier étage et une terrasse au deuxième. Quand je lui ai demandé où je vivrais et dormirais, elle m'a dit : « Mais sur la terrasse, ma chérie ! Tu auras un plafond de verre amovible, que tu pourras déployer pour dormir ou quand il fera froid. Au train où vont les chrétiens avec leurs nouvelles inventions, quand tu seras grande, ils auront sûrement trouvé le moyen de construire des maisons avec des toitures amovibles ! » Du harem, tout semblait possible. On allait abattre les murs, et construire des maisons avec des toits en verre. La vie offrait des variantes infinies, les rêves les plus fous prenaient corps et nous en étions les dépositaires inquiets et ravis, nous les enfants, qui verrions ce nouveau monde sans frontières.

Pour l'instant, de ce côté-ci du harem, nous rêvions d'objets plus prosaïques, très attirés par le goût absolument délicieux du chewing-gum. Nous n'avions d'ailleurs pas souvent l'occasion d'y goûter, car les grandes personnes le gardaient pour elles. Notre seule chance était d'être impliqués dans une opération illicite, quand Chama avait besoin de nous par exemple pour aller chercher une lettre de son amie Wassila Bennis. Nous savions pertinemment, Samir et moi, que ces lettres étaient en réalité écrites par Chadli, le frère de Wassila. Chadli était amoureux de Chama, mais nous étions censés l'ignorer. De toute façon, mon père et mon oncle n'aimaient pas beaucoup les allées et venues entre les deux maisons, d'une part parce que les Bennis avaient plusieurs fils, et d'autre part parce que Mme Bennis était tunisienne, d'origine turque, et par conséquent extrêmement dangereuse.

Elle mettait en pratique les idées révolutionnaires de Kemal Atatürk[2] et se promenait en voiture, tête nue, dans l'Oldsmobile noire de son mari. Elle avait les cheveux teints en blond platine et coupés à la Greta Garbo. Tout le monde disait qu'elle n'était pas vraiment de chez nous, de la Médina. Pourtant, quand elle sortait dans la vieille ville, elle s'habillait selon la tradition, avec une djellaba et un voile. On pouvait dire, en fait, que Mme Bennis menait deux vies différentes : l'une dans la Ville Nouvelle, le quartier européen, où elle se baladait sans voile, et l'autre dans la Médina traditionnelle. C'est cette idée de double vie qui excitait la curiosité de tout le monde, et faisait de Mme Bennis une célébrité. Il paraissait bien plus intéressant de vivre dans deux mondes que dans un seul. Comment ne pas être séduit par l'idée de passer d'une culture à l'autre, d'une personnalité, d'un code, d'une langue à l'autre ? Ma mère voulait que je devienne comme la princesse Aisha, la fille de notre roi Mohammed V, qui faisait des discours aussi bien en arabe qu'en français et portait des caftans longs ou des robes courtes à la française. En fait, pour les enfants que nous étions, l'idée de voyager entre deux civilisations, deux langues, était aussi fascinante que d'ouvrir des portes secrètes. Pour les femmes aussi. Les hommes, eux, n'étaient pas du même avis ! Ils trouvaient ça dangereux. Mon père, en particulier, n'aimait pas Mme Bennis. Il disait qu'elle passait trop facilement d'une culture à l'autre, sans aucun respect pour les *hudud*. « Et quel mal y a-t-il à ça ? » demandait Chama. Mon père répondait que les frontières protégeaient l'identité culturelle, et que si les femmes arabes commençaient à imiter les Françaises, se mettaient à porter des vêtements indécents, fumer des cigarettes et se promener tête nue, il n'y aurait plus qu'une seule culture. La nôtre mourrait. « Si c'est vrai, argumentait Chama, alors comment se fait-il que mes cousins se promènent en ville comme autant d'imitations de Rudolph Valentino, les cheveux coupés comme les soldats français, et personne ne leur rappelle que notre culture est sur le point de disparaître ? » Mon père ne répondait pas à cette question.

Mon père, qui était très pragmatique, était persuadé que la menace la plus dangereuse nous venait non pas des soldats français, mais de leurs réclames mielleuses qui nous vantaient des produits apparemment inoffensifs. Il organisa donc une véritable croisade contre les chewing-gums et les cigarettes Kool. Selon lui, fumer une seule de ces minces cigarettes blanches effaçait des siècles de civilisation arabe. « Les chrétiens veulent transformer nos respectables maisons musulmanes en places du marché, disait-il. Ils veulent nous faire acheter leurs produits nocifs et inutiles, pour nous transformer en une nation de ruminants. Au lieu de prier Allah, les gens se collent des saletés dans la bouche du matin au soir. Ils retombent en enfance, comme des bébés qui ont constamment besoin d'avoir la bouche pleine. » Mon père insistait tant sur le danger que représentaient les cigarettes — pires que les balles des fusils espagnols ou français, disait-il — que j'étais très mal à l'aise de ne pas l'informer de ce qui se passait sur la terrasse. Je ne voulais pas trahir sa confiance. Il m'adorait, exigeait que je sois honnête. En fait, il n'y avait pas souvent de cigarettes dans la maison, car il était très difficile de s'en procurer. Ni les femmes ni les jeunes gens n'avaient beaucoup d'argent, ce qui réduisait leurs emplettes. Tous les achats de la maison étaient contrôlés par les hommes. Nous nous contentions de consommer, sans avoir aucun pouvoir de choisir, de décider ou d'acheter quoi que ce soit. Si bien que tout achat, ne serait-ce que de cigarettes, révélait un emploi illégal d'argent. C'est pour cette raison que mon père essayait de traquer les responsables de toute contrebande. Comme l'argent était rare, il était inhabituel de posséder un paquet entier de cigarettes. La plupart du temps, les grandes personnes n'en avaient qu'une ou deux, se les partageant à cinq ou six. Ce n'était pas vraiment la quantité qui comptait, mais surtout le rituel.

D'abord, on mettait la cigarette dans un fume-cigarette, le plus long possible. Puis, le fume-cigarette entre deux doigts, on tirait une bouffée en fermant les yeux. Quand on les rouvrait, on regardait la cigarette comme une apparition magique. Ensuite, on la faisait passer à la personne assise à côté, qui la faisait passer à la suivante, jusqu'à ce que tous les membres du cercle aient tiré une bouffée. Oh ! J'allais oublier le silence. L'opération devait se dérouler dans le silence le plus complet, comme si le plaisir rendait muet. Parfois, Samir, Malika et moi nous amusions à imiter les grandes personnes en remplaçant la cigarette par un bâtonnet. Mais même si nous arrivions à copier tous les gestes, nous ne parvenions jamais à imiter leur silence. C'était la partie la plus difficile du rituel, selon nous.

Le chewing-gum et les cigarettes nous étaient arrivés par l'intermédiaire des Américains qui avaient accosté à Casablanca en novembre 1942. Des années après leur départ, on parlait encore des Américains, parce que tout ce qui les concernait était pour nous un mystère total. Ils étaient arrivés d'on ne savait où, sans que personne les attende, et avaient surpris tout le monde pendant leur séjour. Qui étaient ces soldats bizarres ? Pourquoi étaient-ils là ? Ni Samir, ni moi, ni même Malika n'avions de réponse à cette énigme. La seule chose dont nous étions sûrs, c'est que les Américains étaient des chrétiens, mais bien différents de ceux qui venaient régulièrement du nord pour nous flanquer des raclées. Les Américains n'habitaient pas dans le nord, mais sur une île lointaine, à l'ouest, qu'on appelle l'Amérique. C'est pour ça qu'ils étaient venus en bateau. Les avis étaient partagés pour expliquer comment ils étaient arrivés sur leur île, au début. Samir disait qu'un jour ils étaient dans un bateau sur la côte espagnole et que le courant les avait entraînés de l'autre côté. Malika prétendait qu'ils étaient allés là-bas pour chercher de l'or, et qu'ils s'étaient perdus, et qu'alors ils avaient décidé de s'y installer. De toute façon, les Américains ne pouvaient pas se déplacer à pied comme tout le monde, ils étaient obligés de prendre l'avion ou le bateau chaque fois qu'ils s'ennuyaient ou qu'ils voulaient rendre visite à leurs cousins chrétiens, espagnols ou français. Ce devait être des cousins assez éloignés en tout cas, car les Français et les Espagnols étaient plutôt petits et avaient des moustaches, alors que les Américains étaient très grands, avec des yeux bleus extraordinaires. Comme l'a décrit Hussein Slaoui, le chanteur populaire de Casablanca, ils ont effrayé une bonne partie de la population de la ville quand ils ont débarqué, à cause de leurs uniformes de combat dont la carrure était deux fois plus large que celle des Français, et du fait qu'ils se sont mis immédiatement à courir après les femmes. Hussein Slaoui a appelé sa chanson *al-'Ain az-zarga jana b-kul khir* (Les gars aux yeux bleus nous ont apporté toutes sortes de cadeaux), mais tante Habiba nous a expliqué que c'était de l'ironie, parce que les hommes de Casablanca ont été vraiment perturbés par leur arrivée. Non seulement les Américains couraient après les femmes dès qu'ils les voyaient sortir, mais ils leur donnaient tout un tas de cadeaux empoisonnés, chewing-gum, sacs à main, foulards, cigarettes et rouges à lèvres.

Tout le monde disait que les Américains étaient venus au Maroc pour combattre les ennemis, mais ni Samir ni moi ne savions qui étaient ces ennemis. Certains disaient que c'étaient les Allemands, ces guerriers qui en voulaient aux Français parce qu'ils n'aimaient pas leur couleur de cheveux. Apparemment, les Français auraient appelé les Américains à la rescousse pour les aider à gagner la guerre contre les Allemands. Le problème, c'est qu'il n'y avait pas au Maroc le moindre Allemand ! Samir, qui voyageait souvent avec mon oncle et mon père, jurait qu'il n'en avait pas rencontré un seul dans le royaume tout entier. Quoi qu'il en soit, tout le monde était content que les Américains ne soient pas venus nous faire la guerre, à nous. Il y en avait même qui disaient que les Américains étaient très gentils, qu'ils passaient leur temps à faire du sport, à nager, à manger du chewing-gum et à crier : « OK ! » à tout le monde. OK était leur façon de saluer, l'équivalent de notre *Salam alikum* (Que la paix soit avec vous). En réalité, les deux lettres étaient sans doute les initiales de mots plus longs, mais les Américains avaient l'habitude de raccourcir toutes leurs phrases pour perdre le moins de temps possible avant de se remettre à mâcher leur chewing-gum. C'est comme si nous nous étions salués en nous lançant un rapide SA, à la place de *Salam alikum*.

Il y avait autre chose d'étonnant chez les Américains : ils avaient des Noirs avec eux. Il y avait des Américains aux yeux bleus, et des Américains noirs. Surprenant, non ? L'Amérique était pourtant loin du Soudan, qui était le cœur de l'Afrique, seul endroit où on trouvait des Noirs. Mina était formelle là-dessus, et tout le monde était d'accord avec elle. Allah avait donné aux Noirs un seul et unique grand pays, avec d'épaisses forêts, d'immenses rivières et des lacs magnifiques, juste au sud du désert. Alors, d'où venaient ces Américains noirs ? Est-ce que les Américains avaient des esclaves, comme les Arabes dans le passé ? Quand nous avons posé la question à mon père, il nous répondu que oui, les Américains avaient effectivement eu des esclaves. Ces Noirs étaient donc certainement des cousins de Mina. Leurs ancêtres avaient été capturés il y a très longtemps, et emmenés sur des bateaux jusqu'en Amérique pour y travailler dans de grandes plantations. À présent, les choses avaient quand même changé, nous a dit mon père. Les Américains utilisaient des machines et l'esclavage était définitivement aboli. Malgré tout, nous ne comprenions pas pourquoi, contrairement aux Arabes, les Américains noirs et blancs ne s'étaient pas mélangés pour donner des hommes à la peau marron, ce qui se passe habituellement quand des populations noires et blanches vivent ensemble. « Pourquoi est-ce que les Américains blancs sont encore si blancs, a demandé Mina, et les noirs si noirs ? Est-ce qu'ils ne se marient pas entre eux ? » Quand finalement le cousin Zin réussit à obtenir l'information nécessaire, il apparut qu'en effet les

Américains ne se mariaient pas entre eux. Au contraire, ils séparaient les deux populations. Leurs villes étaient divisées en deux médinas, l'une pour les Noirs et l'autre pour les Blancs, comme nous le faisons à Fès pour les musulmans et les juifs.

Nous avons bien ri à ce sujet sur la terrasse, parce que celui qui aurait voulu séparer les gens selon leur couleur de peau au Maroc aurait eu de sérieuses difficultés. Les gens s'étaient tellement mélangés que toutes les teintes existaient, le miel, l'amande, le café au lait, et toutes les nuances de chocolat. Il y avait souvent des enfants aux yeux bleus et d'autres à la peau foncée dans une même famille. Mina était absolument sidérée par cette idée de diviser une ville selon la couleur de la peau. « Nous savons tous qu'Allah a séparé les hommes des femmes pour contrôler la démographie, disait-elle, et nous savons qu'Allah a séparé les religions pour que chaque groupe puisse prier à sa façon, et invoquer son prophète. Mais pourquoi séparer les Noirs des Blancs ? » Personne ne pouvait répondre. C'était un mystère de plus à ajouter aux autres, le plus troublant de tous restant la raison pour laquelle les Américains avaient atterri à Casablanca. Un jour, j'ai décidé d'apporter ma contribution à cette question et j'ai dit à Samir qu'ils étaient peut-être simplement venus en pique-nique, juste pour visiter, parce qu'ils croyaient que Casablanca était une île déserte. Samir s'est énervé et m'a répondu que si j'avais l'intention de dire des âneries, il ne voulait plus continuer à discuter. Je l'ai supplié et, pour l'amadouer, je lui ai dit que j'étais sûre qu'il y avait « un sérieux motif politique », comme aurait dit mon père, pour expliquer la présence des Américains à Casablanca.

J'avais de plus en plus de difficultés avec Samir. Il était devenu tellement sérieux tout à coup, il fallait qu'il trouve des explications politiques à tout, et si jamais je n'étais pas d'accord avec lui, il se plaignait que je lui manquais de respect. Si bien que je n'avais que deux solutions : soit lui céder, en faisant une croix sur mes divagations personnelles, soit rompre notre amitié. Bien entendu, je n'ai jamais vraiment envisagé cette dernière solution, parce que je n'avais pas le courage d'affronter les adultes sans son appui. Chaque fois que je voulais obtenir quelque chose, il me suffisait de souffler l'idée à Samir, et il se chargeait de tout. Je n'avais plus qu'à rester assise à proximité, pour l'encourager quand c'était nécessaire, et le féliciter quand il réussissait. Prenons l'exemple du mystère américain. J'avais cru que l'idée des guerriers s'embarquant pour un pique-nique allait l'amuser. Eh bien, pas du tout. « Tu mélanges tout, se plaignit-il, très sérieux et soucieux de mon avenir. La guerre, c'est la guerre, et le pique-nique, le pique-nique. Tu évites toujours de regarder les choses en face, parce que tu as peur. C'est dangereux, parce que tu pourrais aller te coucher en t'imaginant que les soldats sont à Casablanca juste pour regarder les fleurs et écouter chanter les oiseaux, alors que, si ça se trouve, ils se préparent à venir à Fès pour te trancher la gorge. Même Malika, qui est plus grande que moi, dit des sottises du même genre. Je crois que le problème vient de ce que vous êtes des femmes. » Je n'ai rien trouvé à répondre à ces mots qui me semblèrent à la fois bizarres et justes.

La question de la présence des Américains était donc d'identifier leurs ennemis. Après maintes discussions, Samir trouva finalement une solution, apparemment logique. Si la guerre était comme un jeu de cache-cache, les Américains avaient peut-être atterri à Casablanca juste pour berner les Allemands, comme quand nous nous cachions dans les jarres à olives pour nous faire des feintes. Le Maroc était la jarre à olives des Américains. Ils s'y cachaient pour l'instant et, plus tard, ils se faufileraient vers le nord pour attaquer les Allemands. Je me suis dit que Samir était drôlement futé d'avoir pensé à ça. C'étaient peut-être ses voyages avec mon oncle et mon père qui l'avaient changé. En voyageant, me disais-je, on a le cerveau qui fonctionne plus rapidement, parce qu'on voit sans arrêt des choses nouvelles, auxquelles on doit s'adapter. Et on devient naturellement plus intelligent qu'en restant coincé dans une cour de harem. Ma mère était du même avis. « C'est en faisant le tour de la planète que le cerveau apprend à fonctionner, et si on nous garde derrière des murs, c'est pour mieux mettre notre cerveau en veilleuse. » Elle ajoutait que toute cette croisade contre le chewing-gum et les cigarettes américaines était en réalité une croisade contre les droits des femmes. Quand je lui ai demandé des explications, elle m'a dit qu'en soi fumer des cigarettes ou mâcher du chewing-gum n'étaient pas des activités bien intelligentes, mais que les hommes s'y opposaient parce qu'elles donnaient aux femmes l'occasion de décider par elles-mêmes de faire quelque chose qui n'était pas réglementé par la tradition ou l'autorité. « Si bien qu'en fait, tu comprends, une femme qui mâche du chewing-gum accomplit un geste révolutionnaire. Non pas pour le fait en tant que tel, mais parce que la consommation du chewing-gum n'est pas prévue par le code. »

19

FEMME FATALE

Officiellement, la terrasse était le territoire des femmes. Les hommes n'étaient pas autorisés à y monter. Car au niveau des terrasses, on pouvait communiquer avec les maisons voisines. Il suffisait de savoir sauter et grimper. Et que seraient les harems si les hommes pouvaient sauter d'une terrasse à l'autre ? Les rapports entre les sexes auraient été trop faciles. Il y avait bien entendu des contacts visuels entre mes cousins et les filles de nos voisins, surtout au printemps et en été, quand les couchers de soleil étaient particulièrement spectaculaires. Les jeunes gens des deux sexes s'attardaient souvent sur la terrasse. Dans une débauche de nuages pourpres et rouges, les hirondelles, comme saisies de frénésie, dansaient un ballet aérien. Chama était toujours là-haut, avec ses deux sœurs aînées, Salima et Zoubida, et ses trois frères, Zin, Jawad et Chakib. Ses frères, en principe, ne devaient jamais poser le pied sur la terrasse, car de là ils auraient pu voir directement dans la maison des Bennis, qui avaient plusieurs filles, ainsi que des fils, en âge de se marier. Mais ni les jeunes Mernissi ni les jeunes Bennis ne respectaient le règlement et, les soirs d'été, ils se rassemblaient tous sur les terrasses blanches, rendues d'autant plus romantiques par la proximité des nuages. Chaque famille restait dans son camp, mais d'innombrables regards, sourires et autres désirs coupables étaient échangés en cachette. Les plus doués chantaient des chansons d'Asmahan, d'Abdelwahab ou de Farid, tandis que les autres retenaient leur souffle. Un jour, à l'école, pendant une leçon de biologie portant sur le miracle de l'*insan* (l'être humain), Lalla Tam nous expliqua comment les garçons et les filles que nous étions allaient devenir des hommes et des femmes capables de faire des bébés. À l'âge de douze ou treize ans, parfois même plus tôt, dit-elle, la voix des garçons allait devenir plus rauque, des moustaches allaient apparaître sur leur visage et, tout à coup, ils deviendraient des hommes. Fort de cette information, Samir devait se dessiner de belles moustaches du plus beau noir avec le khôl de ma mère, dérobé par mes soins parmi la multitude d'accessoires de sa table de toilette. Quant à nous, les filles, prophétisait Lalla Tam, il devait nous pousser des seins énormes et nous aurions *haq ach-har* (littéralement : la taxe mensuelle) qui était une sorte de diarrhée de sang. Cela ne faisait pas mal du tout, c'était tout à fait normal et, quand ça viendrait, il ne faudrait pas avoir peur. Pendant le *haq ach-har*, nous serions obligées de porter une *guedouar* (serviette hygiénique) entre nos jambes pour que personne ne remarque rien.

Quand je suis rentrée à la maison ce soir-là, j'ai immédiatement demandé des détails supplémentaires à ma mère à propos du *guedouar*. Elle en a eu d'abord le souffle coupé. « Qui t'a parlé du *guedouar* ? » Elle avait cette voix sourde et faussement calme qui annonçait l'explosion. Puis, quand elle sentit que si elle me brusquait j'allais me fermer comme une huître, elle changea de tactique et se mit à me questionner doucement, comme si elle parlait à une égale. Apparemment, elle était décidée à connaître l'identité du monstre qui m'avait donné cette information prématurée. Elle fut stupéfaite d'apprendre que c'était notre *fquiha*, Lalla Tam. « D'après Bas-l-fquih (le mari de la *fquiha*), qui est un nationaliste notoire et passe son temps à la Qaraouiyine, les musulmans doivent connaître les sciences pour vaincre les Français. Nous devons connaître le corps humain, cette merveilleuse création d'Allah, lui ai-je expliqué, car elle paraissait décontenancée. Un bon musulman doit tout savoir de la science et de la biologie, des planètes et des étoiles. » Ma mère fut bouleversée en se rendant compte que je n'étais plus une enfant, non pas parce que j'avais changé physiquement, mais parce que je détenais selon elle un secret que les enfants étaient censés ignorer. Pour la première fois, j'avais sur ma mère une espèce de pouvoir, grâce à l'information qui m'avait été transmise. Cette discussion a marqué un tournant dans mes relations avec ma mère. Elle a compris que je devenais indépendante.

Elle a sans doute aussi pris conscience de la fuite du temps. Si j'étais sur le point de devenir une jeune fille, cela voulait dire qu'elle vieillissait. « Lalla Tam t'a-t-elle dit autre chose ? demanda ma mère, en me regardant comme si je venais d'une autre planète. Est-ce qu'elle t'a parlé des bébés ? » Pauvre maman, qui ne pouvait tout simplement pas croire que moi, sa petite fille, je sois au courant d'une information aussi taboue. Je lui ai dit que je pourrais avoir un bébé à l'âge de douze ou treize ans, parce qu'à cet âge-là j'aurais le *haq ach-har* et les seins « nécessaires pour nourrir le petit bébé vagissant ». Elle a été un peu interloquée. « Ma foi, a-t-elle dit finalement, j'aurais préféré attendre un an ou deux avant de te parler de ces choses, mais puisque ça fait partie de ton instruction... » Je lui ai alors expliqué qu'elle ne devait pas trop s'inquiéter pour moi parce que je savais tout ça depuis longtemps déjà, grâce aux contes et aux conversations des femmes que j'avais entendus. À présent, je le savais officiellement, c'était la seule différence. Pour lui remonter le moral, je lui ai dit en plaisantant que la voix de Samir allait bientôt ressembler à celle de Fquih Naciri, l'imam de la mosquée de Sidi al-Khayat, juste derrière la maison.

Ce que je me suis gardée de lui dire, cependant, c'est que j'avais décidé de devenir une irrésistible *ghazala*, une femme fatale belle comme une gazelle, et que j'avais déjà eu recours à de douteuses pratiques de *shour*, procédés magiques impliquant des manipulations astrologiques, grâce à l'étourderie providentielle de Chama qui laissait traîner partout ses livres de magie. Chama avait des douzaines de livres de ce genre dans sa chambre, et comme elle ne les cachait pas vraiment, je gagnai très rapidement une habileté phénoménale à mémoriser fébrilement des formules magiques, à copier des tableaux d'envoûtement, à apprendre tous les détails compliqués des lettres et des chiffres, pendant les courts instants où elle quittait sa chambre. Si je voulais pratiquer la magie, je devais d'abord acquérir des connaissances en astronomie. Je passais donc des heures, au crépuscule, à scruter le ciel en demandant à tout le monde de me dire le nom des étoiles au fur et à mesure de leur apparition.

À mon avis, la transgression la plus fascinante que l'on pouvait commettre sur la terrasse était la pratique des rites de *shour*, brûler de petites bougies blanches pendant la nouvelle lune, et de grandes bougies outrageusement décorées pendant la pleine lune, ou psalmodier des incantations secrètes au passage de Zahra (Vénus) ou al-Mushtari (Jupiter). Nous participions tous à ces opérations, car les femmes avaient besoin de l'aide des enfants impubères pour tenir les bougies, réciter les incantations et effectuer toutes sortes de gestes. Les garçons et filles pubères ressemblaient trop à des adultes pour avoir le privilège de communiquer avec les astres ou les djinns. L'idée d'avoir un pouvoir que les enfants plus âgés avaient perdu m'enchantait. La Voie lactée scintillait, toute proche, et on avait l'impression qu'elle ne brillait que pour nous. Par chance, Chama oubliait habituellement mon âge quand elle se plongeait dans la lecture à haute voix de « Talsam al-quamar » (Les talismans de la pleine lune), le premier chapitre du *Kitab al-awfaq* de l'imam al-Ghazali[1]. Il y était indiqué comment réciter les incantations adaptées aux jours et aux heures des configurations astrales particulières. Toute la littérature concernant l'astrologie et l'astronomie n'était pas pour autant considérée comme douteuse. Des historiens respectables, tels que Mas'udi, se sont intéressés à l'influence de la pleine lune sur l'univers, y compris les plantes et les êtres humains, et Chama lisait souvent leurs travaux[2].

J'écoutais toujours très attentivement ce que disait Mas'udi à propos de la lune : elle faisait pousser les plantes, mûrir les fruits et engraisser les animaux. Elle était aussi responsable du *haq ach-har* des femmes[3]. Mon Dieu, me disais-je, si la lune peut faire tout ça, elle doit pouvoir faire pousser mes cheveux, et mes seins, ce qui semblait tarder fâcheusement. J'avais remarqué que Malika avait depuis quelque temps un très joli mouvement d'épaules. Elle marchait comme la princesse Farida d'Égypte avant son divorce. On ne pouvait pas encore appeler ça des seins, mais quand même, deux minuscules mandarines commençaient à bourgeonner sous son chemisier. Quant à moi, je n'avais rien d'autre que l'espoir fou que les choses allaient bientôt changer pour moi aussi. Ce qui me fascinait le plus, dans les pratiques de magie de la terrasse, c'est qu'une gamine de rien du tout comme moi avait la possibilité de tisser des liens magiques avec ces astres merveilleux qui flottaient tout là-haut, et de récolter un peu de leur lueur. Je connus bientôt tous les noms que les Arabes donnent à la lune. On appelle la nouvelle lune *hilal* (croissant) et la pleine lune *qamar* ou *badr*. Ces deux mots désignent également un homme ou une femme d'une grande beauté comme Qamar al-Zaman, le mari de la princesse Budur, car c'est à ce moment que la lune est la plus brillante et la plus parfaite. Entre le *hilal* et le *qamar*, il y a encore d'autres noms. La treizième nuit s'appelle *bayd*, blanche, à cause du ciel diaphane, et *sawad* est la nuit noire où la lune est cachée derrière le soleil. Quand Chama me révéla que mon étoile était Zahra (Vénus), j'adoptai une démarche ralentie, comme si j'étais faite d'une vaporeuse substance céleste. J'avais l'impression que j'aurais pu déployer des ailes d'argent.

Ce que j'aimais dans la magie astrologique, c'était aussi les multiples usages que l'on pouvait en faire. En utilisant bien ses incantations, on pouvait accroître le pouvoir d'un envoûtement jusqu'à influencer des personnes importantes, une grand-mère, un roi, ou simplement l'épicier du coin, qui se tromperait en votre faveur dans ses calculs au moment d'une dépense importante. Mais selon moi, il n'y avait que deux choses qui comptaient en matière de magie : influencer mes maîtres pour qu'ils me donnent de bonnes notes, et accroître mon pouvoir de séduction. Bien entendu, mon but était de séduire Samir, même si apparemment c'était plutôt le contraire qui se produisait. Nos relations devenaient de plus en plus difficiles. D'abord, de même que mon père et mon oncle, il méprisait profondément le *shour*, qu'il qualifiait de stupidité. Ce qui m'obligeait à agir secrètement une grande partie de la soirée, et à disparaître complètement les nuits de pleine lune. J'étais également obligée d'utiliser mes incantations pour envoûter d'imaginaires princes arabes de mon âge que je ne connaissais pas encore. J'étais assez prudente. Je ne voulais pas disperser mes pouvoirs magiques au-delà de Fès, Rabat ou Casablanca. Marrakech semblait un peu loin, mais Chama disait qu'une jeune fille marocaine peut très bien épouser un homme de Lahore, Kuala Lumpur ou même de Chine. « Allah a fait le monde islamique immense et merveilleusement.varié », disait-elle.

Beaucoup plus tard, j'ai découvert que le charme magique n'opérait que si l'on connaissait son prince et qu'on pouvait se le représenter visuellement pendant le rituel. Ce qui voulait dire que j'avais un sérieux handicap, parce que si j'éliminais Samir, comme il me l'avait formellement signifié, il ne me restait personne à imaginer. Zin était hors de question, il ne me regardait même pas. J'avais beau lui offrir des biscuits traficotés sur la terrasse et chargés de formules de *qbul* que je récitais en les tenant dans la paume de ma main durant la pleine lune, son regard me traversait sans me voir. La plupart des garçons avec qui je jouais à l'école étaient beaucoup plus petits et plus jeunes, et je voulais que mon prince ait au moins un centimètre et quelques mois de plus que moi pour que, selon la formule consacrée, *li fateq b-lila fateq b-hila*, celui qui te dépasse d'une nuit connaît une ruse de plus.

J'avais du moins acquis des connaissances en magie, et cela me donnait confiance en moi. Si vous vouliez qu'un homme tombe amoureux de vous, il fallait penser très fort à lui le vendredi soir, au moment précis où Zahra (Vénus) apparaissait dans le ciel. En même temps, il fallait aussi réciter l'incantation suivante :

Laf, Laf, Laf Daf,
Daf Yabech, Dibech,
Ghalbech, Ghalbech,
Da'ouj, Da'ouj
Araq çadrouh,
Hah, Hah[4].

Naturellement, pour que les incantations soient efficaces, il était indispensable de réciter les mots magiques d'une voix assurée et mélodieuse, sans faute de prononciation. Mais c'était presque impossible, les mots nous étant étrangers. Ce n'étaient pas des mots arabes, puisque les incantations avaient pour origine des fragments de la langue des djinns, qui sont des êtres surnaturels. Ces mots avaient été récupérés et déchiffrés par des experts, qui les avaient notés pour que les humains puissent les utiliser. C'était à cause de ma prononciation incorrecte, me disais-je, que mes incantations n'avaient pas d'effet. Voilà pourquoi aucun prince n'était encore venu demander ma main. Il était terriblement dangereux de faire des fautes de prononciation sur des mots magiques, parce que les djinns pouvaient se retourner contre vous — et vous risquiez de vous retrouver avec des cicatrices sur le visage ou des jambes tordues, si vous les mettiez en colère. Si Samir, mon protecteur habituel, avait été là pour vérifier ma prononciation, il aurait pu m'épargner de risquer la colère des djinns. Mais il restait totalement insensible à ma soudaine obsession de devenir une femme fatale.

En matière de magie, Mina partageait l'avis de Samir. Même si elle faisait preuve de tolérance à l'égard des rituels pratiqués sur la terrasse, elle les désapprouvait et disait que le Prophète y était totalement opposé. Pourtant tout le monde lui disait que le Prophète était seulement contre la magie noire, destinée à faire souffrir les gens, et que brûler des talismans, du musc ou du safran, réciter des incantations magiques pendant la pleine lune pour accroître son pouvoir de séduction, faire pousser les cheveux ou les seins, n'avait rien de répréhensible. Allah était sensible *(latif)*, plein de tendresse et de générosité *(rahim)* envers ses créatures fragiles et imparfaites. Il était assez généreux pour comprendre leurs besoins. Mina prétendait que le Prophète ne faisait pas de distinctions de ce genre, et que toutes les femmes qui pratiquaient la magie, quelle qu'elle soit, auraient des surprises désagréables le jour du Jugement dernier.

Mais le *shour* n'était pas aussi dangereux pour le harem que la décision des nationalistes d'encourager l'instruction des femmes. Toute la ville fut mise sens dessus dessous quand les autorités religieuses de la mosquée Qaraouiyine, y compris Fquih[5] Mohammed al-Fassi et Fquih Moulay Belarbi Alaoui, demandèrent le droit pour les femmes d'aller à l'école et, avec le soutien du roi Mohammed V, encouragèrent les nationalistes à ouvrir aux filles les établissements d'enseignement. Dès qu'elle apprit la nouvelle, ma mère demanda à mon père que je sois transférée de l'école coranique de Lalla Tam dans une « véritable » école. Il convoqua immédiatement un conseil de famille. Un conseil de famille était chose sérieuse, et ne se réunissait généralement que lorsqu'un des membres avait une grande décision à prendre ou était confronté à quelque conflit sans issue. Dans le cas de mon changement d'école, la décision était trop importante pour que mon père puisse la prendre seul. Il y avait une énorme différence entre l'institution traditionnelle, qui avait été jusqu'alors la seule possibilité ouverte aux filles, et l'école primaire nationaliste comme celle que le Fquih Benabdallah ou Moulay Brahim Kettani venaient d'ouvrir dans les environs, sur le modèle du système français, où les filles apprenaient les mathématiques, les langues étrangères, la géographie, recevaient l'enseignement de professeurs masculins et faisaient de la gymnastique en short. Le conseil se réunit donc. Mon oncle, grand-mère Lalla Mani, et tous mes jeunes cousins, très bien informés des récents changements en matière d'éducation grâce à la presse locale et étrangère, vinrent aider mon père à prendre une décision. Mais pour réunir un conseil équitable, il fallait quelqu'un pour soutenir le point de vue de ma mère, qui avait été à l'origine de la question. Normalement, elle aurait dû être représentée par son père, mais comme il était loin, à la ferme, il envoya un remplaçant, en la personne de mon oncle Tazi, le frère de ma mère, qui habitait à côté de chez nous. L'oncle Tazi était toujours invité aux conseils de famille quand ma mère était concernée, de façon à éviter une coalition Mernissi contre ses intérêts.

Donc, l'oncle Tazi fut invité, le conseil eut lieu, et ma mère fut folle de joie quand il fut finalement annoncé que mon changement avait été accepté. Je n'étais pas la seule concernée, d'ailleurs : mes dix autres cousins et cousines devaient se joindre à moi. Nous avons tous dit gaiement au revoir à Lalla Tam, et nous nous sommes précipités à la nouvelle école de Moulay Brahim Kettani, située à quelques dizaines de mètres de notre portail. J'étais ravie. À l'école coranique, on était obligés de rester toute la journée assis en tailleur sur des coussins, avec une seule coupure au moment du déjeuner, qu'on apportait avec nous. La discipline était féroce. Lalla Tam vous fouettait si elle n'aimait pas votre façon de vous tenir, de parler ou de réciter les versets. Les heures paraissaient interminables, à apprendre par cœur et à réciter. Au contraire, à l'école nationaliste de Moulay Brahim, tout était moderne. On était assis sur des chaises, à une table qu'on partageait avec deux autres garçons ou filles. Il y avait toujours quelqu'un qui intervenait, on ne s'ennuyait jamais. Non seulement on sautait d'un sujet à l'autre, de l'arabe au français, des maths à la géographie, mais en plus on passait d'une classe à l'autre. Aux interclasses, on pouvait faire un petit tour, grignoter des pois chiches quémandés à Malika, et même demander la permission d'aller aux toilettes, situées à l'autre bout du bâtiment. On avait ainsi un répit substantiel d'une bonne dizaine de minutes et, même si on arrivait en retard, il suffisait de frapper discrètement deux coups à la porte de la classe avant d'entrer. Ces deux coups me plaisaient particulièrement, parce que, chez nous, les portes étaient soit ouvertes, soit fermées, mais il n'était pas question de frapper. D'abord à cause de l'épaisseur des portes et de l'impossibilité de les pousser, mais aussi parce qu'un enfant n'était pas autorisé à ouvrir ou fermer une porte lui-même. À l'école, nous avions aussi deux grandes récréations, juste pour jouer dans la cour, en milieu de matinée et d'après-midi, ainsi que deux interruptions pour les prières, la première à midi, avant le déjeuner, et l'autre en fin d'après-midi. On nous conduisait à la mosquée de l'école après avoir fait nos ablutions rituelles à la fontaine voisine. Mais ce n'était pas tout : nous rentrions chez nous pour déjeuner. C'est là qu'on voyait les enfants Mernissi faire les quatre cents coups, dans la courte portion de rue entre l'école et la maison. Nous gambadions autour des petits ânes qui nous croisaient, chargés de légumes, et parfois les garçons réussissaient à sauter sur le dos de ceux qui n'étaient pas chargés.

J'étais folle de joie d'être ainsi dans la rue en pleine journée, et je parvenais parfois à embrasser les ânons aux yeux humides et doux, à leur parler pendant quelques minutes, jusqu'à ce que leur propriétaire me repère et m'écarte en me menaçant de son fouet : *Balak !* (Dégage !) L'une de nos activités favorites était de nous précipiter tous ensemble chez Mimoun, le vendeur de pois chiches grillés. Ça tournait toujours mal parce que le nombre de portions qu'il nous tendait ne correspondait jamais à la somme d'argent qu'il recevait. Alors, il nous accompagnait jusqu'au portail, en jurant par Moulay Driss, le saint patron de Fès, de ne plus jamais faire d'affaires avec nous, et en criant que certains d'entre nous finiraient en enfer, pour avoir mangé sans vergogne ce qu'ils n'avaient pas payé. Finalement, un jour Hmed, le portier, proposa une solution honorable : nous devions tous déposer chez lui notre argent de poche, et il paierait Mimoun à la fin de chaque semaine. Si l'un de nous avait dépassé son crédit, il nous préviendrait, ainsi que Mimoun.

L'école moderne était si amusante que je me mis même à avoir de bonnes notes, et à devenir intelligente, en dépit de ma lenteur désespérante. J'avais découvert une autre façon de me mettre en vedette : j'avais appris par cœur plusieurs chants nationalistes enseignés à l'école, et mon père était si fier qu'il me demandait de les réciter à grand-mère Lalla Mani au moins une fois par semaine. Au début, je chantais *Ya Malika al-Maghribi* (Ô roi du Maroc) debout. Puis, en voyant l'effet produit par mes chansons, je demandai la permission de monter sur un tabouret. Enfin, je demandai à mon père d'insister auprès de ma mère pour qu'elle me laisse porter ma robe de princesse Aisha.

Cette robe, avec un corsage de satin garni de tulle, était une copie de celle que portait parfois la princesse quand elle accompagnait son père, le roi Mohammed V. La princesse Aisha se déplaçait souvent dans le pays en faisant des déclarations sur la libération des femmes, et ma mère l'admirait. Habituellement, je n'étais autorisée à la porter que pour des occasions spéciales, parce qu'elle était toute blanche, et se salissait facilement. « Mais cette pauvre enfant grandit si vite, plaidait mon père, que sa robe sera totalement immettable à la fin de l'année. » Finalement, pour que le spectacle soit complet, je suggérais à mon père de me prêter un petit drapeau marocain. Mais il repoussa immédiatement l'idée. « Il y a une limite entre le théâtre et le cirque, dit-il. Et l'art ne peut exister que si cette distinction est strictement maintenue. »

Si tout allait bien pour moi, grâce à mes nouveaux enseignants, les choses ne s'arrangeaient guère pour ma mère. À force d'entendre parler de toutes ces féministes égyptiennes manifestant dans les rues et devenant ministres, des femmes turques promues à tout un tas de fonctions officielles, sans oublier notre princesse Aisha incitant les femmes, aussi bien en arabe qu'en français, à adopter les mœurs modernes, la vie du harem était devenue pour ma mère plus insupportable que jamais. Elle se plaignait que sa vie était absurde. Le monde changeait, les murailles allaient bientôt tomber, et pourtant, elle était encore prisonnière. Elle avait demandé à assister à des cours d'alphabétisation — quelques écoles de notre quartier offraient cette possibilité — mais sa requête avait été refusée par le conseil de famille. « L'école est pour les filles, pas pour les mères, avait décrété Lalla Mani. Cela ne fait pas partie de nos traditions.

— Et alors ? avait rétorqué ma mère. À qui profite le harem ? Quel bien peut-on faire pour son pays, enfermée dans une cour ? Pourquoi sommes-nous privées d'instruction ? Qui a inventé le harem, et dans quel but ? Qui peut me l'expliquer ? » La plupart du temps, ses questions restaient sans réponse, s'envolant comme des papillons égarés. Lalla Mani baissait les yeux pour éviter de croiser son regard, tandis que Chama et tante Habiba s'efforçaient de détourner la conversation. Ma mère se taisait un instant, puis se rassurait en parlant de l'avenir de ses enfants. « Au moins, mes filles auront une vie meilleure. Elles auront de l'instruction, elles voyageront. Elles découvriront le monde, le comprendront, et participeront éventuellement à sa transformation. Tel qu'il est, le monde est absolument pourri. Pour moi, en tout cas. Quant à vous, mesdames, vous avez peut-être trouvé le secret qui vous permet d'être heureuses dans la cour d'un harem. » Puis elle se tournait vers moi : « Tu vas changer le monde, toi, n'est-ce pas ? Tu vas conduire des voitures et des avions comme Touria Chaoui [première femme pilote marocaine]. Tu vas créer une planète sans murailles ni frontières, où les gardiens seront en vacances tous les jours de l'année. »

Un long silence suivait ses paroles, mais la beauté des images évoquées s'attardait, flottant dans la cour du harem comme un parfum, un rêve. Invisible, mais si puissant.

20

AILES INVISIBLES

La cour était calme et silencieuse, et tout était en ordre. Cet après-midi-là était peut-être encore plus calme et plus silencieux que d'habitude. J'entendais distinctement le bruit cristallin de la fontaine, comme si les gens retenaient leur souffle, dans l'attente de quelque chose. Ou alors quelqu'un essayait de créer un mirage. J'avais appris, dans les livres de Chama, ou en parlant avec elle, que vous pouviez envoyer des images à votre voisin si vous développiez votre *tarkiz*, votre pouvoir de concentration. Comme quand vous vous prépariez à prier, mais en plus fort. Lalla Tam insistait toujours sur la nécessité de se concentrer pour prier. « Prier, c'est créer un vide, oublier le monde pendant quelques minutes, pour pouvoir penser uniquement à Dieu. On ne peut pas penser en même temps à Dieu et à ses problèmes quotidiens, de même qu'on ne peut pas marcher dans deux directions à la fois. Sinon, on n'arrive nulle part, ou en tout cas, pas où on voulait arriver. » La concentration est une faculté importante également nécessaire pour des raisons pratiques, disait tante Habiba. « Comment peut-on marcher droit, et à plus forte raison broder ou faire la cuisine, si on ne fait pas attention ? Tu ne voudrais pas être comme Stela Lazrak ? » Non, je ne voulais pas être comme Stela Lazrak, l'une des filles de nos voisins, qui ne se rappelait jamais le nom des gens. Elle portait le nom de Stela, qui signifie « petit seau », car toutes les informations qu'elle recevait s'écoulaient immédiatement comme de l'eau.

Une part importante de mon éducation a donc été consacrée à l'apprentissage de la concentration, mais je n'ai commencé à m'y intéresser que le jour où Chama m'a appris qu'en me concentrant, je pouvais transmettre des images aux gens qui m'entouraient. Cette idée magique me rappela que j'avais souvent entendu Chama, tante Habiba ou ma mère parler d'inciter toutes les femmes de la cour à se laisser pousser des ailes. Tante Habiba prétendait que tout le monde peut avoir des ailes. C'est une question de concentration. Les ailes ne sont pas nécessairement visibles, comme celles des oiseaux. Des ailes invisibles font tout aussi bien l'affaire, et plus tôt on apprend à se concentrer, mieux ça vaut. Mais quand je l'ai pressée de s'expliquer, elle s'est énervée et m'a prévenue que certaines choses merveilleuses ne peuvent pas s'enseigner. « Tu n'as qu'à rester vigilante pour capter le crissement soyeux du rêve ailé », a-t-elle dit. Elle m'a pourtant précisé qu'il y avait deux conditions indispensables pour avoir des ailes : « La première est de se sentir encerclée, et la seconde de croire que tu peux briser le cercle. » Après un bref silence gêné, tante Habiba a ajouté, sans cesser de tripoter nerveusement sa coiffure, signe certain qu'elle était sur le point de me lancer une vérité désagréable : « La troisième condition, en ce qui te concerne, ma petite, est d'arrêter de bombarder les gens de questions. L'observation est une bonne manière d'apprendre, tu sais. Si tu écoutes, bouche cousue, l'œil vigilant, l'oreille aux aguets, tu découvriras bien mieux la magie de la vie qu'en rôdant sur cette terrasse à espionner Vénus ou à guetter la nouvelle lune ! » Ces mots déclenchèrent en moi une inquiétude mêlée d'orgueil. Inquiétude, parce que visiblement mon initiation clandestine à la magie, aux incantations et autres recettes d'envoûtements, n'était plus un secret pour personne. Orgueil, parce que, si secrets il y avait, ils appartenaient davantage au monde des adultes qu'à celui des enfants. La magie était un secret infiniment plus sérieux que de chaparder des fruits avant le dessert ou de se sauver sans avoir payé Mimoun, le vendeur de pois chiches. J'étais également fière d'avoir compris que la magie, tout comme la crème glacée, peut avoir des parfums différents. En tissant des liens entre les étoiles et moi, je goûtais l'un d'eux. En me concentrant sur des rêves invisibles, en développant mes ailes intérieures, j'en goûtais un autre, plus fugace. Je ne trouvais apparemment personne, cependant, pour m'aider à me faire une idée de cette deuxième méthode. Si elle était décrite dans les livres de Chama, je n'avais jamais eu le temps de lire jusque-là.

En cet après-midi mémorable, j'ai eu l'étrange sensation que quelqu'un manigançait une poussée d'ailes ou lançait des images d'envol dans la cour, si calme en apparence. Mais qui était le magicien ? J'ai gardé les lèvres cousues, ouvert les yeux, et observé les alentours. Les femmes, occupées à leur broderie, étaient divisées en deux équipes. Chacune se concentrait silencieusement sur le motif qu'elle brodait. Mais quand il y avait un silence de ce genre dans la cour, cela voulait dire que se livrait une guerre silencieuse. En observant attentivement les projets de broderie, n'importe qui aurait pu en découvrir la raison : l'éternelle opposition entre *taqlidi*, le traditionnel, et *'asri*, le moderne. Chama et ma mère, représentant le camp des modernes, brodaient un motif qui ressemblait à une aile d'oiseau, déployée comme en plein vol. Ce n'était pas la première fois qu'on voyait un tel motif mais, de toute évidence, l'audace restait la même car l'autre camp, dirigé par grand-mère Lalla Mani et Lalla Radia, avait condamné l'œuvre, comme les précédentes, sous le prétexte qu'elle était totalement déplacée. Elles brodaient quant à elles un motif traditionnel. Tante Habiba était de leur côté, partageant leur *mrema* (métier), uniquement parce qu'elle ne pouvait pas se permettre de déclarer ouvertement ses opinions révolutionnaires. Elle tirait l'aiguille en silence, ne se mêlant que de ses petites affaires.

Le camp des modernes, en revanche, n'affichait aucune modestie. Chama et ma mère avaient un air plutôt provocateur, arborant des copies du dernier des célèbres chapeaux d'Asmahan, une coiffe de velours noir brodée de minuscules perles. La coiffe avait une visière triangulaire retombant sur le front, sur laquelle était brodé le mot « Vienna » (Vienne). De temps en temps, Chama et ma mère fredonnaient les paroles de la chanson *Layali al-unsi fi Vienna* (Nuits de plaisir à Vienne), d'abominable réputation, qui avait inspiré le chapeau. Chaque fois, Lalla Mani fronçait les sourcils, car elle considérait la chanson, qui évoquait le plaisir décadent d'une capitale occidentale, comme un affront à l'Islam et à ses principes moraux.

Un jour Samir avait essayé de découvrir ce que Vienne avait de si particulier, et Zin lui avait dit que c'était une ville où les gens dansaient ce qu'on appelle la valse, toute la nuit. Un homme et une femme se serraient très fort l'un contre l'autre et dansaient pendant des heures en virevoltant, jusqu'à s'évanouir d'amour et de plaisir, exactement comme dans une danse de possession. Mais là les femmes ne dansaient pas seules. Et toutes ces étreintes et ces danses avaient lieu dans des salles magnifiquement décorées, ou même dans les rues, pendant certaines fêtes, tandis que les lumières de la ville scintillaient dans le noir. Lalla Mani lançait dans un reniflement rageur : « Quand de bonnes ménagères musulmanes se mettent à rêver de danses indécentes dans une ville européenne obscène, c'est la fin de tout. » La mère de Chama, Lalla Radia, s'était d'abord opposée à ce que sa fille porte le chapeau viennois, et avait accusé ma mère d'avoir une mauvaise influence sur elle. Les relations entre Lalla Radia et ma mère étaient devenues si tendues qu'elles ne s'adressaient presque plus la parole. Mon père avait été éberlué par le chapeau viennois la première fois qu'il l'aperçut sur la tête de ma mère, mais comme il venait juste de mettre fin à ses fantasmes d'aller à l'école, il ne pipa mot. Les choses empirèrent ensuite quand Chama tomba dans une espèce de stupeur, saisie d'une telle crise de *hem* (dépression), que non seulement Lalla Radia était revenue sur sa position, mais était allée jusqu'à remettre elle-même le chapeau sur la tête de sa fille. Néanmoins, Chama avait encore mis quelque temps avant d'émerger de sa pétrification.

En cet après-midi particulièrement magique, Lalla Mani continuait à disserter sur la nécessité de se conformer au *taqalid*, aux traditions. Tout ce qui violait l'héritage de nos ancêtres, selon elle, ne pouvait être considéré comme esthétiquement valable, et cela s'appliquait aussi bien aux coiffures qu'aux lois ou à l'architecture. L'innovation allait de pair avec la laideur et l'obscénité. « Vous pouvez être sûres que vos ancêtres ont déjà découvert la meilleure façon d'agir, disait-elle, en regardant directement ma mère. Comment peut-on se croire plus malin que toutes les générations qui nous ont précédés ? » Faire quelque chose de nouveau était *bid'a*, une violation criminelle de la tradition sacrée. Ma mère s'est arrêtée un moment de broder pour répondre à Lalla Mani : « Chaque jour, je me sacrifie et cède à la tradition pour que la vie de cette bienheureuse maison se déroule dans la paix. Mais il y a quelques activités très personnelles, comme la broderie ou mes coiffures, qui me permettent de respirer, et je ne vais pas les abandonner. Je n'ai jamais aimé la broderie traditionnelle, et je ne vois pas ce qui empêcherait les gens de broder ce qui leur plaît. Je ne fais de mal à personne en créant un oiseau original au lieu de broder toujours le même malheureux motif traditionnel de Fès. Une ville qui me pèse d'ailleurs parce que je ne rêve que de grands espaces où gambader. » Les ailes que brodaient Chama et ma mère étaient celles d'un paon bleu, destiné à orner un *qamis* de soie rouge pour Chama. Dès que celui-ci serait terminé, elles en broderaient un semblable pour ma mère. Les femmes qui partageaient les mêmes opinions s'habillaient souvent à l'identique pour montrer leur solidarité.

Le paon de Chama était inspiré du *Hikayat at-tuyur* (Conte des oiseaux) de Schéhérazade. Ma mère adorait cette histoire, car on y retrouvait les deux thèmes qu'elle préférait, les oiseaux et les îles désertes. Des oiseaux, guidés par un paon, fuient les périls d'une île pour chercher la sécurité sur une autre. « Il m'a été raconté, ô mon auguste roi, dit Schéhérazade à son mari la cent quarante-sixième nuit, qu'au temps jadis, à une époque fort éloignée, un paon vivait avec sa compagne sur le rivage de la mer. En ce temps-là, l'endroit était infesté de lions et de toutes sortes de bêtes sauvages. Le paon et la paonne juchaient la nuit dans un arbre, car ils avaient grand-peur des bêtes sauvages, et se mettaient dans la journée en quête de nourriture. Ils continuèrent ainsi jusqu'au jour où, leur crainte n'ayant cessé de croître, ils décidèrent de décamper. Au cours de leurs recherches, ils découvrirent une île déserte, couverte d'arbres et arrosée de nombreux ruisseaux. Ils s'y posèrent donc, se nourrirent de ses fruits et s'abreuvèrent de son eau[1]. »

Ce qui plaisait à Chama dans ce conte, c'est que le couple s'était mis à la recherche d'une île qui leur conviendrait mieux. L'idée de s'envoler pour trouver ce qui pourrait vous rendre heureux quand vous ne l'étiez pas fascinait Chama. Elle faisait répéter le début de l'histoire à tante Habiba je ne sais combien de fois, sans jamais se lasser, jusqu'à ce que le reste de l'assistance proteste. « Tu sais lire, tu n'as qu'à aller chercher le livre et te bercer autant que tu veux de ce passage, lui criait-on. Lis-le cent fois si tu veux, et laisse tante Habiba continuer. Arrête de l'interrompre ! » Tout le monde mourait d'impatience de savoir ce qui allait arriver aux oiseaux, car le conte faisant partie du rituel, sa magie opérait à chaque fois, chacune s'identifiant à ces créatures fragiles et aventureuses qui se lançaient dans de dangereux voyages vers l'inconnu. Mais Chama faisait valoir que c'était bien moins amusant de lire que d'entendre tante Habiba enfiler comme des perles les mots merveilleux. « Je veux que vous compreniez, mesdames, le sens de cette histoire, disait Chama, avec des regards de défi en direction de Lalla Mani. Cette histoire n'est pas une histoire d'oiseaux. C'est notre histoire aussi. Elle parle de nous, de vous et de moi. Être vivant, c'est bouger, chercher des lieux qui vous conviennent, arpenter la planète à la recherche d'îles plus hospitalières. J'ai l'intention d'épouser un homme avec qui je pourrai partir à la découverte d'îles inconnues ! » Tante Habiba la priait de ne pas utiliser le conte de cette pauvre Schéhérazade à des fins de propagande personnelle, au risque de semer la discorde dans notre groupe. « Je vous en prie, retournons à nos oiseaux », disait-elle, en poursuivant son histoire. Mais bien que tante Habiba fît allusion à un groupe en parlant des femmes, il n'y avait en fait aucune cohésion réelle entre elles.

Le fossé entre les modernes et les traditionnelles était infranchissable, et le conflit à propos du motif de broderie révélait des visions totalement antagonistes sur le monde en général. La broderie *taqlidi* était une entreprise fastidieuse et interminable, alors que les motifs *'asri* étaient beaucoup plus amusants à réaliser. Pour la broderie *taqlidi*, il fallait faire de tout petits points très serrés avec du fil fin, pendant des heures, pour couvrir à peine quelques centimètres de tissu. Lalla Mani a essayé de m'y initier en m'accordant l'honneur de m'asseoir à sa *mrema*, mais quand elle a vu l'horrible résultat, elle m'a congédiée en me prédisant que je serais comme ma mère, incapable de me discipliner : « J'espère que tu auras sa chance d'avoir un mari qui supporte ce genre de laisser-aller. » Le *taqlidi* était utilisé pour les accessoires du trousseau de la mariée, coussins ou jetés de lit, que l'on mettait des mois, parfois des années, à terminer. Les points devaient avoir le même aspect à l'envers et à l'endroit, et les fils être raccordés de telle façon que les nœuds soient invisibles. Lalla Radia, qui avait plusieurs filles à marier, avait besoin d'une grande quantité de broderie *taqlidi* pour constituer leur trousseau. En revanche, les oiseaux réalisés par Chama et ma mère ne prenaient pas longtemps. Leurs points étaient plus lâches, elles utilisaient des fils en double et il n'était pas rare de trouver d'énormes nœuds sous leur travail. Mais, le résultat était aussi joli que celui de la broderie *taqlidi,* plus même, grâce à l'originalité de leurs motifs et aux étonnantes associations de couleurs. Contrairement à la broderie *taqlidi,* les motifs modernes n'avaient pas pour but d'être exposés. Ils étaient limités aux vêtements personnels comme les *qamis*, les sarouals et les foulards.

La broderie moderne était finalement une manière assez satisfaisante d'exprimer sa révolte, car on pouvait décorer plusieurs mètres de tissu en deux ou trois jours. On pouvait même aller plus vite en utilisant trois épaisseurs de fil ou en faisant de plus grands points. « Et comment comptes-tu apprendre la discipline, si tu fais des points aussi lâches, et n'importe comment ? » m'interrogea Lalla Mani quand je lui en fis la remarque. Je trouvai sa question gênante. Tout le monde disait qu'on ne pouvait devenir quelqu'un sans acquérir de discipline. Et je voulais devenir quelqu'un. À partir de ce jour-là, je passai mon temps à sauter d'une *mrema* à l'autre, goûtant un peu de liberté et de détente dans le camp des modernes, puis retrouvant un peu de contrôle et de rigueur dans celui des anciens. Tante Habiba n'aimait pas vraiment les travaux d'aiguille répétitifs et alambiqués caractéristiques du *taqlidi*, ma mère et Chama le savaient bien. Mais elle ne pouvait exprimer librement ses opinions, d'abord à cause de sa situation défavorisée, ensuite parce qu'elle ne voulait pas rompre l'équilibre entre les deux camps. L'équilibre était essentiel dans la cour du harem. De temps en temps, ma mère et Chama échangeaient de rapides coups d'œil avec tante Habiba, pour l'encourager et lui montrer qu'elles la soutenaient.

« Je t'en prie, tante Habiba, revenons aux oiseaux. » Quand l'auditoire réclamait une histoire, tante Habiba était automatiquement déchargée de sa corvée d'aiguille. Je remarquais qu'avant de reprendre son récit, elle fixait toujours du regard le petit carré de ciel au-dessus de nos têtes, comme pour remercier Dieu du talent dont il l'avait dotée. Ou peut-être avait-elle besoin de ce contact avec le ciel, si bref fût-il, pour se redonner vie et attiser sa fragile flamme intérieure. L'île que les paons avaient trouvée était un paradis rempli de plantes luxuriantes et de ruisseaux impétueux. De plus, elle était hors d'atteinte des hommes, ces dangereuses créatures qui détruisent la nature : « Le fils d'Adam traque les poissons et les tire des mers ; il tue les oiseaux avec des billes d'argile et abat les éléphants grâce à ses pièges astucieux. Nul n'est à l'abri de ses méfaits et ni l'oiseau ni la bête ne peuvent lui échapper[2]. » L'île était un lieu sûr car située très loin au milieu de la mer, hors de portée des bateaux des hommes et de leurs itinéraires commerciaux. La vie des paons s'écoula harmonieusement et paisiblement, jusqu'au jour où ils rencontrèrent un canard qui avait des problèmes. Il était sujet à des cauchemars bizarres. Un canard vint à eux dans un état de terreur extrême et très mal en point, mais dès qu'il atteignit l'arbre où étaient perchés les deux paons, il se trouva rassuré. Les paons ne doutaient point qu'il eût une histoire extraordinaire à leur conter et lui demandèrent la cause de ses soucis, ce à quoi il répondit : « J'ai vécu paisiblement et en sécurité, toute ma vie durant, sur cette île où je n'ai jamais eu sujet d'inquiétude jusqu'à cette nuit où j'ai vu en rêve un fils d'Adam, avec qui je me suis entretenu. Puis j'ai entendu une voix qui me disait : Ô toi, canard, méfie-toi du fils d'Adam, ne te laisse pas abuser par ses paroles ni par ce qu'il pourrait te proposer, car il est plein d'astuce et de fourberie. Méfie-toi donc en toute prudence de sa perfidie... Je m'éveillai alors, tremblant de peur, et depuis cette heure jusqu'à maintenant mon cœur n'a plus connu de joie, tant il est plein de crainte du fils d'Adam...[3]. »

Chama était toujours nerveuse quand tante Habiba parvenait à cette partie du récit, parce qu'elle était extrêmement sensible à la façon dont les oiseaux étaient traités sur les terrasses de Fès. La chasse aux moineaux, à l'aide de *ferraka*, lance-pierres, ou d'arcs et de flèches empruntés pour l'occasion, était un sport très courant chez les jeunes gens. Le jeune homme qui avait tué le plus d'oiseaux avait droit à l'admiration et l'acclamation générales. Souvent, Chama criait, pleurait et sanglotait quand ses frères Zin et Jawad s'amusaient à tuer les moineaux. Les oiseaux piaillants emplissaient le ciel par centaines, juste avant le coucher du soleil, comme s'ils avaient peur de la nuit qui venait. Les chasseurs les attiraient en jetant des olives sur le sol de la terrasse, puis ils les prenaient pour cibles et les abattaient. Chama restait plantée à observer ses frères, leur demandant quel plaisir ils pouvaient éprouver à tirer sur d'aussi petites créatures. « Même les oiseaux ne peuvent vivre en paix dans cette ville », disait-elle. Puis elle marmonnait qu'il y avait sans aucun doute quelque chose qui n'allait pas dans un lieu où même les moineaux les plus inoffensifs, tout comme les femmes, étaient traités comme de dangereux prédateurs.

Pour illustrer le conte des paons, Chama avait tout d'abord voulu utiliser un fil d'un bleu intense pour broder sur la soie rouge vif. Mais dans un harem, les femmes n'allaient pas faire les courses elles-mêmes. Elles n'étaient pas autorisées à sortir dans la Qissaria, ce quartier de la Médina où des soies merveilleuses et des velours de toutes les couleurs s'empilent dans les petites échoppes. Elles étaient obligées d'expliquer ce qu'elles voulaient à Sidi Allal, qui allait le chercher. Chama avait dû attendre des mois pour obtenir exactement la soie rouge qu'elle désirait, puis quelques semaines encore pour le fil bleu et, même alors, les couleurs n'étaient pas tout à fait à sa convenance. Sidi Allal n'avait pas la même notion qu'elle du bleu et du rouge. Il est fréquent, comme je m'en suis rendu compte, que les mots ne veuillent pas dire la même chose pour tout le monde, même quand on parle de détails aussi simples que les couleurs. Pas étonnant que le mot « harem » suscite tant de disputes frénétiques et d'amères dissensions. Cela me réconfortait de constater que les grandes personnes n'avaient pas les idées plus claires que moi sur les choses importantes.

Sidi Allal était un cousin au troisième degré de Lalla Mani, et cela lui donnait un certain pouvoir. C'était un bel homme, de haute taille, avec une petite moustache, très doué pour écouter, ce qui rendait toutes les femmes jalouses de la sienne, Lalla Zahra. Il avait aussi très bon goût, et portait d'élégants gilets turcs brodés, en lourd lainage beige, sur un saroual coupé comme des jodhpurs, et de belles mules de cuir gris. De plus, comme la plupart des marchands de la Qissaria étaient ses amis, ils lui réservaient leurs plus précieux tissus pour ses turbans, rapportés par les pèlerins de La Mecque. Sidi Allal n'entreprenait jamais une mission sans offrir à ses clientes une goutte de parfum, et c'était une expérience très sensuelle que de lui expliquer ce que l'on désirait. Les femmes prenaient leur temps entre chaque phrase pour trouver le mot exact décrivant la texture satinée d'un tissu, le ton subtil d'une couleur ou la délicate combinaison des deux. C'était assez compliqué de faire imaginer exactement à Sidi Allal la soie et les fils nécessaires à la réalisation d'une broderie, et les moins douées des femmes demandaient aux plus éloquentes de décrire leurs rêves. Les désirs des dames devaient être patiemment décrits à Sidi Allal, car, sans son aide, il était difficile d'aller loin. Chacune décrivait donc le genre de fleurs qu'elle voulait broder, leurs couleurs, les teintes des bourgeons, ou parfois des arbres aux branchages compliqués. D'autres décrivaient des îles environnées de bateaux. Paralysées par la frontière qui leur était imposée, les femmes donnaient naissance à des paysages et des univers entiers. Sidi Allal écoutait avec plus ou moins d'intérêt, selon le statut social de l'interlocutrice. Malheureusement, il prenait également le parti de Lalla Mani quand on en venait aux questions de tradition et de motifs *taqlidi*. Cette partialité mettait les veuves et les divorcées comme tante Habiba dans une position difficile. Elles ne pouvaient décemment pas rêver d'autre chose que de motifs parfaitement classiques et devaient par conséquent compter sur des femmes plus influentes comme ma mère ou Chama pour décrire les soies nécessaires à leurs inspirations originales.

Tante Habiba était obligée de cacher ses rêves d'oiseaux au plus profond de son imagination. « L'essentiel pour ceux qui n'ont aucun pouvoir est d'avoir un rêve, me disait-elle souvent quand je faisais le guet dans l'escalier pour lui permettre de broder un fabuleux oiseau vert sur le métier clandestin qu'elle gardait caché dans le coin le plus sombre de sa chambre. Il est vrai qu'un rêve seul, sans aucun pouvoir d'être réalisé, ne transforme pas le monde et n'abat pas les murailles, mais il aide quand même à garder sa dignité. »

La dignité, c'est d'avoir un rêve, un rêve fort qui vous donne une vision, un monde où vous avez une place, où votre participation, si minime soit-elle, va changer quelque chose.

Vous êtes dans un harem quand le monde n'a pas besoin de vous.

Vous êtes dans un harem quand votre participation est tenue pour si négligeable que personne ne vous la demande.

Vous êtes dans un harem quand ce que vous faites est inutile.

Vous êtes dans un harem quand la planète tourne et que vous êtes enfouie jusqu'au cou dans le mépris et l'indifférence.

Une seule personne a le pouvoir de changer cette situation et de faire tourner la planète en sens inverse, et cette personne c'est vous.

Si vous vous élevez contre le mépris, si vous rêvez d'un monde différent, l'orientation de la planète en sera changée.

Mais ce que vous devez éviter à tout prix, c'est de laisser pénétrer en vous le mépris qui vous environne. Tante Habiba n'avait aucun doute là-dessus. « Quand une femme commence à croire qu'elle n'est rien, les petits moineaux pleurent. Qui prendra leur défense sur la terrasse, si personne n'a la vision d'un monde sans lance-pierres ? »

Les mères devraient parler aux petits garçons et aux petites filles de l'importance des rêves, disait tante Habiba. « Il ne suffit pas de rejeter cette cour de harem, il faut avoir une vision des prairies que tu voudrais mettre à sa place. » Mais comment faire, ai-je demandé à tante Habiba, pour distinguer, entre tous les rêves qui vous assaillent, celui sur lequel on doit se concentrer, le rêve important qui vous donne cette vision ? Elle répondait invariablement que les petits enfants devaient être patients, que le rêve clé allait émerger et s'épanouir à l'intérieur, et qu'ensuite, grâce au plaisir qu'il procurait, on comprenait que c'était l'authentique trésor d'où jaillirait la lumière. Elle me disait aussi de ne pas m'inquiéter, parce que j'appartenais à une lignée de femmes dont les rêves étaient forts. « Le rêve de ta grand-mère Yasmina, c'était de croire qu'elle était une créature exceptionnelle. Venant de la campagne, elle n'a jamais accepté la supériorité des citadins, et personne n'a jamais pu la faire changer d'avis. Elle a transformé ton grand-père, grâce à la puissance du rêve qu'elle lui a fait partager. Ta mère a des ailes intérieures, elle aussi, et ton père s'envole avec elle dès qu'il en a l'occasion. Tu seras, toi aussi, capable de transformer les autres, j'en suis sûre. À ta place, je ne me ferais pas de souci. »

Cet après-midi dans la cour, qui avait commencé par une bizarre sensation de magie et de rêves ailés, se termina sur un sentiment encore plus agréable et étrange. Je me sentis soudain satisfaite et en sécurité, comme si j'avais pénétré dans un territoire inconnu, mais sûr. Je n'avais rien découvert de particulier, mais j'avais l'impression d'avoir trébuché sur quelque chose d'important, dont le nom me restait à découvrir. Je savais vaguement qu'il concernait à la fois le rêve et la réalité, mais je n'aurais pas su dire ce que c'était. Je me suis demandé si cette sensation de sérénité ne venait pas de la lenteur exceptionnelle du coucher du soleil. La plupart du temps, les couchers de soleil de Fès étaient si rapides que je me demandais toujours si je n'avais pas rêvé que la nuit était tombée ou plutôt que le jour avait existé. Les nuages roses qui traversaient notre lointain carré de ciel cet après-midi-là étaient si lents que les étoiles ont commencé à apparaître avant qu'il ne fasse nuit. Je me suis rapprochée de ma cousine Chama et je lui ai décrit ce que je ressentais. Elle m'a écoutée attentivement, puis elle m'a dit que j'étais en train de mûrir. J'ai éprouvé une envie irrépressible de lui demander ce qu'elle voulait dire par là, mais j'avais peur qu'elle n'oublie ce qu'elle s'apprêtait à dire et ne se plaigne que j'interrompais toujours les adultes par mes questions incessantes. Elle a continué à parler, comme pour elle-même, comme si ce qu'elle disait ne concernait qu'elle. « La maturité, c'est quand on commence à sentir le mouvement du *zaman* (le temps), comme si c'était une caresse. » Cette phrase m'a mise de très bonne humeur, car elle réunissait trois mots qui revenaient toujours dans les livres de magie : mouvement, temps et caresse. J'ai continué à écouter Chama. Elle a repoussé sa *mrema*, rejeté les épaules en arrière et caressé son chapeau viennois, puis, après avoir glissé un gros coussin derrière son dos, s'est lancée dans un monologue, dans le style d'Asmahan. Elle a fixé son regard sur un horizon invisible, le menton posé sur son poing gauche serré de façon menaçante.

« *Zaman* (le temps) est la blessure des Arabes.
Ils se sentent bien dans le passé.
Le passé, c'est le retour à la tente de nos ancêtres disparus.
Taqlidi est le territoire des morts.
L'avenir est terreur et péché.
L'innovation est *bid'a*, criminelle ! »

Emportée par ses paroles, Chama s'est levée et a annoncé à l'auditoire silencieux qu'elle allait faire une importante déclaration. Soulevant d'une main son *qamis* de dentelle blanche, elle a fait des courbettes à la ronde et s'est inclinée devant ma mère, a ôté son chapeau viennois et l'a brandi devant elle comme un drapeau inconnu. Puis elle s'est lancée dans une tirade scandée sur le rythme de la poésie pré-islamique :

« Qu'est-ce que l'adolescence pour les Arabes ?
Quelqu'un peut-il me renseigner, par pitié ?
L'adolescence est-elle un crime ?
Quelqu'un le sait-il ?
Je veux vivre dans le présent.
Est-ce un crime ?
Je veux sentir sur ma peau la caresse sensuelle de chaque seconde qui passe. Est-ce un crime ?
Quelqu'un peut-il m'expliquer pourquoi le présent est moins important que le passé ?
Quelqu'un peut-il m'expliquer pourquoi *Layali al-unsi* (les nuits de plaisir) n'existent qu'à Vienne ?
Pourquoi ne peut-on avoir de *Layali al-unsi* dans la Médina de Fès ? »

À ce moment-là, la voix de Chama a dérapé dans un murmure où l'on percevait des larmes. Ma mère, qui connaissait la propension de Chama à passer du rire aux larmes, s'est levée d'un bond, a fait une révérence et aidé Chama à se rasseoir sur le sofa. Puis, avec des gestes exagérés de reine, ma mère a enlevé à son tour son chapeau viennois, salué l'auditoire attentif et enchaîné, comme si tout était prévu :

« Mesdames et messieurs les absents,
Les *Layali al-unsi* sont à Vienne !
Nous n'avons qu'à louer des ânes pour aller vers le nord.
Et la question fondamentale qui se pose alors est la suivante :
Comment faire pour obtenir un passeport pour un petit baudet rustique de Fès ?
Et comment habiller notre animal diplomatique ?
Style local ou étranger ?
Taqlidi ou *'asri* ?
Réfléchissez bien !
Que vous répondiez ou non.
Nous ne tiendrons aucun compte de votre opinion ! »

21

PEAU FINE

La rupture entre Samir et moi s'est produite quand j'allais avoir neuf ans, au moment où Chama me déclara officiellement mûre. C'est alors que j'ai compris qu'il n'était pas prêt à investir aussi sérieusement que moi dans les problèmes dermatologiques. Samir essayait de me persuader que les traitements de beauté étaient d'importance secondaire, et de mon côté j'essayais de le convaincre qu'on ne pouvait attendre rien de bien de la part de quelqu'un qui négligeait sa peau, puisque la peau est l'enveloppe à travers laquelle on sent le monde extérieur. Bien entendu, en disant ça, je ne faisais qu'exposer la théorie de tante Habiba, dont j'étais devenue une fervente adepte. En fait, les choses avaient commencé à se détériorer entre Samir et moi depuis quelque temps déjà. Il m'appelait *'Assila,* c'est-à-dire petit miel, quand il me surprenait en train de fredonner *Intiçar ach-chabab* (Triomphe de la jeunesse), une des opérettes romantiques d'Asmahan, d'une voix volontairement tremblotante. *'Assila* était une insulte dans les rues de la Médina : cela voulait dire collant, gluant, gélatineux, pas très alerte. On donnait ce surnom à quelqu'un de mou et d'endormi, et comme on me reprochait déjà ma distraction et ma lenteur, je le suppliais de laisser tomber cet horrible mot. En échange, je lui promettais de lui épargner mes trémolos. Malgré tout, les choses se gâtèrent de plus en plus entre nous. Il se moquait de mon intérêt pour les livres de magie, les formules d'envoûtement et les incantations astrales, et me laissait toute seule, sans protection, affronter les dangereux djinns qui menaçaient au détour de chaque page des livres de Chama. Finalement, un beau jour, notre conflit atteignit une phase critique et Samir me convoqua d'urgence sur la terrasse interdite : si je continuais à disparaître pour participer aux traitements de beauté des femmes, pour venir ensuite le retrouver sur la terrasse le visage et les cheveux recouverts de masques gras et puants, il allait se chercher d'autres camarades de jeux. Les choses ne pouvaient continuer ainsi.

Il fallait choisir entre le jeu et la beauté. J'essayai de le raisonner, en lui répétant les théories de tante Habiba, qu'il connaissait déjà par cœur. Tante Habiba était persuadée que si les hommes portaient des masques de beauté au lieu de masques de guerre, le monde serait bien meilleur. Mais Samir rejeta cette théorie en la traitant de stupidité, et répétant son ultimatum : « Tu choisis immédiatement. Je ne veux pas me retrouver tout seul sans personne pour jouer deux jours d'affilée. » En voyant à quel point j'étais bouleversée, il s'adoucit un peu et ajouta que je pouvais y réfléchir un peu. Je lui répondis que ce n'était pas la peine, ma décision était déjà prise. « Le destin d'une femme est d'être belle, et j'ai l'intention de briller comme la lune. » Pourtant, envahie d'un sentiment ambigu de remords et de crainte, je priais Dieu que Samir me supplie de changer d'avis, pour que je n'aie pas à perdre la face. Et, merveille, c'est ce qu'il fit. « Mais Fatima, Dieu seul est responsable de la beauté. Ce n'est pas en te tartinant de henné ou de *ghassoul,* cette argile vulgaire, ou de je ne sais quelle infâme décoction, que tu vas te transformer en lune. En plus, Dieu a dit qu'il est interdit de modifier son apparence physique, alors tu risques l'enfer. » Puis, Samir a répété que si je choisissais la beauté, il serait obligé de trouver quelqu'un d'autre pour jouer. Le choix était douloureux, mais je dois avouer que je ressentais, au fond de moi, un étrange sentiment de triomphe et de fierté que je n'avais jamais éprouvé auparavant, et dont je n'ai compris le sens que beaucoup plus tard.

Il venait de ce que je me rendais compte de l'importance que j'avais pour Samir. Il ne pouvait vivre sur cette terrasse sans ma présence. C'était un sentiment si extraordinaire que je ne pus résister à l'envie de pousser mon avantage un peu plus loin. J'ai donc fixé un point donné de l'horizon, à quelques centimètres derrière l'oreille de Samir, et j'ai chuchoté d'une voix à peine audible, qui reproduisait — du moins je l'espérais — les intonations de femme fatale d'Asmahan : « Samir, je sais que tu ne peux vivre sans moi. Mais je crois qu'il est temps de te rendre compte que je suis devenue une femme. » Puis, après une pause calculée : « Nos chemins doivent se séparer. » Pour imiter Asmahan, je ne devais pas regarder Samir, malgré mon envie de vérifier l'effet ravageur de mes paroles. Je résistai à la tentation et m'efforçai de fixer le point sur l'horizon. Mais Samir me prit par surprise. « Je ne crois pas que tu sois déjà une femme. D'abord tu n'as même pas neuf ans, et puis tu n'as pas de seins. Toutes les femmes ont des seins. » Je ne m'attendais pas à cette insulte, qui me rendit furieuse. Je décidai d'être méchante, à mon tour. « Samir, avec ou sans seins, j'ai décidé qu'à partir de maintenant j'aurais un comportement de femme, et que je passerais le temps qu'il faudra à m'occuper de ma beauté. Ma peau et mes cheveux ont priorité sur le jeu. *Wada'* (Adieu), Samir. Tu peux te mettre à chercher une autre compagne de jeux. » Sur ces mots, qui auguraient d'un grand changement dans ma vie, j'entrepris de descendre de la terrasse par les piquets branlants du fil à linge. Samir me les tint sans répliquer. Une fois à terre, je les maintins à mon tour pour qu'il puisse descendre, et il se glissa en bas sans un mot. Nous sommes restés quelques instants l'un en face de l'autre, nous nous sommes serré la main avec une grande solennité, tout comme à la mosquée nous avions vu mon oncle et mon père le faire après la prière des jours de cérémonie. Puis nous nous sommes quittés dans un silence impressionnant.

Je suis descendue dans la cour où commençaient les traitements de beauté, et Samir est resté à bouder sur la terrasse du bas. La cour bourdonnait d'activité, dont l'essentiel se tenait autour de la fontaine, d'accès facile pour se laver les mains, et rincer les pots et les brosses. Les ingrédients de base, tels que le henné, les œufs, le miel, le lait, l'argile et toutes sortes d'huiles, étaient disposés dans de grandes jarres de verre autour de la fontaine. Bien entendu, il y avait de l'huile d'olive en abondance, dont la meilleure provenait du Nord, à moins de cent kilomètres de Fès ; les huiles les plus précieuses, comme l'huile d'amande ou d'argan, étaient plus rares. Elles venaient d'arbres exotiques qui avaient besoin de beaucoup de soleil et ne poussaient que dans les régions d'Agadir et de Marrakech. Déjà, la moitié des femmes de la cour avaient une apparence hideuse, le visage et les cheveux enduits d'une couche d'emplâtre. Les chefs d'équipe étaient assises à la place d'honneur, sur des tabourets confortables, officiant dans un calme solennel, car la moindre faute en matière de traitement de beauté pouvait avoir des conséquences fatales. Une erreur de mesure, de mélange, de dosage ou de temps de pose pouvait provoquer des allergies, des démangeaisons ou, pis encore, faire virer les cheveux roux au noir corbeau et donner au brun doux des tons mauves, dignes des vampires qui surgissaient dans les îles Waq Waq dès que tante Habiba nous y faisait accoster. Il y avait les trois équipes habituelles, la première spécialisée dans les masques capillaires, la deuxième dans les décoctions de henné et la troisième dans les masques faciaux et les parfums. Chaque équipe disposait de son propre *khanoun,* d'une table basse recouverte d'un impressionnant arsenal de poudres, colorants naturels, tels que l'écorce de grenade séchée, le brou de noix, le safran, et de toutes sortes d'herbes et de fleurs odorantes, y compris le myrte, les roses séchées et le *zhar* (fleur d'oranger). La plupart de ces produits étaient encore dans leur papier bleu, utilisé à l'origine pour emballer le sucre, et recyclé par les commerçants pour envelopper les produits coûteux[1]. Il y avait des parfums exotiques comme le musc et l'ambre, conservés dans de jolis coquillages, à l'abri dans des flacons de cristal pour une protection supplémentaire, et des douzaines de récipients de terre cuite pleins de mystérieuses mixtures attendant qu'on les transforme en bouillies miraculeuses. Les plus magiques de tous ces mélanges étaient ceux à base de henné. Les expertes en henné devaient en fournir au moins quatre variétés pour satisfaire les goûts de toutes les occupantes de la cour. Pour celles qui voulaient des reflets rouges, le henné était dilué avec un jus bouillant d'écorce de grenade et une pincée de carmin. Pour celles qui désiraient des tons plus foncés, le henné était mélangé à un jus tiède de brou de noix. Et pour celles qui voulaient simplement fortifier leurs cheveux, le henné mélangé au tabac pouvait faire merveille. Pour celles qui désiraient un soin hydratant, le henné prenait une texture plus diluée, malaxé avec de l'huile d'olive, de noix d'argan ou d'amande, avant d'être appliqué en massages sur le cuir chevelu. Les traitements de beauté étaient le seul sujet sur lequel toutes les femmes tombaient d'accord. Pas question d'innover dans ce domaine. Tout le monde, y compris Chama et ma mère, se fiait totalement à la tradition, et ne faisait rien sans prendre l'avis de Lalla Mani et Lalla Radia.

Les grandes personnes étaient vraiment repoussantes, couvertes de tous ces masques aux fruits, aux légumes et aux œufs, et vêtues de leurs plus vieux *qamis*. Sans leurs habituels turbans compliqués et leurs foulards fantaisie, leurs têtes paraissaient soudain toutes petites, et leurs yeux plus enfoncés, tandis que des rigoles brunâtres dégoulinaient le long de leur menton ou de leurs joues. Il était apparemment essentiel de s'enlaidir le plus possible quand on se préparait pour le hammam, sous le prétexte que plus une femme est laide avant d'entrer dans le bain, plus elle a de chances d'être belle en sortant. Effectivement, celles qui réussissaient à avoir l'apparence la plus affreuse se voyaient applaudir et remettre le « miroir d'horreur » du hammam, une glace bizarre dont le tain était tout usé et qui avait le pouvoir inquiétant de déformer les traits, en réduisant les yeux à de minuscules points sataniques. Je ne jouais jamais avec ce miroir, qui me faisait extrêmement peur.

Notre rituel de hammam comprenait trois phases. La première avait lieu dans la cour centrale, où l'on s'enlaidissait à plaisir en se tartinant les cheveux et le visage. La deuxième phase se situait au hammam proprement dit, non loin de la maison. C'est là qu'on se déshabillait pour entrer dans une suite de pièces pleines de vapeur chaude, douces comme des cocons. Certaines femmes se déshabillaient complètement, d'autres se mettaient une écharpe autour des hanches, et les excentriques gardaient leur saroual, ce qui les faisait ressembler à des extra-terrestres quand le tissu était tout mouillé. Elles étaient en butte à toutes sortes de plaisanteries et de remarques moqueuses du genre : « Pourquoi ne pas mettre un voile, pendant que tu y es ? » Pour la dernière phase, à la sortie des brouillards du hammam, on pénétrait dans une cour où on pouvait se reposer quelques instants, juste vêtue d'une serviette, avant de remettre des vêtements propres. La cour du hammam voisin de notre maison était équipée d'accueillants sofas, disposés d'un mur à l'autre sur de hautes tables de bois, de façon à éviter le sol mouillé. Comme il n'y avait pas assez de sofas pour tout le monde, on était censé prendre le moins d'espace possible et ne pas s'attarder. J'étais très contente de la présence de ces sofas, car j'avais toujours terriblement sommeil en quittant le hammam. En fait la troisième étape du rituel du bain était celle que je préférais, non seulement parce que j'avais l'impression d'être toute neuve, mais aussi parce que le personnel de l'établissement, selon les instructions de tante Habiba (qui était chargée de l'approvisionnement), nous distribuait des jus d'orange et d'amande, parfois même des dattes et des noix, pour nous aider à retrouver notre énergie. C'était l'un des rares moments où les grandes personnes n'avaient pas besoin de dire aux enfants de se tenir tranquilles, car nous étions tous affalés, à moitié endormis, sur les serviettes de bain et les vêtements de nos mères. Des mains étrangères nous poussaient de temps à autre, soulevant nos jambes, notre tête ou nos bras. On entendait le bourdonnement des voix, incapables de lever le petit doigt, tant le sommeil était délicieux.

On servait parfois au hammam une boisson de rêve appelée *zeri'a* (littéralement : les graines), sous la stricte supervision de tante Habiba, qui en vérifiait l'équitable répartition. Le *zeri'a* était fait à partir de graines de melon lavées, séchées et conservées dans des jarres de verre spécialement utilisées pour les boissons du hammam. (Pour une raison que je n'explique encore pas aujourd'hui, ce breuvage sublime n'était jamais servi en dehors du hammam). Les graines devaient être consommées très rapidement, sous peine de s'abîmer, ce qui signifiait qu'on ne pouvait goûter le *zeri'a* qu'à la saison des melons, jamais plus de quelques semaines par an. Les graines étaient écrasées et mélangées à du lait entier, quelques gouttes d'eau de fleur d'oranger et une pincée de cannelle. Le mélange devait ensuite reposer avec la pulpe. Au moment de le servir, il fallait faire attention à ne pas trop remuer, pour que la pulpe reste au fond. Si on avait trop envie de dormir après le hammam, et qu'on avait la chance d'avoir une mère très gentille, elle essayait toujours de vous en verser quelques gouttes dans la bouche pour ne pas vous faire rater ce plaisir rare. Les enfants dont la mère avait été moins vigilante poussaient des hurlements de frustration à leur réveil, quand ils voyaient les jarres vides.

En quittant la cour du hammam, habillée et décemment voilée, il y avait encore un autre rite de beauté à effectuer : celui du parfum. Ce soir-là, ou le lendemain matin, les femmes revêtaient leurs caftans préférés, s'asseyaient dans un coin calme de leur salon, et mettaient du musc, de l'ambre ou d'autres senteurs à brûler sur de petits réchauds à charbon de bois, et laissaient la fumée imprégner leurs vêtements et leurs longs cheveux dénoués. Puis elles les nattaient, mettaient du khôl et du rouge à lèvres. Les enfants adoraient ces jours-là, où leurs mères étaient si occupées par leur beauté qu'elles oubliaient de leur crier des ordres. La magie du rituel du hammam ne venait pas seulement du sentiment qu'on venait de renaître, mais de l'impression qu'on avait eu un rôle à jouer dans cette renaissance. « La beauté est intérieure, il suffit de la faire sortir », disait tante Habiba, avec une attitude souveraine, le lendemain matin dans sa chambre. Elle ne posait que pour elle-même, avec son foulard de soie drapé autour de la tête comme un turban, et les quelques bijoux sauvés de son divorce scintillant à ses bras et à son cou. « Mais où ça, à l'intérieur ? Dans le cœur, la tête, où exactement ? » À ces mots, tante Habiba riait devant ma quête effrénée de précisions. « Mais, ma pauvre enfant, tu n'as pas besoin de te compliquer la vie ! La beauté est dans la peau ! Prends-en soin, hydrate-la, nettoie-la, frotte-la, parfume-la, mets tes plus beaux vêtements, même s'il n'y a pas d'occasion particulière, et tu te sentiras comme une reine. Si la société est dure avec toi, réagis en étant aux petits soins pour ta peau. La peau est une affaire politique *(A-jlida siyasa)*. Sinon, pourquoi les imams nous ordonneraient-ils de la cacher ? »

Selon tante Habiba, la libération de la femme commençait avec le massage et les soins de la peau. « Si une femme se met à négliger sa peau, c'est la porte ouverte à toutes sortes d'humiliations », disait-elle. Je n'étais pas sûre de comprendre parfaitement le sens de sa dernière phrase, mais ses mots m'incitèrent à apprendre tout ce que je pouvais de la science des masques capillaires et faciaux. Bientôt, je devins si experte que ma mère m'envoya espionner grand-mère Lalla Mani ou Lalla Radia pour découvrir ce qu'elles mettaient dans leurs mélanges. Comme beaucoup d'autres femmes, elles croyaient que si leurs traitements de beauté venaient à être connus, ils perdraient de leur efficacité. Dans l'exercice de cette mission, j'appris tant de choses que j'en vins à envisager de faire carrière dans le domaine de la beauté, de la magie et de l'espoir, si jamais le métier de conteuse, comme tante Habiba, se révélait trop ardu. L'un des masques faciaux que je préférais était celui que Chama utilisait pour atténuer les taches de rousseur, les boutons et autres impuretés. La formule de Chama, à n'utiliser que sur les peaux grasses, est la suivante : d'abord, se procurer un œuf frais. S'il n'a pas l'air assez frais, peignez-le en blanc. Ensuite, lavez-vous les mains avec du savon naturel. Quand vos mains sont propres, cassez soigneusement l'œuf, et jetez le jaune. Placez le blanc sur une assiette plate, en terre (le métal est à rejeter). Prenez un bon morceau de *shebba* (alun) blanc et propre, que vous devez avoir bien en main, et mélangez-le vigoureusement au blanc d'œuf, qui doit épaissir. Enduisez ensuite votre visage d'une couche généreuse de cette mixture blanche et granuleuse. Attendez dix minutes, jusqu'à assèchement complet du masque. Enfin, lavez doucement votre visage avec un linge, en fibres naturelles si possible, préalablement mouillé d'eau tiède. Votre peau sera douce et lisse. Tante Habiba, qui avait la peau très sèche, avait besoin d'une formule bien différente qui, si elle ne coûtait pas très cher, nécessitait cependant une certaine préparation et un respect des saisons. À la saison des melons, elle choisissait un fruit mûr bien charnu, y creusait un trou, et le bourrait de trois poignées de pois chiches fraîchement lavés. Elle posait ensuite le melon ainsi farci sur la terrasse, l'y oubliant pendant environ deux semaines, jusqu'à ce qu'à force de sécher, il soit devenu tout petit et ridé. Elle mettait ensuite le melon dans un grand mortier et le réduisait en poudre. Puis elle gardait cette précieuse poudre, dans un papier plié dans une boîte en fer, en un endroit ensoleillé et à l'abri de l'humidité. Chaque semaine, elle sortait un peu de poudre qu'elle mélangeait à de l'eau de source, et l'appliquait sur son visage pendant une heure. Quand elle avait rincé le masque avec un linge humide, elle poussait un soupir de plaisir : « Ma peau m'aime. » Mais les masques faciaux de Chama et tante Habiba n'étaient bons que pour nettoyer la peau. Aucun d'eux ne la nourrissait vraiment. Donc, une semaine sur deux, elles utilisaient des masques pour nettoyer et, les suivantes, ceux pour la nourrir. Les meilleurs étaient le masque aux coquelicots de Yasmina et la formule aux dattes de Lalla Mani. Le seul problème, c'est qu'ils ne se conservaient pas et devaient être utilisés immédiatement. De plus, l'usage du masque aux coquelicots était strictement lié à la saison.

Chaque année, Yasmina attendait le printemps avec impatience et, dès que les blés arrivaient à hauteur des genoux, elle partait à cheval avec Tamou à la recherche des premiers coquelicots. Ils poussaient dans les riches champs de blé autour de la ferme, mais souvent Tamou et Yasmina devaient allez assez loin, au-delà de la voie ferrée, pour dérober les premières fleurs de la saison dans les champs voisins bénéficiant d'un meilleur ensoleillement. Leurs propres coquelicots ne fleurissaient que quelques semaines plus tard. Après avoir trouvé les fleurs, elles revenaient à la ferme avec de gigantesques bouquets rouges. Puis, avec l'aide des autres épouses, elles étendaient un grand drap blanc sur une table et triaient délicatement les fleurs dont elles ne gardaient que les pétales et le pistil. Les fleurs étaient ensuite placées dans une grande jarre de cristal et Tamou envoyait quelqu'un cueillir les plus hauts fruits des citronniers, ceux qui étaient gorgés de soleil et mûrs à éclater. Elle pressait le jus des citrons sur les fleurs et les laissait macérer quelques jours jusqu'à obtention d'une pâte molle. Quand tout était prêt, chacune était invitée à partager le traitement. Les épouses se précipitaient, attendant leur tour, et pendant quelques heures la ferme était pleine de créatures au visage écarlate. Seuls les yeux restaient visibles. « Quand tu auras rincé ton visage, ta peau aura l'éclat des coquelicots », disait Yasmina avec l'insolente assurance propre aux magiciens.

Dans la Médina de Fès, ma mère rêvait de coquelicots, mais la plupart du temps, elle devait se rabattre sur des masques de beauté plus abordables. Bien que la qualité des dattes que Lalla Mani utilisait pour ses masques fût difficile à trouver, car elles venaient d'Algérie, elles étaient quand même plus faciles à se procurer que les coquelicots de printemps. Il faut m'attribuer le mérite d'avoir découvert le masque aux dattes, car si je n'avais pas espionné Lalla Mani, ma mère n'aurait jamais eu vent de ce secret. La peau de Lalla Mani avait un éclat étonnant. L'âge ne l'avait aucunement marquée. Une fois par semaine seulement, elle portait ce masque de beauté pendant un après-midi entier. Personne n'avait pu deviner la composition du masque, jusqu'à ce que je découvre qu'il était fait de dattes et de lait. Lalla Mani fut très troublée quand elle se rendit compte que son secret était éventé et, à partir de ce moment, elle chassa les enfants de son salon chaque fois qu'elle se lançait dans ses décoctions cosmétiques. Pour faire son masque, Lalla Mani plaçait deux ou trois dattes très charnues dans un verre de lait entier, le couvrait et le laissait quelques jours près d'une fenêtre ensoleillée. Elle écrasait ensuite le mélange avec une cuiller de bois, en enduisait son visage et évitait de s'exposer au soleil. Il fallait laisser le masque sécher très lentement, détail que je ne pus glaner par l'observation et que ma mère, grâce à beaucoup de patience, découvrit seule. « Il faut rester en face d'une fenêtre ouverte ou, mieux encore, rester assise sous un parasol, sur une terrasse avec une belle vue. »

22

UN HOMME DANS LE HAMMAM !

Mon père détestait l'odeur du henné, et la puanteur des traitements à l'huile d'olive et de noix d'argan que ma mère utilisait pour fortifier ses cheveux. Il semblait toujours mal à l'aise le jeudi matin, quand ma mère revêtait son affreux *qamis* grisâtre, vert à l'origine (un antique cadeau de Lalla Mani, ramené d'un pèlerinage à La Mecque, avant ma naissance), et se mettait à aller et venir les cheveux gluants de henné et le visage enduit, d'une oreille à l'autre, d'un masque aux pois chiches et au melon. Ses cheveux, qui lui tombaient aux hanches d'habitude, étaient imprégnés de bouillie de henné, puis nattés et attachés sur le sommet de sa tête, et lui donnaient l'air d'être armée d'un casque.

Ma mère faisait partie de ces femmes fermement convaincues que plus on était laide avant d'entrer dans le hammam, plus on était belle à la sortie. Elle investissait une énergie incroyable à se métamorphoser, à tel point que, souvent, ma petite sœur ne la reconnaissait plus et se mettait à hurler à son approche. Dès le mercredi après-midi, mon père commençait à avoir l'air maussade. « Douja, disait-il, je t'aime au naturel, comme Dieu t'a faite. Tu n'as pas besoin de te donner tant de mal pour me plaire. Je suis heureux avec toi telle que tu es, malgré ton mauvais caractère. Je jure, Dieu m'en soit témoin, que je suis un homme heureux. Alors, s'il te plaît, pourquoi ne pas laisser tomber le henné de demain ? » Mais la réponse de ma mère était toujours la même : « Sidi, la femme que tu aimes n'est pas naturelle du tout ! J'utilise du henné depuis l'âge de trois ans. Et cette opération m'est également indispensable pour des raisons psychologiques. Elle me donne l'impression de renaître. De plus, mes cheveux et ma peau n'en sont que plus soyeux. Tu ne peux pas dire le contraire ! »

Donc, le jeudi, mon père s'arrangeait pour quitter la maison le plus tôt possible. Si par hasard il avait besoin d'y revenir, il fuyait ostensiblement la présence de ma mère. C'était un jeu très apprécié dans la cour. (Les occasions où les hommes manifestaient de la terreur devant les femmes étaient effectivement rarissimes.) Ma mère se mettait à poursuivre mon père entre les piliers, et tout le monde hurlait de rire, jusqu'à ce que Lalla Mani, avec son imposante coiffe, apparaisse sur le seuil de son appartement. Alors, tout s'arrêtait sur-le-champ. « Sachez, madame Tazi, lançait-elle, insistant sur le nom du père de ma mère pour bien lui rappeler qu'elle n'était pas de la famille[1], que dans cette respectable maison, on ne terrorise pas les maris. Peut-être que dans la ferme de votre père, c'est ainsi que les choses se passent. Mais ici, au centre de cette cité religieuse, à quelques mètres seulement de la mosquée Qaraouiyine — l'un des hauts lieux de l'Islam —, les femmes respectent la *shari'a* et suivent le Livre à la lettre. Elles se montrent obéissantes et respectueuses. Une attitude scandaleuse dans le genre de celle de votre mère Yasmina n'est bonne qu'à amuser les paysans. » Là-dessus, ma mère jetait un regard furieux à mon père et disparaissait au premier. Elle détestait le manque d'intimité propre au harem et la perpétuelle ingérence de sa belle-mère. « Son attitude est intolérable, et vulgaire avec ça ! Surtout de la part de quelqu'un qui passe son temps à vous donner des leçons de bonnes manières et de respect mutuel ! »

Au début de leur mariage, mon père avait essayé

de dissuader ma mère d'utiliser les traitements de beauté traditionnels en lui faisant essayer les produits de beauté français, qui demandaient beaucoup moins de temps de préparation et donnaient des résultats immédiats. Les produits de beauté étaient bien le seul domaine où mon père préférait le moderne à la tradition ! Après de longs conciliabules avec cousin Zin, qui lui traduisait les annonces publicitaires des magazines et des journaux français, il avait établi une longue liste. Puis ils étaient allés faire leurs achats dans la Ville Nouvelle, pour rentrer chargés d'un énorme sac plein de jolis paquets enveloppés de Cellophane et noués de rubans multicolores. Mon père demanda à Zin de rester assis dans notre salon pendant que ma mère ouvrait les paquets, au cas où elle aurait besoin de son aide pour comprendre les instructions en français, et la regarda avec intérêt déballer soigneusement chaque article. Il avait à l'évidence dépensé une fortune. Il y avait des teintures capillaires, des shampooings, trois sortes de crèmes pour le visage et les cheveux, sans oublier les flacons de parfum, qui ressemblaient à des bijoux. Mon père détestait particulièrement la senteur de musc que ma mère tenait tant à donner à ses cheveux, et il l'aida avec empressement à ouvrir la bouteille de Chanel n° 5, jurant qu'elle contenait « toutes les fleurs que tu préfères ». Ma mère examina le tout avec curiosité, posa quelques questions sur la composition des différents produits, et demanda à Zin de lui traduire le mode d'emploi. Finalement, elle se tourna vers mon père et lui posa une question à laquelle il ne s'attendait pas : « Qui a préparé tous ces produits ? » Il fit alors l'erreur fatale de lui dire qu'ils avaient été préparés par des savants dans des laboratoires. En entendant cela, elle prit le parfum et repoussa tout le reste. « Si les hommes me dépouillent à présent du seul domaine que je contrôle encore, c'est-à-dire celui de mes produits de beauté, ils auront bientôt le pouvoir de contrôler mon apparence physique. Je ne permettrai jamais une chose pareille. Je crée ma propre magie et je n'abandonnerai jamais mon henné. » La question fut réglée une bonne fois pour toutes, et mon père dut se résigner, ainsi que les autres hommes de la maison, à tous les inconvénients des traitements de beauté traditionnels.

La veille de la séance au hammam, quand ma mère appliquait son henné, mon père désertait notre salon et cherchait refuge chez sa mère. Mais il revenait dès que ma mère rentrait, parfumée de Chanel nº 5. Elle s'arrêtait d'abord à l'appartement de Lalla Mani pour lui baiser la main, selon la coutume : la belle-fille est obligée de passer chez sa belle-mère après le hammam pour lui baiser la main. Cependant, grâce à la révolution nationaliste et à tout le discours concernant la libération des femmes, le rituel tombait en désuétude presque partout, sauf les jours des grandes fêtes religieuses. Comme Lalla Radia continuait à respecter cette coutume, ma mère était bien obligée de faire de même. Mais ma mère profitait du baisemain pour plaisanter un peu. « Chère belle-mère, croyez-vous que votre fils soit prêt maintenant à affronter sa femme, ou souhaite-t-il rester encore un peu chez maman ? » disait-elle avec un sourire, tandis que Lalla Mani fronçait les sourcils, le menton relevé. Elle estimait que l'humour en général était un manque de respect et, venant de ma mère, une attaque directe. « N'oubliez pas, ma chère, répliquait-elle invariablement, que vous avez de la chance d'avoir épousé un homme aussi patient que mon fils. Tout autre que lui aurait répudié une femme désobéissante qui continue à mettre du henné sur ses cheveux alors qu'il l'a priée de cesser. N'oubliez pas non plus qu'Allah a donné aux hommes le droit d'avoir quatre épouses. Si mon fils use un jour de ce droit sacré, il pourrait bien aller dans le lit de sa seconde épouse, puisque vous le chassez du vôtre avec votre henné puant. » Ma mère écoutait grand-mère avec calme et sérénité, jusqu'à la fin du sermon. Puis, sans un mot, elle lui baisait la main et se rendait dans ses appartements, laissant derrière elle un sillage de Chanel.

Le hammam où nous nous rendions pour nous

baigner et rincer nos préparations était tout de marbre blanc, avec de nombreux miroirs et un plafond à verrière pour retenir la lumière. Cette lumière ivoirine, la brume des bains, les femmes et les enfants nus qui couraient en tous sens en faisaient une sorte d'île exotique et vaporeuse qui aurait, on ne sait comment, dérivé en plein centre de la stricte et disciplinée Médina de Fès. S'il n'y avait pas eu la troisième chambre, le hammam aurait pu être le paradis.

Il y avait de la vapeur dans la première chambre, mais rien d'excessif, et on y passait vite, pour s'habituer à la chaleur humide. La deuxième chambre était un délice, avec juste assez de vapeur pour revêtir le monde extérieur d'une sorte de halo féerique, mais pas assez pour vous empêcher de respirer. Dans cette deuxième chambre, les femmes se livraient à un nettoyage frénétique, se débarrassant des peaux mortes avec un morceau de liège enveloppé de laine crochetée, appelé *mhecca*. Le rinçage du henné et des différentes huiles s'effectuait à l'aide de *ghassoul*, un shampooing à l'argile qui rendait les cheveux et la peau incroyablement doux. « Le *ghassoul* transforme votre peau en soie, disait tante Habiba. C'est lui qui vous donne l'impression d'être une déesse antique quand vous sortez du hammam. » Il fallait plusieurs saisons, et deux ou trois jours de travail ardu pour fabriquer le *ghassoul*, composé en fait de copeaux odorants d'argile brune séchée. Quand il était prêt, il suffisait de diluer une poignée de ces copeaux dans de l'eau de rose pour obtenir une solution magique.

La fabrication du *ghassoul* commençait au printemps, et toute la cour s'y mettait. D'abord, Sidi Allal apportait des tas de boutons de roses, de myrte, et d'autres fleurs odorantes de la campagne, et les femmes se précipitaient pour les emporter au premier étage et les étaler sur des draps propres à l'abri du soleil. Une fois séchées, les fleurs étaient mises de côté en attendant le grand jour de fabrication du *ghassoul*, au milieu de l'été. Elles étaient alors mélangées à l'argile et séchées en une croûte fine, en plein soleil cette fois. Les enfants n'auraient à aucun prix manqué cette journée car, non seulement les adultes avaient besoin de leur aide, mais ils avaient l'autorisation de pétrir l'argile et de se salir autant qu'il leur plaisait sans que personne les gronde. L'argile parfumée sentait si bon qu'on avait envie d'en manger — un jour, Samir et moi avons essayé, il en est résulté des maux d'estomac que nous avons soigneusement tenus secrets. De même que les autres traitements de beauté, la préparation du *ghassoul* avait lieu autour de la fontaine. Les femmes apportaient leurs réchauds à charbon de bois, leurs sièges, et s'installaient près de l'eau, pour pouvoir se laver les mains, et rincer facilement les pots et les plats. Tout d'abord, on plaçait des kilos de roses et de myrte séchés dans de vastes pots, où on les faisait mijoter à petit feu. Puis, on les ôtait du feu pour les laisser refroidir. Les femmes qui aimaient particulièrement un parfum de fleur — comme ma mère, qui adorait la lavande — mettaient ces fleurs à mijoter à part dans des pots plus petits. Là encore, les femmes s'imaginaient que l'effet magique du *ghassoul* allait disparaître si la formule en était divulguée, si bien qu'elles s'éclipsaient dans les coins obscurs du dernier étage, derrière les portes, pour faire en secret leurs mélanges de fleurs et de plantes mystérieuses. Certaines femmes, comme tante Habiba, faisaient sécher leurs roses au clair de lune. D'autres se spécialisaient dans certaines fleurs de couleur particulière, d'autres encore récitaient des incantations en faisant leurs mélanges pour en renforcer le pouvoir. Puis commençait l'opération de pétrissage. Tante Habiba donnait le signal en mettant quelques poignées d'argile brute dans un grand saladier en terre comme ceux que l'on utilisait pour pétrir le pain. Elle versait ensuite un bol d'eau de myrte ou d'eau de rose sur l'argile, qu'elle laissait s'imprégner avant de la pétrir jusqu'à ce qu'elle devienne parfaitement souple. Puis elle étalait cette pâte sur une planche de bois et nous appelait pour que nous la portions sur la terrasse, afin de l'y laisser sécher. Les enfants adoraient cette étape, et parfois l'un de nous, dans l'excitation générale, oubliait que l'argile était encore molle et se mettait à courir de plus en plus vite, si bien que la préparation lui glissait sur la tête. Alors, les yeux pratiquement scellés par l'argile, il tâtonnait pour trouver son chemin. Ce genre d'incident ne m'est jamais arrivé, en raison de ma lenteur habituelle, le jour de préparation du *ghassoul* étant l'une des rares occasions où cette qualité était appréciée. Quand les enfants émergeaient sur la terrasse avec la planche sur la tête, suant et soufflant pour se donner un maximum d'importance, Mina prenait le relais. Sa tâche était de surveiller les planches et de contrôler le processus de séchage. La nuit, elle nous ordonnait de rentrer les planches, pour éviter l'humidité, et le lendemain vers midi, quand le soleil était au plus haut, nous demandait de les ressortir. Au bout de cinq jours, l'argile avait séché en une mince pellicule et se fendillait. Mina la réunissait sur un grand drap propre pour la répartir entre toutes les femmes. Celles qui avaient des enfants avaient droit à une plus grande quantité, le *ghassoul* étant utilisé dans la deuxième chambre du hammam comme shampooing, et dans la troisième, la plus chaude, où avait lieu le récurage systématique, comme crème lavante et adoucissante.

Samir et moi détestions cette troisième chambre, que nous appelions la chambre des tortures, car c'était là que les grandes personnes insistaient pour s'occuper « sérieusement » de nous. Dans les deux premières, les mères oubliaient volontiers leur progéniture, tant elles étaient préoccupées par leurs propres traitements. Mais juste avant de se lancer dans leurs rituels de purification, les mères se sentaient coupables de nous avoir négligés, et se rattrapaient en faisant des derniers instants du bain une sorte de cauchemar. Tout d'abord, elles emplissaient directement aux robinets des seaux d'eau chaude ou froide et nous les versaient sur la tête sans prendre la peine d'en vérifier la température. Naturellement, c'était toujours bouillant ou glacé. Nous n'avions pas le droit de crier, car les autres femmes s'adonnaient autour de nous à leurs rites de purification. Pour se purifier, c'est-à-dire se préparer à la prière qui avait lieu immédiatement à la sortie du hammam, les grandes personnes devaient utiliser l'eau la plus pure possible. La seule façon de s'assurer de cette pureté était d'être le plus près possible de la source (en l'occurrence, des fontaines). Ce qui signifie que la troisième chambre était constamment bondée et qu'on était obligé de faire la queue pour emplir son seau. (La troisième chambre du hammam est probablement le seul lieu où j'aie jamais vu des Marocains faire la queue en bon ordre.) Chaque minute perdue à attendre son tour près de cette fontaine était tout simplement insupportable, à cause de la chaleur.

Les ablutions rituelles se distinguaient de la toilette normale par la concentration silencieuse qui les accompagnait, et l'ordre strict dans lequel les parties du corps étaient lavées : les mains, la bouche, le nez, le visage, les bras, la tête, les oreilles et enfin les pieds. Il était interdit de courir devant une femme en train d'effectuer ses ablutions, car alors elle était forcée de les recommencer. Quelques-uns pourtant réussissaient à échapper un instant à la poigne de leur mère, mais comme le sol de marbre était glissant et que la pièce était bondée, il leur était difficile d'aller loin. D'autres tentaient carrément d'éviter d'entrer dans la troisième chambre : en ce cas — et c'était souvent ce qui m'arrivait — on les soulevait simplement de terre pour les faire avancer, malgré leurs cris perçants.

Ces minutes éprouvantes effaçaient presque l'effet délicieux des heures merveilleuses où j'avais caché le précieux peigne d'ivoire sénégalais de tante Habiba pour mieux le lui rendre, comme par un tour de passe-passe, après qu'elle l'eut cherché partout avec angoisse ; où j'avais dérobé l'une des rares oranges de Chama, conservées dans un seau d'eau froide ; où encore j'avais observé les grosses femmes aux énormes seins, les maigres au derrière proéminent, ou les toutes petites mères accompagnées de leurs filles géantes ; et, surtout, où j'avais réconforté celles qui avaient glissé sur le sol couvert de henné et d'argile.

Je découvris une manière d'accélérer le passage dans la chambre de tortures, et d'obliger ma mère à me sortir de là en vitesse. Je faisais semblant de m'évanouir, talent que j'avais déjà mis au point pour empêcher les gens de m'embêter. Si je m'évanouissais quand les gamins imitaient les djinns pour me faire peur dans les escaliers la nuit, celui qui avait essayé de m'effrayer se voyait souvent obligé de me porter dans la cour, ou du moins d'alerter ma mère. Ce qui avait pour résultat d'attirer la colère de celle-ci, qui allait se plaindre du comportement du garnement auprès de sa propre mère. Mais simuler un évanouissement dans le hammam, au moment où on me traînait de force dans la troisième chambre, était encore plus gratifiant parce que j'avais des spectateurs. J'attrapais la main de ma mère pour m'assurer de son attention, puis je fermais les yeux, retenais ma respiration, et me laissais glisser sur le sol de marbre mouillé. Ma mère appelait à l'aide : « Pour l'amour du ciel, aidez-moi à la sortir d'ici. Cette enfant a encore une faiblesse cardiaque ! » Je fis part de mon astuce à Samir, et il s'y essaya à son tour, mais il ne put retenir un sourire en entendant sa mère crier, tout affolée. Et naturellement, lorsqu'elle se pencha pleine d'angoisse sur son visage, elle vit son sourire. Elle rapporta les faits à l'oncle Ali et Samir fut blâmé publiquement le vendredi suivant, juste avant la prière, pour avoir essayé de duper sa propre mère, « la créature la plus sacrée marchant sur deux pieds sur la vaste planète de Dieu ». Samir dut demander pardon, baiser la main de Lalla Mani en la suppliant de prier pour lui. Pour accéder au paradis, un musulman doit « passer sous les pieds de sa mère » *(al-janatu tahat aqdami l-ummahat)* et l'avenir de Samir dans l'autre monde, à ce moment-là, se présentait plutôt mal.

Puis vint le jour où Samir fut expulsé du hammam pour avoir eu un « regard d'homme ». Cet incident me fit comprendre que nous étions tous les deux en train d'aborder une autre contrée, celle des grandes personnes, même si nous avions encore l'air bien petits et vulnérables. Une des femmes se mit soudain à crier en désignant Samir du doigt : « À qui est ce garçon ? Ce n'est plus un enfant, je vous le dis. » Chama se précipita et lui dit que Samir n'avait que neuf ans, mais la femme se montra implacable. « Il pourrait en avoir quatre, mais je vous le dis, il m'a regardé les seins avec les mêmes yeux que mon mari. » Toutes les femmes assises alentour, en train de rincer leur henné, s'arrêtèrent pour écouter, et éclatèrent de rire quand la femme ajouta que Samir avait un regard « très érotique ». Chama perdit patience : « Peut-être qu'il vous regardait comme ça parce que vous avez des seins bizarres. Ou peut-être que ça vous excite qu'un gamin vous regarde. Dans ce cas, attendez-vous à une belle frustration. » À ces mots, tout le monde partit d'un énorme éclat de rire et Samir, debout au milieu de toutes ces dames nues, se rendit soudain compte qu'il avait indéniablement un pouvoir inhabituel. Il se frappa la poitrine et lança avec aplomb la remarque désormais historique qui devait devenir une sorte de mot d'esprit dans la famille Mernissi : « Vous n'êtes pas mon genre. J'aime les grandes femmes. » Chama ne pouvait plus continuer à défendre ce frère si étonnamment précoce, d'autant moins qu'elle n'avait pu s'empêcher d'éclater de rire avec toutes les autres. Leur rire se répercutait dans la pièce entière. Mais cet incident marquait, sans que ni moi ni Samir le réalisions, la fin de notre enfance. Après ça, Samir fut de moins en moins toléré au hammam des femmes, car son « regard érotique » en dérangeait plus d'une. Chaque fois, Samir était ramené à la maison comme un mâle triomphant, on faisait des commentaires sur sa virilité et on en plaisantait pendant plusieurs jours dans la cour. Finalement, l'incident parvint aux oreilles de l'oncle Ali, qui décida que son fils devait cesser de se rendre au hammam des femmes et aller dans celui des hommes.

J'étais très triste de devoir aller au hammam sans

Samir, nous ne pourrions plus jouer comme nous le faisions habituellement pendant les trois heures que nous y passions. Samir me faisait des rapports tout aussi tristes de son expérience du hammam des hommes. « Les hommes n'y mangent jamais, tu sais. Pas d'amandes, pas de boissons, pas de discussions ni de rigolades. Ils se lavent, c'est tout. » Je lui ai dit que s'il pouvait seulement éviter de regarder les femmes, peut-être qu'il pourrait convaincre sa mère de le laisser revenir avec nous. À mon grand étonnement, il m'a répondu que ce n'était plus possible et que nous devions songer à notre avenir. « Tu comprends, je suis un homme, bien que ça ne soit pas encore visible, et les hommes et les femmes ne doivent pas se montrer leur corps. Il doit y avoir une séparation. » J'étais impressionnée, mais pas convaincue. Samir m'a ensuite fait remarquer qu'on n'utilisait ni henné ni masque facial au hammam des hommes. « Les hommes n'ont pas besoin de soins de beauté », conclut-il. Cette remarque me rappela la vieille discussion que nous avions eue sur la terrasse, et je la ressentis comme une attaque personnelle. J'avais été la première à mettre en danger notre amitié quand j'avais insisté sur la nécessité de me consacrer aux préparatifs des traitements de beauté. J'allais à nouveau défendre ma position quand il m'a interrompue : « Je crois que les hommes ont une peau différente. » Je le dévisageai.

Je n'avais plus rien à dire parce que je me rendais compte que, pour la première fois, dans nos jeux d'enfants, tout ce que venait de dire Samir était vrai, et que tout ce que je pourrais dire n'y changerait rien. Soudain, tout me paraissait bizarre et compliqué, audelà de ma compréhension. J'avais l'impression de franchir une frontière, un seuil, mais je n'arrivais pas à imaginer dans quelle sorte d'espace nouveau je posais le pied. Je me sentais triste, sans raison, et je suis montée voir Mina sur la terrasse. Je me suis assise près d'elle. Elle m'a caressé les cheveux. « On est bien silencieuse, aujourd'hui ? » Je lui ai raconté ma conversation avec Samir, et ce qui s'était passé dans le hammam. Le dos appuyé contre le mur de l'ouest, elle m'a écoutée. Sa coiffure safran était aussi éclatante que d'habitude et, quand j'ai eu fini, elle m'a dit que désormais, la vie allait être plus difficile pour Samir et moi.

« L'enfance, c'est quand les différences ne comptent pas. À partir de maintenant, vous ne pourrez plus y échapper. Vous serez gouvernés par cette différence. Le monde va devenir impitoyable.

— Mais pourquoi ? ai-je demandé. Pourquoi ne pouvons-nous échapper à la loi de la différence ? Pourquoi les hommes et les femmes ne peuvent-ils continuer à jouer ensemble même quand ils sont grands ? Pourquoi cette séparation ? » Mina répondit seulement que les hommes, tout comme les femmes, sont condamnés à vivre malheureux à cause de cette séparation. La séparation creuse entre eux un énorme fossé. « Les hommes ne comprennent pas les femmes, et les femmes ne comprennent pas les hommes. Et tout commence quand les petites filles sont séparées des petits garçons dans le hammam. Une véritable frontière coupe la planète en deux. La frontière marque la limite du pouvoir, car partout où il y a une frontière, il y a deux sortes de créatures sur la terre d'Allah : d'un côté les puissants, et de l'autre les faibles. » J'ai demandé à Mina comment savoir de quel côté j'étais. Sa réponse a été immédiate, brève, et très claire :

« Si tu ne peux pas quitter le lieu où tu te trouves, tu es du côté des faibles. »

NOTES

Chapitre 1

1. Les youyous sont des chants joyeux psalmodiés par les femmes pour célébrer des événements heureux, une naissance, un mariage, ou simplement l'achèvement d'un travail bien fait comme un tapis ou une pièce de broderie.

Chapitre 2

1. Chapitre d'ouverture des *Mille et Une Nuits*. J'ai traduit cette citation à partir de la nouvelle et excellente version arabe des *Mille et Une Nuits* du professeur irakien Muhsin Mahdi, de l'université de Harvard, publiée par Brill, Leyde, 1984, p. 22. Le professeur Mahdi, qui a passé des décennies à reconstituer, à partir des manuscrits irakiens, un texte-contes particulièrement fluide, qui colle à l'arabe parlé des *Qaçcaç* (conteurs publics) de l'époque, a réussi à mettre entre nos mains une version des *Mille et Une Nuits,* tout simplement merveilleuse. Malheureusement, si la traduction anglaise de cette version existe déjà *(Arabian Nights,* traduction de Hussain Haddawy, Norton, New York, 1990), il n'y a pas encore, à ma connaissance, de traduction française. Cependant, pour les autres citations que je fais ensuite des *Mille et Une Nuits,* comme j'ai écrit l'original en anglais et que j'ai utilisé la traduction de Burton, c'est à celle-ci qu'on se référera.

2. Le Maroc n'est qu'à seize kilomètres de l'Espagne, mais j'ai été stupéfaite de constater, quand j'ai traversé le détroit de Gibraltar pour la première fois, que, de l'autre côté, Schéhérazade était considérée comme une belle courtisane un peu simplette, qui raconte des histoires

inoffensives et s'habille merveilleusement. Dans notre partie du monde, Schéhérazade est perçue comme une courageuse héroïne, l'une de nos rares figures mythiques de femmes qui ont le pouvoir de changer les êtres et le monde. Fin stratège, extraordinairement intelligente, grâce à ses connaissances de la psychologie et de la nature humaines, elle parvient à renverser les équilibres de pouvoir. Comme Saladin et Sindbad, Schéhérazade nous rend plus audacieuses, plus sûres de nous-mêmes et de notre capacité d'analyser des situations désavantageuses, d'élaborer des stratégies qui multiplient nos chances de bonheur. En tout cas, c'est ainsi que nos mères et tantes nous l'ont présentée.

Chapitre 3

1. *Hdada* est la « marocanisation » de l'arabe classique *had* et son pluriel *hudud*, termes qui veulent dire frontière, comme on l'a vu précédemment. Le Marocain est un minimaliste lorsqu'il s'agit de la langue, il adore avaler les voyelles et ne semble consommer l'arabe classique que pour le « dialectiser », c'est-à-dire le purifier de toute aspérité, au grand désespoir des Moyen-Orientaux qui sont perdus lorsqu'ils nous rendent visite. Quant aux voyelles qui ont le malheur d'être au début des mots, elles sont lestement décapitées. C'est ainsi que Hmed, le nom du portier, est la version marocanisée de Ahmed. La même pratique irrévérencieuse de « rabotage » systématique est d'ailleurs infligée aux mots français, espagnols et anglais, qui sont immédiatement « nettoyés » et rendus en style télégraphique — ce qui fait que les visiteurs occidentaux sont agréablement surpris, après quelques jours de détente à Marrakech ou Casablanca, de « comprendre l'arabe » et de suivre les conversations, en repérant des mots comme *mnervez* (énervé), *t'lfn't'lu* (je lui ai téléphoné), *faxit-lu* (j'ai faxé), *t'clatet* (j'ai éclaté).

2. Cette version des faits concernant la demande d'indépendance et les rapports entre les nationalistes, le roi et le protectorat français, n'est pas historique, on s'en doute ; c'est celle de ma mère, qui est un personnage de fiction, comme d'ailleurs l'enfant qui parle, et qui est supposée être moi-même. Si j'avais essayé de vous raconter mon enfance, vous n'auriez pas terminé les deux premiers paragraphes, parce que mon enfance fut plate et prodigieusement ennuyeuse. Comme ce livre n'est pas une autobiographie, mais une fiction qui se présente sous forme de contes

racontés par une enfant de sept ans, la version des faits concernant janvier 1944, rapportée ici, est celle qui traînait dans mes souvenirs. Souvenirs de ce que se racontaient les femmes illettrées dans la cour et sur les terrasses.

Pour compliquer les choses, il faut aussi se rappeler que la version que j'ai présentée coïncidait avec un packaging littéraire dont j'avais besoin pour séduire mon lecteur. Donc, si vous voulez connaître la *version historique,* il faut lire le travail monumental qui m'a permis de me repérer moi-même dans la période que j'ai choisi de fictionnaliser, à savoir les années 40 à Fès, celui de 'Abd l-Krim Ghallab, *Tarikh al-haraka al-wataniya bi-l-Maghrib* (Histoire du mouvement nationaliste au Maroc), édition à compte d'auteur, deuxième édition, Imprimerie ar-Rissala, Rabat, 1987.

Chapitre 4

1. Dans le Maroc des années 40, hommes et femmes s'habillaient de manière identique dans les grandes villes. Les messieurs, si virils qu'ils fussent, portaient comme les dames une superposition de trois vêtements *(qamis, caftan* et *farajiya)*, et c'est uniquement au niveau de la couleur que les distinctions entre les sexes s'imposaient, les hommes se contentant de tons stricts comme le blanc, le gris et le beige, alors que les femmes pouvaient s'offrir les variations les plus excentriques. Le premier donc, le *qamis* (longue chemise), est très léger, en fibres naturelles, comme le coton ou la soie. Le second, le *caftan,* est en laine épaisse. On le quitte au printemps, quand la température se réchauffe. Le troisième, la *farajiya,* est une tunique légère souvent transparente, tout en finesse, n'ayant d'autre fonction que la coquetterie, largement fendue sur les côtés et portée sur le caftan. Quand les hommes et les femmes sortaient en public, ils revêtaient en plus la djellaba, une sorte de long manteau fermé devant.

Cependant, avec l'indépendance, à partir des années 50, le style des vêtements marocains connut une révolution qui reflétait les transformations profondes qui bouleversaient les mentalités. D'abord, hommes et femmes se sont mis à porter de temps à autre des tenues européennes, surtout pour se rendre sur les lieux de travail, comme si l'occidentalisation était vécue comme une instrumentalisation de l'être humain, sa réduction à un animal qui travaille, l'habit traditionnel restant réservé aux fêtes, comme s'il témoignait d'une époque où l'homme et la femme se définissaient comme « êtres de loisir ». Ensuite, les vêtements traditionnels se sont adaptés à l'époque moderne. L'ère des vêtements personnalisés et originaux commençait et, si vous observez aujourd'hui une rue marocaine, vous remarquerez que personne n'est habillé de la même façon. Le Maroc des pluralismes est bien affirmé, et l'excentricité de la rue en témoigne bien. Les hommes et les femmes se sont emprunté mutuellement certains articles, et les uns et les autres se donnent le droit de sélectionner des genres et éléments du reste de l'Afrique (certaines gandouras sont des remakes des boubous) et de l'Occident. Par exemple, les couleurs vives, traditionnellement réservées aux femmes, ont été adoptées par les hommes. Les femmes ont emprunté les djellabas des hommes, et les hommes les boubous brodés venant du Sénégal ou d'autres pays musulmans d'Afrique noire. Mais la merveille, c'est la mini-djellaba sexy et confortable, sans précédent, mélange de tissus italiens et du raffinement du caftan traditionnel. Les porteuses de ces mini-djellabas sont des femmes actives qui travaillent sans pour cela perdre leur féminité ni s'emmailloter dans des ensembles occidentaux éminemment inconfortables.

2. Shajarat al-Durr prit le pouvoir en l'an 648 du calendrier musulman (1250).

3. L'idée que la libération des femmes n'est pas une idée importée de Paris ou New York, mais bien une idée endogène à la dynamique arabe et musulmane, et qui a mûri au sein des grands centres de la pensée musulmane comme les universités al-Azhar (Égypte), Zitouna (Tunis) et Qaraouiyine (Maroc), semble absurde aujourd'hui. Et pourtant, l'appui des autorités religieuses, actives au sein du mouvement nationaliste arabe entre 1880 et 1940, fut l'un des événements de la révolution culturelle qui a transformé radicalement nos sociétés. Jamais une femme comme moi n'aurait accédé à l'université si les leaders du mouvement nationaliste, avec les ulémas de la Qaraouiyine à leur tête, n'avaient créé en 1948 une section de filles dans cette université. Aussi étrange que cela puisse paraître, les Français qui nous colonisaient adoraient les traditions et surtout lorsqu'il s'agissait de l'éducation des filles. L'administration française voulait limiter l'éducation des filles au primaire, comme le prouve le témoignage de Lalla Malika al-Fassia, l'une des premières féministes marocaines qui

nous a sauvé la vie et à qui des femmes comme moi doivent d'avoir été à l'université.

Mais avant de donner la parole à Lalla Malika, je voudrais faire une mise au point : il est bien évident que toutes les autorités religieuses n'étaient pas d'accord sur la libération des femmes. Certains rejetaient cette idée comme impie, tel le fameux cheikh qui dit au roi Mohammed V qu'éduquer une fille, c'était « gaver une vipère de venin » (*Afaa wa tusqa summan*) et le roi de rétorquer sur-le-champ : « La fille n'est pas une vipère, et il est inconcevable d'accepter que vous et moi sommes des enfants de vipères » (professeur Abdel Hadi Tazi, *Jami' al Qaraouiyine*, dar al-Kitab al-lubnani, 1972, p. 784). Pour saisir le féminisme des nationalistes, il faut se rappeler que leur problématique face à l'Occident, au début du siècle, était « comment édifier une société arabe forte », idée clé de la confession de Moulay Brahim Kettani, l'autorité religieuse qui créa l'école nationaliste où j'ai fait une partie de mon éducation primaire, et qui fut emprisonné régulièrement par les Français (*Souvenirs d'un prisonnier combattant, Dikrayat Sajin Mukafih,* Matbu'at dar al-maghrib li-ta'lif wa-tarjama, Rabat, 1977).

Voici le témoignage de Lalla Malika al-Fassia, qui révèle que le Protectorat résistait à l'idée du secondaire pour les filles : « Le roi Mohammed V avait eu des difficultés pour convaincre les autorités coloniales. Il m'a dit, car j'étais en relation continue avec lui, "*Ida kuntunna mousta'iddates* (si vous, les femmes, êtes prêtes, décidées) à financer cet enseignement, dépêchez-vous de commencer à le mettre sur pied. Alors, pris de court, ils [les autorités coloniales] seront obligés de se rendre à l'évidence, et d'accepter le fait accompli. Mais si vous vous mettez à leur demander leur financement, ils vont dire que les *Habous* n'ont pas les fonds disponibles". Et ce sont les parents des fillettes qui nous ont aidés à financer le premier projet... Nous avons commencé, nous les femmes, à ramasser les fonds. J'ai demandé à mon mari, Si Mohammed al-Fassi, qui était alors directeur de la Qaraouiyine, de contacter les professeurs de cette université pour leur demander de donner des cours aux filles. Des cours qui seraient les mêmes qu'ils donnaient aux garçons, selon le système régulier. On leur donnait évidemment un salaire, mais il était minime. La première promotion de femmes Alem de l'université Qaraouiyine reçut ses diplômes en 1955. Parmi elles : Fatima Qabbaja, Dr Zhor Ez-Zerka, Habiba Bourekkadi,

Aicha Sekkat, et Saadia Hamiabi... » (Interview réalisée pour *8 Mars* par Latifa Jbabdi, février 1987, voir Hamiani, « Chronologie de l'enseignement », in « Question de l'enseignement au Maroc » de Mohammed Souali et Mekki Merrouni, *Bulletin économique et social du Maroc,* numéro quadruple 143 à 146, Rabat, 1981. Voir aussi « Mohammed V dans la lune » dans mon livre *Chahrazad n'est pas marocaine,* Éditions Le Fennec, Casablanca, 1987, p. 66 et suivantes.)

4. À ce stade, il serait peut-être utile de faire la distinction entre deux sortes de harems, le harem impérial et le harem domestique. Pour simplifier, nous appellerons les premiers, comme celui de Harun al-Rashid avec ses centaines de *jaryas,* les harems impériaux, et les seconds, comme celui de Yasmina, les harems domestiques. Le harem qui nourrit l'imaginaire occidental et ses stéréotypes orientalistes, tel qu'il apparaît dans la peinture occidentale du XIXe siècle par exemple, est ce qu'on appellera le harem impérial, et il s'inspire surtout du faste des sultans ottomans. Ces harems impériaux, luxueux palais peuplés de centaines de femmes nonchalamment étendues, a traversé gaillardement les siècles avec plus ou moins de vicissitudes, depuis le VIIe (il a débuté avec la première dynastie omeyade) jusqu'en 1909, lorsque le dernier sultan ottoman fut brutalement déposé par une Turquie moderniste et ses harems interdits.

Dans le harem impérial, les puissants personnages de la cour (empereur, vizir, généraux, collecteurs d'impôts, etc.) disposaient d'assez d'influence et d'argent pour d'abord conquérir des territoires étrangers, réduire les populations conquises en esclavage, et les acheter et les vendre sur des marchés où ce genre de « produits » s'échangeaient. S'acheter des centaines, parfois des milliers de femmes, et les enfermer dans des palais est le signe même du pouvoir de conquête. Les harems domestiques, catégorie dont font partie ceux décrits dans ce livre, sembleront, par comparaison avec les harems impériaux, ordinaires et familiaux, et surtout prodigieusement ennuyeux, car dépourvus de la dimension érotique qui déliait les fantasmes des Européens forcés à la monogamie par leur sainte Église et, par la suite, par la « loi du citoyen ». On pourrait définir le harem domestique comme une famille étendue, où un homme, ses fils et leurs épouses vivent sous le même toit, mettant leurs ressources en commun et exigeant des femmes qu'elles restent chez elles et réduisent au strict minimum la communication avec le monde extérieur. Dans ces harems domestiques, les hommes n'ont pas nécessairement plusieurs femmes. Ce qui définit le harem dans ce cas n'est pas tant la multiplicité des partenaires sexuelles que la ségrégation de l'espace en « dedans » et « dehors » et le confinement des femmes dans le premier.

Le concept de harem est intrinsèquement spatial, c'est une architecture où l'espace public, dans le sens occidental du terme, est inconcevable, car il n'y a qu'un espace « intérieur » où les femmes ont le droit d'exister et un espace masculin extérieur d'où les femmes sont exclues. C'est pour cela que la bataille actuelle de la démocratisation du monde musulman se focalise et tourne jusqu'à l'obsession autour du voile et l'« enfermement » symbolique des femmes (le monde arabe a l'un des prolétariats féminins les plus misérables du monde), et que dans les sociétés où la crise de l'État et sa remise en question sont radicales comme en Algérie, on n'hésite pas à tirer sur celles qui se dévoilent. Car l'accès des femmes dévoilées à la rue, l'école, le bureau et le Parlement est un acte hautement politique et révolutionnaire, comme une revendication immédiate, non voilée d'un espace public. Une femme voilée accepte la règle, le voile signifie : « Je traverse rapidement et discrètement cet espace que je reconnais être masculin. » Celle qui se dévoile se revendique comme citoyenne, et bouleverse du coup toute l'architecture non seulement sexuelle mais aussi politique, recréant donc par ce petit geste symbolique un État musulman qui reconnaît l'existence d'un espace public.

La confusion dans les harems impériaux entre le trésor du calife et celui de la umma, *la communauté, était un réflexe traditionnel.* (Il suffit de lire les livres d'histoire traditionnelle comme ceux de Tabari, Mas'udi, Ibn al-Athir ou d'autres). *Donc le concept de harem est loin d'être un modèle marginal, c'est le code sur lequel repose la structure du pouvoir inégalitaire, que ce soit dans les rapports de sexes ou dans les rapports politiques.* Et on peut résumer la bataille qui se déroule de nos jours dans le monde musulman autour de la démocratie et des droits de la personne, comme une bataille pour la création d'un espace public, chose totalement étrangère à la culture politique musulmane. Dans ce modèle, l'homme aussi est « politiquement » voilé, car l'espace public est rejeté comme « étranger » à la nature du système.

5. En réalité, la loi n'a jamais vraiment changé. Aujourd'hui encore, presque un demi-siècle plus tard, les femmes musulmanes continuent à se battre pour l'abolition de la polygamie. Mais la législation, disent les hommes politiques autoritaires, est la *shari'a,* loi sacrée qui échappe à la volonté humaine. En fait, la bataille autour de la polygamie n'est pas tant une bataille pour limiter le nombre de partenaires sexuels qu'une bataille qui remet en question le concept de « loi », car les femmes veulent participer à son élaboration comme le montre l'une des dernières initiatives du « Collectif Maghreb Égalité », dirigé par la Marocaine Rabea Naciri, professeur à l'université Mohammed-V de Rabat, où les femmes du Maghreb ont rédigé et présenté à la conférence de Beijing (sept. 1995) un code de la famille tel que le désirent les femmes, c'est-à-dire où l'égalité des sexes est rigoureusement respectée. Qui fait la loi et pour qui est encore une fois le défi des femmes à l'État musulman moderne ?

Chapitre 5

1. La dynastie abbasside, deuxième dynastie de l'Empire musulman (la première étant celle des Omeyades), a duré cinq siècles, de 132 à 656 du calendrier musulman (750 à 1258). Elle a pris fin quand les Mongols détruisirent Bagdad et tuèrent le calife. Harun al-Rashid était le cinquième calife de la dynastie abbasside. Il régna entre 786 et 809. Ses conquêtes devinrent légendaires, et son règne est considéré comme représentatif de l'âge d'or musulman. Il a galvanisé l'imagination de ses contemporains et continue de fasciner de nos jours. Il était beau, sportif, discipliné, aimait la poésie et les femmes autant que la direction des armées. Sur le plan politique, il fut aussi le calife qui réussit à jeter les bases d'un des systèmes les plus despotiques qui soient. Mais apparemment ce fait même nourrit les fantasmes et délie les imaginations. Le calife al-Mutawakkil était le dixième de la dynastie (847-861) et le calife al-Muqtadir le dix-neuvième (908-932).

Chapitre 6

1. Ceci se passait dans les années 40. Aujourd'hui, les bananes et beaucoup d'autres fruits équatoriaux sont produits dans la plaine du Gharb et ailleurs, sous serres grâce aux technologies modernes.

Chapitre 7

1. Maghreb est le nom du Maroc en arabe. Il signifie le pays du soleil couchant, le *gharb* étant l'ouest. Cependant, avec l'émergence de la notion d'une région économique en Afrique du Nord, c'est le mot Maghreb que les politiciens ont choisi, et qui comprend, outre le Maroc, l'Algérie, la Mauritanie, la Libye et la Tunisie. D'où une légère confusion depuis, surtout chez les journalistes de la presse arabe, qui redoublent de créativité pour trouver des adjectifs différents pour distinguer « Marocain » de « Maghrébin » dans le sens de cette nouvelle région économique. *Magharibi,* par exemple, est l'une de ces nouveautés. Mais les confusions linguistiques sont multiples et d'autant plus fantasques, que le Marché commun de notre côté de la Méditerranée semble aussi loin de notre portée que l'étoile Vénus.

2. Le *Hadith* est la chronique des actes et des paroles du prophète Mohammed, rédigée après sa mort. Le mot lui-même veut dire raconter. Le *Hadith* est considéré comme l'une des principales sources de l'islam, la première étant le Coran, le livre révélé directement par Allah à son Prophète.

3. Le *khanoun* est l'équivalent marocain du barbecue, en plus rudimentaire.

Chapitre 8

1. Yasmina serait heureuse si elle pouvait voir le Maroc d'aujourd'hui, où les femmes alphabétisées vendent la pastilla à prix d'or chez des « traiteurs ». Une des nouveautés du Maroc des années 90 est l'envahissement des espaces commerciaux par les femmes qui, bien entendu, donnent à leur pays le privilège de rester dans la compétition internationale, grâce aux produits alimentaires et textiles, secteurs où la gent féminine brille par son nombre. Les femmes constituent environ 60 % des travailleurs dans le secteur agro-alimentaire et presque 80 % dans le textile — les deux secteurs où le Maroc « menace » l'Europe. Dans les derniers accords entre la CEE et le Maroc, les grandes puissances du Nord multiplient les quotas et les surquotas pour empêcher la tomate, la mandarine et la minuscule sardine de ces dames marocaines de « gêner » les producteurs espagnols et portugais. Ah ! Yasmina, si tu pouvais jeter un coup d'œil sur tes petites-filles. Elles font leur petite *intifada* en douce, sans pierres, à coups de patience et de courage, et de travail bien fait.

2. Le mot *takhmal* provient de l'arabe dialectal *khammal,* qui signifie : faire le ménage à fond. Le *takhmal* est un long ruban brodé ou une bande élastique qu'utilisent les femmes pour remonter au-dessus du coude les manches longues et larges. Elles prenaient un ruban d'un mètre de long, le fermaient par un nœud coulant et le croisaient en forme de huit. Puis elles y glissaient le bras, en plaçant le nœud à l'arrière et, passant la manche dans le ruban, la remontaient jusqu'à l'aisselle. Pour cacher l'aspect fonctionnel du *takhmal,* nombre de femmes brodaient de perles le ruban ou la bande élastique. Certaines femmes riches utilisaient même des colliers de perles ou des chaînes d'or à la place du ruban.

3. L'un des plus brillants historiens et sociologues de l'Islam, Ibn Khaldun, vivait en Espagne musulmane et en Afrique du Nord durant le XIVe siècle. Dans son chef-d'œuvre, le *Muqaddimah* (Introduction), il a essayé de soumettre l'histoire à une analyse méticuleuse pour en découvrir les principes directeurs. Ce faisant, il a défini les citadins comme les pôles positifs de la culture musulmane, et les paysans et les nomades comme les pôles négatifs et destructeurs. Cette façon de voir les centres urbains comme berceaux des idées, de la culture et de la richesse, et les populations rurales comme improductives, rebelles et indisciplinées, a influencé toutes les visions arabes du développement, jusqu'à notre époque. Une des raisons de l'émigration massive vers les villes, qui pose tant de problèmes aujourd'hui, est la négligence totale de l'infrastructure dans les zones rurales et, comme les paysans ne sont pas aussi idiots que le prétendait Ibn Khaldun, ils ont émigré en masse, pour avoir accès à ce qu'ils ont identifié comme la manne du ciel et la clef du XXIe siècle : l'école. Il est intéressant de noter qu'une des raisons de l'échec de la gauche marxisante dans le monde arabe fut son mépris de la paysannerie et de sa culture traditionnelle. Pour ceux qui veulent en savoir plus que Yasmina sur Ibn Khaldun, il faut lire la très belle traduction de sa biographie, *Le Voyage d'Occident et d'Orient,* par Abdesslam Cheddadi, Sindbad, Paris, 1980.

Chapitre 9

1. Je crois qu'une société qui force les enfants à quitter brutalement la table pour aller s'enfermer dans leur chambre est une société d'une cruauté d'autant plus perverse qu'elle prétend ainsi servir des valeurs supérieures (disci-

pline, etc.). Quand j'ai découvert, la première fois où j'ai visité un pays européen à l'âge de vingt ans, qu'on forçait les enfants à aller au lit à sept ou huit heures, j'ai béni le ciel de m'avoir fait naître de l'autre côté de la Méditerranée. Dormir, c'est-à-dire se recroqueviller discrètement au milieu de la « réception », ou du « dîner », lorsque les autres sont toujours en train de papoter, est pour moi l'un des plaisirs sensuels les plus incontestables qu'on puisse éprouver sur terre. Ce genre de sommeil n'est comparable à aucun autre, on est conscient de s'évader, tout en étant imbibé de la douceur et de la chaleur des autres consciences qui continuent à vibrer autour de soi.

Chapitre 10

1. Avicenne (980-1037), connu sous le nom arabe de Ibn Sina, et al-Khwarizmi (*circa* 800-847) étaient deux illustres érudits appartenant à une communauté scientifique musulmane qui commença à prospérer sous la dynastie abbasside grâce à des subsides gouvernementaux. Le calife Al-Ma'mun (813-833) était l'exemple même de l'homme d'État qui fit de la promotion des sciences une priorité politique. Les nombreux écrits d'Avicenne énumèrent toutes les connaissances médicales de l'époque. Al-Khwarizmi fut l'un des premiers à utiliser les nombres hindous et les techniques de calcul dans les mathématiques arabes. Avec d'autres savants arabes, ils contribuèrent à la préservation et à la transmission vers l'Occident d'une énorme masse de connaissances basées sur le grec ancien, le persan, le sanskrit et le syriaque.

2. Les hommes et les femmes se complètent dans le processus de fabrication. Les caftans de soie sont d'abord dessinés par une femme qui décide du tissu et de la coupe, avant de le broder elle-même, puis elle le confie à un artisan qui le coud et ajoute les passementeries en lisière. De même pour les babouches de cuir : les hommes coupent les différents morceaux, les transmettent aux femmes qui les brodent avant de les leur rendre pour les coutures d'assemblage.

Chapitre 11

1. Les événements de ce livre ont eu lieu avant la création de l'État d'Israël en mai 1948. À cette époque, la vision d'un lieu culturel et historique étroit entre juifs et musulmans était très répandue, surtout au Maroc, où les deux

communautés avaient des souvenirs communs de l'Inquisition espagnole qui avait conduit à leur expulsion d'Espagne en 1492. Bernard Lewis a écrit un chapitre intéressant de cette vision d'avant 1948, dans lequel il explique que beaucoup d'Européens croyaient alors que les juifs et les musulmans avaient conspiré contre les intérêts de la chrétienté au XIXe et au début du XXe siècle (Bernard Lewis, *Les Juifs pro-islamiques : le retour de l'Islam*, Éditions Gallimard, 1985, p. 315). À la fin des années 40, la communauté juive marocaine était impressionnante en nombre et constituait l'un des piliers de la tradition pluraliste nord-africaine, avec des racines puisant très loin dans la culture berbère pré-islamique. Dans une ville comme Fès, le lien entre les deux communautés était si profond que personne ne trouvait étrange que des noms aussi éminemment judaïques que Cohen, Jacob et Sasson se rencontrent autant dans le Mellah que dans l'enceinte de Moulay-Driss, dans les fières chaumières des familles les plus « aristocratiques » de la Médina musulmane. L'aristocratie se mesurait bien évidemment à l'enracinement dans la brillante culture andalouse. Cela, c'était en 1947. Depuis, la plupart des juifs ont quitté le Maroc pour Israël, la France et le Canada. À l'heure actuelle, le Mellah de Fès est entièrement peuplé de musulmans, et les juifs restant dans le pays ne se comptent que par centaines. En conséquence, beaucoup d'intellectuels marocains (le département d'histoire de la faculté de lettres de Rabat, notamment) ont essayé, le plus vite possible, de réunir les documents culturels caractéristiques de l'histoire de la communauté juive marocaine, l'une des plus anciennes du monde, qui s'est évaporée en quelques décennies. On ne peut pas comprendre pourquoi les chefs d'État d'Afrique du Nord, depuis Bourguiba jusqu'à Hassan II, ont joué un rôle si important dans le processus de paix au Moyen-Orient si on ne se rappelle pas que la disparition de la communauté juive dans les sociétés d'Afrique du Nord en général, et au Maroc en particulier, s'est faite dans des conditions tellement rapides et tragiquement silencieuses, imbriquée qu'elle était dans une dynamique internationale implacable, qu'elle fut inconsciemment ressentie comme une amputation.

Chapitre 13

1. Voir le très divertissant *Qiyan Baghdad fi l'açr al-Abbassi* (Les esclaves chanteuses de Bagdad durant

l'époque abbasside), de Abdul Karim al-Allaf (éditions Dar at-Tadamon, Bagdad, 1969) non pour l'information sur les temps anciens — on est mieux informé en lisant les *Aghani* (Livre des chansons), mais parce qu'on y trouve des portraits illustrés des chanteuses des années 20 et 30, qui étaient les contemporaines d'Asmahan.

2. La famille Barmaki était très puissante à cette époque. Yahya était le vizir de Harun, mais avait été auparavant son professeur et son mentor. Yahya mourut en l'an 190 du calendrier musulman (IXe siècle).

3. Alors que les femmes des haute et moyenne bourgeoisies abandonnaient le port du voile, les paysannes venant à Fès après l'indépendance portaient le voile pour proclamer leur condition de citadines, et montrer qu'elles faisaient partie de la ville, ayant quitté la campagne où le port du voile ne fut jamais, dans aucun pays d'Afrique du Nord, adopté par les femmes. Aujourd'hui encore, le *hijab,* coiffure caractéristique de la tendance islamiste très politisée, concerne une fraction de la bourgeoisie marocaine citadine et instruite. Les paysannes et les femmes de la classe ouvrière continuent à porter leur djellaba traditionnelle.

Chapitre 14

1. Les premières féministes sont très célèbres dans le monde arabe, où il est de tradition de retracer la vie des femmes, leurs talents et leurs exploits sous forme de compilations du genre *Who's Who*. La fascination des historiens arabes à l'égard des femmes a produit un véritable genre littéraire, appelé *nisaiyyat*, du mot *nissa,* femmes. Salah al-Din al-Mounajid, grand admirateur de femmes d'exception, compila quelque cent ouvrages sur les femmes dans son *Ma 'ullifa 'ani an-nissa* (Ce qui a été écrit sur les femmes), dans la revue *Majalla majma al-lugha l'Arabiyya,* 1941, vol. 16, p. 216. Malheureusement, les féministes arabes, qui sont des personnages clés pour comprendre l'histoire des droits de l'homme dans le monde musulman moderne, sont très peu connues en Occident. On peut trouver un excellent portrait des principales féministes musulmanes du XIXe siècle et du début du XXe dans le premier volume de *Raidates* (Femmes pionnières), de l'écrivain libanais Emily Nastallah. Ce livre n'existe pour le moment qu'en arabe, et il serait très utile aux lecteurs occidentaux qu'il soit traduit.

2. Zaynab Fawwaz al-Amili, *Al-Durr al-manthour fi taba-*

qat Rabbat al-Khodour : elle explique dans l'introduction que son livre est « une œuvre dédiée à la cause des femmes de mon espèce ».

3. Huda Sha'raoui est bien connue dans le monde arabe, et on peut trouver un aperçu de sa vie extraordinaire dans la traduction, par Margot Badran, de morceaux choisis de ses Mémoires intitulés : *Harem Years : The Memoirs of an Egyptian Feminist,* Londres, Virago Press, 1986. Pour une description illustrée des campagnes féministes de Huda Sha'raoui, il faut voir *The Portrayal of Women in Photography in the Middle East, 1860-1950,* New York, Columbia University Press, 1988. Le dernier chapitre, « Campaigning Women », contient des photos de la manifestation des femmes de 1919.

4. *Qamar,* qui veut dire lune en arabe, est un mot masculin, et c'est loin d'être un hasard. Dans l'Arabie pré-islamique, Qamar était un des dieux du panthéon. Il est intéressant de noter qu'aujourd'hui Qamar est un nom de femme, au Maroc en tout cas.

Chapitre 15

1. Dans le premier texte que je possède (*Beirut al-Maktaba al-Cha'biya,* vol. 4), le conte de Qamar al-Zaman commence à la neuf cent soixante-deuxième nuit, mais dans la traduction de Burton, il apparaît à la soixante-dixième.

2. La mode est loin d'être une futilité et, au Maroc, elle reflète l'attachement extraordinaire à la tradition artisanale. Attachement qui contraste avec une consommation béate des grandes marques occidentales qu'on trouve dans les pays du Golfe par exemple. Bien que les harems aient disparu dans les années 50, et que les femmes des haute et moyenne bourgeoisies aient accédé à l'instruction et à l'emploi salarié, le désir des femmes de garder le contrôle de la mode reste aussi vivace. Les milliers de femmes marocaines qui ont une profession libérale aujourd'hui (au Maroc, un tiers des médecins, avocats et professeurs d'université sont des femmes) n'ont pas abandonné la tradition de concevoir elles-mêmes leurs habits et leurs bijoux, et contribuent ainsi à la renaissance de l'artisanat traditionnel. Si, durant la journée, il faut bien se mettre en jupe et chemisier pour aller au travail, la fête, le soir, est inconcevable sans des mini-djellabas ou mini-caftans, ou des variations maxi autour des deux. Les djellabas et les caftans traditionnels sont raccourcis et réalisés au gré de la

fantaisie en toutes sortes de tissus et de couleurs. Dans les ruelles sombres de la Médina, il est fréquent de rencontrer des femmes médecins, avocats ou juges, assises sur les tabourets des artisans, occupées à discuter de la couleur, de la coupe et des broderies de leurs vêtements, exactement comme leurs grand-mères le faisaient au début du siècle.

3. Le conte de Qamar al-Zaman, dans la version originale de ce livre rédigée en anglais, provient de la traduction qu'en a donnée Burton (vol. 3, p. 278). Comme la traduction française des *Mille et Une Nuits*, et notamment celle de Mardrus, ne coïncide guère avec le texte de Burton et que les deux divergent du texte arabe original que j'utilise et qui est celui de Muhsin Mahdi (voir note 1, chap. 2), ce qui est tout à fait normal étant donné que la mise en écriture des *Mille et Une Nuits*, contes qui se transmettaient oralement, s'est faite très tard dans toutes les langues et s'est constituée à partir de plusieurs manuscrits arabes et persans, on se contentera de celle de Burton, librement rendue par la traductrice.

4. Burton, vol. 3, p. 278.

5. *Ibid.*, p. 283.

6. *Ibid.*, p. 289.

7. *Id.*

Chapitre 16

1. Il y a souvent, dans les sanctuaires situés au bord de la mer (et Dieu sait qu'ils sont nombreux), des « grottes » où les femmes viennent accomplir des rituels de fertilité (pour avoir un enfant ou trouver un mari) et qui portent le nom de *Lalla Aicha al-Bahria* (Aicha marine, qui vient ou appartient à la mer) comme celle du saint Moulay Bouselham à quelques kilomètres au nord de Kenitra. Bien sûr, vous ne trouverez jamais une pancarte avec le nom de Lalla Aicha, mais si vous demandez dans les parages des sanctuaires, comme je le fais systématiquement quand je fais une enquête ou quand je suis simplement en vacances, vous tombez toujours sur des Lalla Aicha al-Bahria. Voici un filon pour un tourisme culturel qu'on pourrait nommer « À la recherche des mythes atlantiques » et que, hélas, jusqu'à présent notre ministère du Tourisme dédaigne.

2. Le *khli* est une sorte de bacon marocain fait à partir de viande de bœuf séchée au soleil aux mois de juillet et d'août, puis cuite dans de l'huile d'olive et de la graisse,

aromatisée de graines de coriandre et de cumin. De même que les olives, du bon *khli*, séché et traité comme il se doit, peut se conserver toute une année, et sans artifices chimiques.

3. Jouer aux échecs *(strange)* était un passe-temps aussi prisé à la ferme que les cartes. Hommes et femmes s'y adonnaient, souvent séparément, mais ils se consultaient lorsqu'il y avait des situations bloquées ou remarquablement compliquées.

Chapitre 17

1. Mina faisait probablement référence à la circulaire de l'administration française de 1922, qui ne se contenait pas de rendre illégal le commerce public des esclaves (c'était déjà le cas au Maroc depuis plusieurs dizaines d'années) mais donnait aux victimes — c'est-à-dire les esclaves eux-mêmes — la possibilité de se libérer en poursuivant en justice leurs ravisseurs et marchands. Peu de temps après l'application de cette circulaire, l'esclavage disparut au Maroc. Cette évolution était d'autant plus remarquable que pendant des décennies, après l'abolition de l'esclavage à l'échelle internationale, plusieurs chef d'État et hauts fonctionnaires arabes continuaient à s'y opposer et déclaraient que « l'abolition de l'esclavage est en totale contradiction avec la religion musulmane et serait de ce fait totalement impopulaire », comme l'expliquent les professeurs Mohammed Ennaji et Khalid Ben Sghir dans leur magistral *La Grande-Bretagne et l'esclavage au Maroc au XIXe siècle* (Hespéris Tamuda, vol. XXIX, fasc. 2, 1991, p. 249-281). L'esclavage « faisait partie de notre tradition », expliquaient les classes dirigeantes arabes face à une opinion internationale qui exigeait son abolition, comme aujourd'hui ces mêmes classes affirment que « les droits de l'homme et la démocratie » sont contraires à nos valeurs sacrées. Mais si les deux sexes souffraient du fléau de l'esclavage, les femmes étaient des victimes d'une vulnérabilité insoutenable, comme l'illustre si bien le dernier livre de Mohammed Ennaji : *Soldats, domestiques et concubines : l'esclavage au Maroc au XIXe siècle* (Éditions Eddif, Casablanca, 1994). Le cas de l'esclavage prouve que ce n'est que lorsque les femmes ont la loi pour elles, et la possibilité d'attaquer leurs agresseurs, que les changements peuvent intervenir dans les sociétés où la violence fait partie du paysage traditionnel.

En fait, ce sont les hauts fonctionnaires musulmans, acheteurs ou vendeurs d'esclaves, qui s'opposèrent à son abolition qu'ils décrièrent comme une intervention « humiliante » des arrogantes puissances coloniales et une violation de la tradition sacrée. Car l'attitude de l'islam envers l'esclavage était très claire dès le départ : c'était une pratique des Arabes de la *jahilia,* ignorants et violents, qu'il fallait éliminer à tout prix. Une des choses les plus surprenantes de l'islam est qu'au VIIe siècle cette religion avait adopté une politique anti-esclavagiste audacieuse qui aurait pu amener les dirigeants musulmans à être les pionniers de l'abolition de l'esclavage dans le monde. Le prophète Mahomet encourageait par la parole et le geste les croyants à libérer leurs esclaves, et il commença par donner l'exemple lui-même. Pour illustrer la rupture de l'islam avec les Arabes *jahili,* férocement aristocratiques, sur la question de l'esclavage, il avait donné à son célèbre esclave Bilal, et à son fils, Ousama, des positions clés dans la gestion de la cité et de l'armée.

Mais si l'islam s'opposa à l'esclavage en général, sa position fut encore plus *radicale* en ce qui concerne l'esclavage des femmes, car, dans leur cas, l'exploitation sexuelle rendait leur humiliation intolérable dans une religion où la dignité et l'égalité étaient le message fondamental, comme en témoignent les versets concernant Umaima et Musaïka. Ces deux jeunes femmes étaient les esclaves du monstrueux 'Abd Allah b. Ubayy, le chef de file des « Hypocrites », les opposants au Prophète, qui gagnait sa vie en les forçant à la prostitution. Le verset 33 de la sourate 24 (*an-Nour,* La lumière) qui aborde le problème du *zina,* la débauche, constate l'existence d'une prostitution non seulement organisée dans Médine, mais aussi liée à l'esclavage : « Ne forcez pas vos femmes esclaves à se prostituer *(al-Baghaa)* pour vous procurer les biens de la vie de ce monde alors qu'elles voudraient rester honnêtes » (traduction Masson, p. 463). Ibn Hajjar, l'auteur de *al-Isaba Fi Tamyiiz as-Sahaba,* le répertoire des biographies des *sahaba* (les premiers musulmans disciples du Prophète), nous donne des détails sur la vie de Umaima et Musaïka, qui étaient venues se plaindre à l'envoyé de Dieu, nous dit Hajjar. C'est pour répondre à leur plainte qu'Allah révéla le verset suivant : « Ne forcez pas vos esclaves à la prostitution... » (*Isaba Fi Tamyiiz as-Sahaba,* vol. 7, p. 517 pour la biographie de Umaima n° 10 869, et vol. 8, p. 119, biographie n° 11 756 pour celle de Musaïka, classée sous son vrai nom : Mu'ada). La question que nos chercheurs et historiens doivent entreprendre de clarifier, c'est comment avec un héritage historique prônant l'égalité dès le VIIe siècle, les dirigeants musulmans sont restés à la traîne dans la lutte pour les droits de la personne aux XIXe et XXe siècles. Beaucoup de responsables font exactement la même chose aujourd'hui en ce qui concerne le droit des femmes. Leur résistance est en fait un rejet des plus belles valeurs de la tradition prophétique, qui, elle, n'est nullement en contradiction avec les principes de la démocratie et des droits de l'homme.

2. Les marchands d'esclaves locaux remettaient leurs victimes aux mains des marchands arabes, qui continuaient le voyage suivant des itinéraires connus vers le nord. Voir les cartes de E.W. Bovill dans *The Golden Trade of the Moors* (Oxford University Press, 1970), en particulier au chapitre 25, « La dernière caravane », p. 236 et 239.

3. L'un des plus célèbres est le récit de l'enlèvement de la princesse Nuzathu al-Zaman, dans le conte du roi 'Omar Bin al-Nu'man, « Hikayat al-Malik 'Omar an-Nu'man wa waladayh Charkan wa Daw' al-Makam », dans *Alf Lila wa-Lila* (les *Mille et Une Nuits)*, Beyrouth, al-Maktaba ach-Cha'biya, date non indiquée, vol. 1, p. 203. L'enlèvement de Nuzha commence à la page 141 et ressemble beaucoup à celui de Mina. Dans la traduction de Burton, elle figure au vol. 2.

Chapitre 18

1. Les *Kitab al-hikma* dont il s'agit sont les traités magiques du genre *ar-Rahma fi at-Tib wa I-hikma* prêté à l'imam Jalal ed din as-Suyuti, mort en l'an 911 de l'hégire comme l'indique l'éditeur (Beyrouth, al-Maktaba at-Taqafiya), où, après des sujets sérieux comme « Waj' ar-ra's » (Les migraines) et « Le mal de dents », on trouve « Fi-I-'ichq wa-I-mahhiba » (De l'amour et la tendresse), et un chapitre consacré à « Taqwiyat al-jima' » (Les aphrodisiaques) ; puis on arrive immanquablement au chapitre « Fi radd at-tayibi bikran » (Comment rendre sa virginité à une femme qui a pratiqué le sexe) parce qu'il faut bien arranger les dégâts par la suite. De même dans *Tashil al Manafi' fi at-tib wa -I-hikma* (grosso modo : Vulgarisation des bienfaits de la médecine et de la sagesse) de l'imam Abi Bakr al-Azraq (Maktaba ach-Cha'biya de Beyrouth), où on peut lire à la page 177 le chapitre sur « al-'Ichq » (De l'amour),

etc. On verra plus loin, au chapitre suivant, le cas de mon livre préféré de recettes magiques, *Kitab al-awfaq*, attribué à l'imam al-Ghazali (Beyrouth, al-Maktaba ach-Cha'biya).

Ce genre de littérature a fleuri depuis le Moyen Âge jusqu'au XIXe siècle. À la limite de la médecine arabe, on y trouve des chapitres de science médicale (en général au début du livre), des recettes magiques très amusantes par la suite, des formules de masques de beauté, des traitements pour la beauté de la peau ou des cheveux, des méthodes de contraception, et surtout des tas de décoctions aphrodisiaques et de remèdes contre l'impuissance qu'il serait intéressant de tester dans les laboratoires modernes. Ces livres sont encore très populaires aujourd'hui si on en juge par leur prix modique et leur constante disponibilité dans les rues, au seuil des mosquées. Ces livres, qui sont dédaignés par les politiciens et les chercheurs, ont constitué probablement la base de l'éducation sexuelle de millions de jeunes de milieux défavorisés, jusqu'à l'avènement de la télévision et des paraboles.

2. Il est intéressant de noter que la meilleure chose que les Turcs, maîtres d'un Empire ottoman qui a subjugué les trois continents des siècles durant, ont enseignée aux Arabes fut non de leur apprendre comment accroître le pouvoir du chef, mais comment l'affaiblir, à travers les idées sécularistes de la révolution démocratique. Kemal Atatürk, avec sa vision résolument moderniste d'un monde musulman qui s'identifie non à un passé plus ou moins mythique, mais avec un futur qu'il choisirait et construirait délibérément, fascinait les petites gens de la Médina, surtout les femmes. Atatürk, si militaire qu'il fût, avait compris le lien organique entre le harem et le despotisme, détestait l'un comme l'autre et prêchait que la force des nations musulmanes résidait dans l'abolition des deux. Les grands bouleversements politiques et culturels que la Turquie a vécus au moment de l'avènement de la république en 1923, dont le premier gouvernement fut présidé par Kemal Atatürk, furent l'abolition de nombreuses institutions traditionnelles, comme les harems ou la polygamie, le port du fez pour les hommes et, dans une moindre mesure, le port du voile pour les femmes (il devint facultatif). Des réformes économiques et sociales hardies s'ensuivirent. Les femmes se virent accorder le droit de vote en 1934. Kemal Atatürk mourut en fonction en 1938. Kemal et ses décisions révolutionnaires furent amplement commentés et discutés dans les chaumières arabes, surtout en Égypte et en Tunisie ;

grâce à la radio et aux mouvements des nationalistes, le Maroc fut mis au courant, et les dames étaient aux anges.

Chapitre 19

1. Bien que le *Kitab al-awfaq* soit attribué à l'imam al-Ghazali *(op. cit.)*, il est inconcevable que al-Ghazali, l'un des plus grands érudits du Moyen Âge islamique, ait écrit un tel livre. C'est un recueil, comme je l'ai noté dans le chapitre précédent, de recettes assez comiques qui combinent la magie la plus élémentaire avec des notions simplistes d'astronomie. Sans doute capable d'impressionner les enfants de huit ans, ce livre ne pouvait en aucun cas tromper un savant. C'est en fait une pratique bizarre mais assez courante dans la littérature arabe que d'attribuer des traités douteux aux plus brillants philosophes, mathématiciens, juges et autres imams. Abdelfetah Kilito, dans son livre *L'Auteur et ses doubles, essai sur la culture classique* (Éditions du Seuil, 1985), donne deux raisons à cette étrange pratique. D'abord, les véritables auteurs évitaient ainsi la critique, la censure et la colère du calife, ensuite, cela permettait d'augmenter les ventes des livres, ainsi largement distribués à l'entrée des mosquées pendant des siècles.

2. Mas'udi, *Muruj al-Dhahab*, Beyrouth, dar al-Ma'arifa, 1982, vol. 2, p. 212. Voir pour la traduction française : *Les Prairies d'or*, de Barbier de Meynard et Pavet de Courtelle, Paris, Éditions du CNRS, 1965, vol. 2, p. 505.

3. *Id.*

4. Tiré du *Kitab al-awfaq*, p. 18.

5. Le *fquih* est une autorité religieuse musulmane, un érudit spécialiste du *fiqh*, les études religieuses. Ses connaissances en théologie garantissent son autorité, et il sert souvent de consultant aux ministres ou chefs de gouvernement. Par extension, le mot *fquih* désigne à présent un professeur, indépendamment de sa spécialité, qu'il enseigne aux niveaux primaire, secondaire ou universitaire. Cependant, les femmes professeurs d'université ne se voient jamais accorder ce titre et ont droit au terme très éminemment moderne de *ustada*, ce qui évite toutes sortes de glissements vers le territoire bien gardé des sciences sacrées.

Chapitre 20

1. Les *Mille et Une Nuits*, traduction à partir de la version anglaise de Burton, vol. 3, p. 116.

2. *Ibid.*
3. *Id.*

Chapitre 21

1. C'était bien sûr avant la construction des usines de plastique à Casablanca. De nos jours, la pauvre Médina de Fès suffoque sous des nuages mouvants de plastique. Même si vous demandez la délicate *al-meska al-beldia* (gomme arabique) ou du *ud* (bois de santal), on vous les offre fourrés dans les inévitables pochettes de plastique.

Chapitre 22

1. Dans le mariage musulman, une femme garde son nom.